NOVEMBRO, 9

Obras da autora publicadas pela Editora Record:

***Série* Slammed**
Métrica
Pausa
Essa garota

***Série* Hopeless**
Um caso perdido
Sem esperança
Em busca de Cinderela

***Série* Nunca, jamais**
Nunca, jamais
Nunca, jamais: parte 2
Nunca, jamais: parte 3

***Série* Talvez**
Talvez um dia
Talvez agora

***Série* É Assim que Acaba**
É assim que acaba
É assim que começa

O lado feio do amor
Novembro, 9
Confesse
Tarde demais
As mil partes do meu coração
Todas as suas (im)perfeições
Verity
Se não fosse você
Layla
Até o verão terminar
Uma segunda chance

COLLEEN HOOVER

NOVEMBRO, 9

Tradução
Ryta Vinagre

35ª edição

Galera
RIO DE JANEIRO
2025

CIP-BRASIL. CATALOGAÇÃO NA PUBLICAÇÃO
SINDICATO NACIONAL DOS EDITORES DE LIVROS, RJ

H759n
35ª ed.

Hoover, Colleen
Novembro, 9 / Colleen Hoover; tradução de Ryta Vinagre. – 35ª ed. – Rio de Janeiro: Galera Record, 2025.

Tradução de: November 9
ISBN 978-85-01-07625-0

1. Ficção americana. I. Vinagre, Ryta. II. Título.

16-33784

CDD: 028.5
CDU: 087.5

Título original:
November 9

Publicado mediante acordo com a editora original, Atria Books, um selo da Simon & Schuster, Inc.

Texto revisado segundo o novo Acordo Ortográfico da Língua Portuguesa.

Editoração eletrônica: Abreu's System

Direitos exclusivos de publicação em língua portuguesa somente para o Brasil adquiridos pela
EDITORA RECORD LTDA.
Rua Argentina, 171 – Rio de Janeiro, RJ – 20921-380 – Tel.: (21) 2585-2000,
que se reserva a propriedade literária desta tradução.

Impresso no Brasil

ISBN 978-85-01-07625-0

Para Levi

Você tem um ótimo gosto para música e seus abraços são desajeitados. Nunca mude.

Primeiro
9 de novembro

Sou transparente, aquático.
À deriva, sem rumo.
Ela é uma âncora afundando em meu mar.

— Benton James Kessler

Fallon

Que barulho será que faria se eu quebrasse esse copo na lateral da cabeça dele?

É um copo grosso. A cabeça dele é dura. Há potencial para uma bela pancada.

Será que ele sangraria? Tem guardanapos na mesa, mas não são do tipo que conseguiria absorver muito sangue.

— Então, é isso. Estou um pouco chocado, mas está acontecendo — diz ele.

Sua voz me faz apertar mais o copo na esperança de que continue na minha mão e não acabe de fato na cabeça dele.

— Fallon? — Ele pigarreia e tenta suavizar suas palavras, mas ainda me cortam como se fossem facas. — Vai dizer alguma coisa?

Bato o canudo na parte oca de um cubo de gelo, imaginando que o gelo é a cabeça dele.

— O que quer que eu diga? — resmungo, parecendo uma criança birrenta, e não a adulta de 18 anos que sou. — Quer que eu te *dê os parabéns*?

Minhas costas tocam o encosto atrás de mim e cruzo os braços. Olho para ele e me pergunto se o arrependimento que vejo em seus olhos é consequência de ter me decepcionado ou se ele está simplesmente fingindo de novo. Faz só cinco minutos que se sentou e já transformou o lado dele da mesa num palco. E, mais uma vez, sou obrigada a ser a plateia.

Os dedos dele tamborilam na xícara de café e ele me observa em silêncio por vários segundos.

Taptaptap.

Taptaptap.

Taptaptap.

Ele acha que vou acabar desistindo e dizendo o que ele quer ouvir, mas ele não esteve comigo o suficiente nos últimos dois anos para saber que não sou mais aquela garota.

Quando me recuso a reconhecer sua atuação, ele, por fim, suspira e baixa os cotovelos na mesa.

— Bom, achei que você ficaria feliz por mim.

Eu me forço a balançar a cabeça depressa.

— *Feliz* por você? *Não pode estar falando sério.*

Ele dá de ombros e um sorriso presunçoso surge em sua expressão já irritante.

— Eu não sabia que podia ser pai de novo.

Deixo escapar uma gargalhada alta e incrédula.

— Ejacular na vagina de uma mulher de vinte e quatro anos não torna ninguém um pai — digo, com certa amargura.

Seu sorriso presunçoso desaparece, ele se recosta e inclina a cabeça. Na tela, esse gesto sempre foi sua saída de emergência quando ele não sabia como reagir. "*Passe a impressão de que está refletindo profundamente e vai funcionar com quase qualquer emoção. Tristeza, introspecção, arrependimento, compaixão.*" Ele não deve se lembrar de que foi meu professor de atuação durante a maior parte da minha vida e esta expressão foi uma das primeiras que ele me ensinou.

— Não acha que tenho o direito de me considerar um pai? — Ele parece ofendido com a minha resposta. — O que você acha que isso me torna, então?

Trato essa pergunta como retórica e golpeio outra pedra de gelo. Com habilidade, puxo o canudo e coloco o gelo na boca. Mordo, triturando-o de forma ruidosa e desprecupada. Certamente ele não espera que eu responda a essa pergunta. Ele não foi um "pai" desde a noite em que minha carreira de atriz foi interrompida, quando eu só tinha 16 anos. E, para ser franca comigo mesma, nem tenho certeza se ele foi pai *antes* daquela noite. Estávamos mais para professor e aluna de interpretação.

Uma das mãos dele toca os caros folículos de cabelo implantado que delimitam sua testa.

— Por que está fazendo isso? — A cada segundo, ele fica mais irritado com minha atitude. — Ainda está brava por eu não ter ido à sua formatura? Já te falei, tive um conflito na agenda.

— Não — respondo tranquilamente. — Eu não *convidei* você para a minha formatura.

Ele recua, olhando incrédulo para mim.

— Por que não?

— Eu só tinha quatro convites.

— *E?* — disse ele. — Sou seu *pai.* Por que você não me convidaria para sua formatura no colégio?

— Você não teria ido.

— Você não tinha como saber — rebate ele.

— Você *não* foi.

Ele revira os olhos.

— Bem, é claro que não, Fallon. Não fui *convidado.*

Suspiro fundo.

— Você é impossível. Agora entendo por que mamãe te largou.

Ele balança a cabeça de leve.

— Sua mãe me deixou porque eu dormi com a melhor amiga dela. Minha personalidade não teve nada a ver com isso.

Nem mesmo sei o que responder. O homem tem absolutamente zero remorso. Tanto odeio quanto invejo isso. De certo modo, queria ser mais parecida com ele e menos com minha mãe. Ele não se importa com os próprios defeitos, enquanto os meus são o foco da minha vida. Meus defeitos são o que me faz acordar de manhã e o que me deixa acordada toda noite.

— Quem pediu salmão? — pergunta o garçom. *Que timing* impecável.

Levanto a mão e ele coloca o prato diante de mim. Já perdi o apetite, então empurro o arroz com o garfo pelo prato.

— Ei, espere um segundo. — Olho para o garçom, mas ele não está falando comigo, e sim olhando intensamente para o meu pai. — Você é...

Ah, meu Deus. Lá vamos nós de novo.

O garçom dá um tapa na mesa e eu estremeço.

— É *você!* Você é Donovan O'Neil! Você fez Max Epcott!

Meu pai dá de ombros, com modéstia, mas sei que neste homem não há nada de modesto. Embora ele não interprete mais Max Epcott desde que o programa saiu do ar, dez anos atrás, ele ainda age como se fosse o maior acontecimento da televisão. E as pessoas que o reconhecem são o motivo para ele ainda reagir desse jeito. Agem como se nunca tivessem visto um ator na vida real. Estamos em Los Angeles, pelo amor de Deus! Todo mundo aqui é ator!

Continuo com minha vontade de atacar enquanto enfio o garfo no salmão, mas então o garçom me interrompe para perguntar se posso tirar uma foto deles dois.

Suspiro.

De má vontade, saio do meu lugar. Ele tenta me entregar seu celular para que eu tire a foto, mas ergo a mão, protestando, e dou a volta por ele.

— Preciso usar o banheiro — murmuro, me afastando da mesa. — É só tirar um selfie com ele. Ele adora selfies.

Sigo depressa para o banheiro para sentir algum alívio da presença do meu pai. Não sei por que pedi para ele me encontrar hoje. Talvez porque eu esteja me mudando e nem sei quanto tempo ficarei sem vê-lo, mas esta nem de longe é uma boa desculpa para me colocar nesta situação.

Abro a porta da primeira cabine. Tranco e puxo o papel de proteção para o assento, colocando-o na tampa da privada.

Certa vez, li um estudo sobre bactérias em banheiros públicos. A primeira cabine de cada banheiro estudado tinha a menor quantidade de bactérias. As pessoas supõem que a primeira cabine é a mais usada, então pulam. Eu não. É a única que vou usar. Nem sempre fui germofóbica, mas os dois meses que passei no hospital quando tinha 16 anos me deixaram um pouco obsessiva-compulsiva quando se trata de higiene.

Quando termino de usar o banheiro, levo pelo menos um minuto inteiro lavando as mãos. Fico olhando fixamente para elas o tempo todo, me recusando a me voltar para o espelho. Evitar meu reflexo fica mais fácil a cada dia que passa, mas ainda tenho um vislumbre de mim quando vou pegar o papel-toalha. Não importa quantas vezes eu tenha me olhado num espelho, ainda não me acostumei com o que vejo.

Levanto a mão esquerda e toco as cicatrizes do lado esquerdo do meu rosto, seguindo pelo meu maxilar e descendo até o pescoço. As cicatrizes desaparecem abaixo da gola da minha blusa, porém, por baixo da roupa, descem por todo o lado esquerdo do meu corpo, parando pouco abaixo da cintura. Passo os dedos pelas áreas da pele que agora parecem couro enrugado. Cicatrizes que constantemente me lembram de que o incêndio foi real, não só um pesadelo do qual posso me obrigar a acordar com um beliscão no braço.

Fiquei meses enfaixada depois do incêndio, incapaz de tocar a maior parte do meu corpo. Agora que as queimaduras estão curadas e fiquei com marcas, fico tocando-as obsessivamente. As cicatrizes parecem veludo esticado e seria normal ficar revoltada com a sensação, como fico com a aparência. Em vez disso, gosto mesmo de senti-las. Estou sempre passando distraidamente os dedos por meu braço ou pelo pescoço, lendo o braile da minha pele, até me dar conta do que estou fazendo e parar. Não devia gostar de nenhum aspecto da única coisa que atrapalhou minha vida, mesmo que seja simplesmente a sensação na ponta dos meus dedos.

Já a *aparência* é outra coisa. Cada um de meus defeitos tem recebido as luzes de refletores cor-de-rosa, postos à mostra para o mundo inteiro ver. Por mais que eu tente esconder com o cabelo e a roupa, estão ali. Sempre estarão ali. Um lembrete permanente da noite que destruiu todas as melhores partes de mim.

Não sou de me apegar a datas e aniversários, mas, essa manhã, quando acordei, a primeira coisa que me passou pela cabeça foi a data de hoje. Provavelmente porque foi o último pensamento que tive antes de dormir na noite passada. Faz dois anos desde o dia em que a casa do meu pai foi engolida pelas chamas que quase tiraram minha vida. Talvez por isso eu quisesse ver meu pai hoje. Talvez eu esperasse que ele fosse se lembrar, que dissesse algo para me reconfortar. Sei que ele já se desculpou o bastante, mas até que ponto posso perdoá-lo por se esquecer de mim?

Eu só ficava na casa dele uma vez por semana, em média. Mas naquela manhã tinha lhe mandado uma mensagem de texto, contando que passaria a noite lá. Então, era de se pensar que meu pai, quando ateasse fogo na casa por acidente, fosse me resgatar do meu sono.

Só que isso não aconteceu... ele esqueceu que eu estava lá. Ninguém sabia que havia alguém na casa, até que me ouviram gritar no segundo andar. Sei que ele carrega muita culpa por isso. Durante semanas, ele se desculpou toda vez que me viu, mas as desculpas começaram a rarear junto das visitas e dos telefonemas. O ressentimento que guardo continua muito presente, embora eu preferisse o contrário. O incêndio foi um acidente. Eu sobrevivi. Estas são as duas coisas em que tento focar, mas é difícil, quando penso nisso sempre que olho para mim mesma.

Penso nisso sempre que *alguém* olha para mim.

A porta do banheiro se abre e uma mulher entra, me olha rapidamente, vira a cara com a mesma rapidez e vai para a última cabine.

Devia ter escolhido a primeira, moça.

Eu me olho mais uma vez no espelho. Eu costumava usar o cabelo na altura dos ombros com franja enviesada, mas ele cresceu muito nos últimos anos. E sem motivo algum. Roço os dedos pelas mechas compridas e escuras de cabelo que treinei para cobrir a maior parte do lado esquerdo do meu rosto. Puxo a manga do braço esquerdo até o pulso, depois levanto a gola para cobrir a maior parte do pescoço. Assim, as cicatrizes quase não são visíveis e posso suportar me olhar no espelho. Eu costumava me achar bonita. Mas agora o cabelo e a roupa podem encobrir muita coisa.

Ouço a descarga, então me viro depressa e sigo para a porta antes que a mulher saia da cabine. Faço o que posso para evitar as pessoas na maior parte do tempo, e não porque tenha medo de que elas olhem minhas cicatrizes. Eu as evito porque elas *não* olham. No segundo em que me veem, logo viram o rosto, porque têm medo de demonstrar grosseria ou crítica. Pelo menos uma vez, seria legal se alguém me olhasse nos olhos e sustentasse meu olhar. Já faz tanto tempo que isso aconteceu... Detesto admitir que sinto falta da atenção que costumava receber, mas é verdade.

Saio do banheiro e volto à mesa, decepcionada porque ainda vejo a nuca do meu pai.

Eu tinha esperança que surgisse alguma emergência e ele fosse solicitado a ir embora enquanto eu estava no banheiro.

É triste que eu prefira ser recebida por uma mesa vazia em vez de pelo meu próprio pai. Esse pensamento quase me leva a fazer uma careta, mas de repente o cara sentado à mesa que preciso contornar chama minha atenção.

Não costumo notar as pessoas, considerando que elas fazem o que podem para evitar contato visual comigo. Mas os olhos deste cara são intensos, curiosos e estão fixos nos meus.

A primeira coisa que penso quando o vejo é: "*Quem dera fosse dois anos atrás.*"

Penso muito nisso quando encontro garotos que posso considerar atraentes. E esse cara, sem dúvida nenhuma, é uma graça. Não do jeito típico de Hollywood, como a maioria dos caras que moram nesta cidade. Esses são todos iguais, como se houvesse um molde perfeito para um ator bem-sucedido e eles estivessem tentando se encaixar.

Esse cara é o completo oposto. Sua barba por fazer não é uma obra de arte simétrica e intencional. Em vez disso, é suja e irregular, como se ele tivesse trabalhado até tarde da noite, sem tempo de se barbear. O cabelo dele não está penteado com gel para dar uma aparência zoneada de quem acabou de sair da cama. O cabelo desse cara *é mesmo* bagunçado. Mechas de cabelo cor de chocolate caem em sua testa, algumas erráticas e rebeldes. É como se ele tivesse acordado tarde para um compromisso e tivesse pressa demais para se dar o trabalho de se olhar no espelho.

Uma aparência tão desleixada devia ser brochante, mas é isso que acho tão estranho. Apesar de ele dar a impressão de não ter um pingo de narcisismo, é um dos caras mais atraentes que já vi.

Eu *acho.*

Este pode ser um efeito colateral da minha obsessão por limpeza. Talvez eu deseje desesperadamente o tipo de descuido que esse cara exibe e esteja confundindo inveja com fascínio.

Também posso achar que ele é uma graça apenas por ser uma das poucas pessoas nos últimos dois anos que não virou o rosto imediatamente ao olhar nos meus olhos.

Ainda preciso passar pela mesa dele para chegar à minha, atrás dele, e não consigo decidir se me apresso para ficar livre do olhar dele, ou se devo passar em câmera lenta para aproveitar a atenção.

Ele se mexe quando começo a passar na sua frente e, de repente, seu olhar se torna excessivo. Invasivo demais. Sinto minhas bochechas corarem e a pele formigar, então olho para meus pés e deixo que meu cabelo caia no rosto. Até puxo uma mecha para a boca, com a intenção de bloquear ainda mais a visão dele. Não sei por que o olhar dele me deixa desconfortável, mas é o que acontece. Apenas alguns segundos atrás, eu estava pensando em como sentia falta de ser olhada, mas agora que está acontecendo, só quero que ele vire o rosto para o outro lado.

Pouco antes de ele sair da minha visão periférica, olho na direção dele e pego o resto de um sorriso.

Ele não deve ter notado minhas cicatrizes. É o único motivo para um cara como ele ter sorrido para mim.

Ai. É irritante até pensar desse jeito. Eu não era essa garota. Era confiante, mas o incêndio derreteu cada pingo de autoestima que eu tinha. Tentei recuperá-la, mas é difícil acreditar que alguém possa me achar atraente quando nem eu consigo me olhar no espelho.

— Isso nunca me cansa — diz meu pai enquanto me sento de volta à mesa.

Olho para ele, quase esqueci que estava ali.

— O que nunca te cansa?

Ele indica o garçom com o garfo, que está perto da caixa registradora.

— Isso — diz ele. — Ter fãs. — Dá uma garfada na comida e fala com a boca cheia. — Então, o que você queria falar comigo?

— O que te faz pensar que eu queria falar alguma coisa com você?

Ele gesticula pela mesa.

— Estamos almoçando juntos. É óbvio que você precisa me dizer alguma coisa.

É triste que nossa relação tenha chegado a isto. Saber que um simples encontro para almoçar tem que ser mais do que uma filha querendo ver o pai.

— Vou me mudar para Nova York amanhã. Bom, na verdade, esta noite. Mas meu avião sai tarde e oficialmente só vou pousar em Nova York no dia 10.

Ele pega o guardanapo e disfarça uma tosse. Pelo menos acho que é uma tosse. Com certeza não foi a notícia que o fez engasgar com a comida.

— Nova York? — dispara ele.

E então... ele ri. *Ri.* Como se eu morando em Nova York fosse uma piada. *Calma, Fallon. Seu pai é um babaca. Isso não é nenhuma novidade.*

— Justo lá? *Por quê?* O que tem em Nova York? — As perguntas dele vão surgindo à medida que ele processa a informação. — E, por favor, não me diga que conheceu alguém na internet.

Meus batimentos cardíacos estão enfurecidos. Ele não pode pelo menos *fingir* que apoia uma das minhas decisões?

— Quero uma mudança de ritmo. Estava pensando em fazer testes para a Broadway.

Quando eu tinha sete anos, meu pai me levou para ver *Cats* na Broadway. Foi minha primeira vez em Nova York e foi uma das melhores viagens da minha vida. Até esse momento, ele sempre tinha me empurrado para a carreira de atriz. Mas foi só quando vi aquele espetáculo ao vivo que soube que *precisava* ser atriz. Nunca tive a oportunidade de fazer teatro porque meu pai ditou cada passo da minha carreira, e ele gosta mais do cinema. Mas já são dois anos desde que fiz alguma coisa. Não sei se realmente tenho coragem para fazer um teste por agora. Contudo, decidir me mudar para Nova York foi uma das maiores iniciativas que tomei desde o incêndio.

Meu pai dá um gole na bebida, baixa o copo e seus ombros relaxam quando ele suspira.

— Fallon, me escute — diz ele. — Sei que você sente falta de atuar, mas não acha que está na hora de procurar mais opções?

Já passei tanto do ponto de me importar com os motivos dele que sequer mesmo presto atenção no monte de asneira que ele acabou de me dizer. Durante toda a minha vida, só o que meu pai fez foi me pressionar para seguir os passos dele. Depois do incêndio, seu estímulo acabou de vez. Não sou nenhuma idiota. Sei que ele acha que não tenho mais o que é necessário para ser atriz, e parte de mim sabe que ele tem razão. Aparência é muito importante em Hollywood.

E é exatamente por isso que quero me mudar para Nova York. Se eu quiser voltar a atuar, o teatro pode ser minha melhor esperança.

Eu queria que ele não fosse tão transparente. Minha mãe ficou feliz da vida quando contei que queria me mudar. Desde a formatura e da minha mudança para o apartamento de Amber, quase não saio de casa. Minha mãe ficou tão triste ao descobrir que eu iria para longe, mas feliz ao perceber que eu estava disposta a deixar os limites não só da minha casa, mas de todo o estado da Califórnia.

Eu queria que meu pai se desse conta de como isso representa para mim um passo enorme.

— O que aconteceu com aquele trabalho de narração? — pergunta ele.

— Não deixei de trabalhar com isso. Os audiobooks são gravados em estúdios. Existem estúdios em Nova York.

Ele revira os olhos.

— Infelizmente.

— Qual é o problema com os audiobooks?

Ele me olha sem acreditar.

— Além do fato de que narrar audiobooks é considerado o fundo do poço do trabalho de ator? Você pode fazer melhor do que isso, Fallon. Ora essa, curse uma faculdade ou coisa assim.

Fico triste. Justo quando eu achava que ele não podia ser mais egoísta.

Ele para de mastigar e olha fixo para mim quando percebe o que disse. Rapidamente limpa a boca com o guardanapo e aponta para mim.

— Você sabe que não foi isso que eu quis dizer. Não estou dizendo que você se reduziu a audiobooks. O que estou falando é que você pode encontrar uma profissão melhor, agora que não pode mais atuar. Não dá muito dinheiro esse negócio de narração. Nem a Broadway, aliás.

Ele diz *Broadway* como se tivesse veneno na boca.

— Para sua informação, há muitos atores respeitáveis que também narram audiobooks. E é mesmo necessário que eu cite uma lista dos atores de elite na Broadway agora? Tenho o dia todo.

Ele assente, mas sei que não concorda realmente comigo. Só se sente mal por insultar um dos poucos trabalhos relacionados à atuação que eu posso fazer.

Ele leva o copo vazio à boca e vira a cabeça para trás o suficiente para recuperar um gole do gelo derretido.

— Água — diz ele, sacudindo o copo até que o garçom faz um gesto de cabeça e se aproxima para encher o copo.

Ataco de novo o salmão, que não está mais quente. Torço para ele terminar de comer logo, porque não sei se ainda tenho estômago para esta visita. A essa altura, o único alívio que sinto é o de saber que amanhã, a essa hora, estarei no litoral oposto ao dele. Mesmo que eu esteja trocando o sol pela neve.

— Não faça planos para meados de janeiro — diz ele, mudando de assunto. — Vou precisar que você volte a Los Angeles por uma semana.

— Por quê? O que vai acontecer em janeiro?

— Seu velho vai juntar as escovas de dente.

Aperto minha nuca e baixo os olhos para o meu colo.

— Pode me matar agora.

Sou tomada pela culpa, porque eu não pretendia dizer isso em voz alta, por mais que quisesse que alguém realmente me matasse agora.

— Fallon, não pode julgar se vai gostar dela ou não antes de conhecê-la.

— Não preciso conhecê-la para saber que não vou gostar dela — respondo. — Afinal, ela vai se casar com você. — Tento disfarçar a verdade em minhas palavras com um sorriso sarcástico, mas tenho certeza de que ele sabe que fui sincera em cada palavra que disse.

— Caso tenha se esquecido, sua mãe também escolheu se casar comigo e você parece gostar muito dela — retruca ele.

Agora ele me pegou.

— *Touché.* Mas, em minha defesa, este é seu quinto pedido de casamento desde que eu tinha dez anos.

— Mas é só a terceira esposa — elucida ele.

Por fim, enfio meu garfo no salmão e dou uma mordida.

— Você me dá vontade de dispensar os homens para sempre — digo de boca cheia.

Ele ri.

— Isso não deveria ser um problema. Sei que você só saiu com um garoto e isso já faz mais de dois anos.

Engulo a seco o pedaço de salmão.

Sério? Onde eu estava quando distribuíram os pais decentes? Por que tive que ficar com esse imbecil estúpido?

Quantas vezes será que ele mordeu a língua durante o almoço de hoje? É melhor ele se cuidar, ou vai acabar sem língua nenhuma. Ele realmente não faz ideia de que dia é hoje. Se fizesse, jamais teria dito algo tão negligente.

Noto que sua testa se franze de repente porque ele está tentando pensar em um pedido de desculpas pelo que acabou de dizer. Tenho certeza de que ele não tinha a intenção de falar o que eu entendi, mas isto não tira minha vontade de retrucar com minhas próprias palavras.

Coloco o cabelo atrás da orelha esquerda, deixando as cicatrizes totalmente à mostra, e olho bem nos olhos dele.

— Bom, pai. Não recebo a mesma atenção dos homens como antes. Você sabe, antes que *isso* acontecesse. — Indico meu rosto, mas já me arrependo das palavras que escapuliram da minha boca.

Por que sempre desço ao nível dele? Sou melhor do que isso.

Os olhos dele se fixam no meu rosto e logo baixam à mesa.

Ele parece sinceramente arrependido e penso em parar com a amargura e ser um pouco mais legal com meu pai. Mas antes que qualquer coisa gentil possa sair da minha boca, o cara da mesa atrás do meu pai se levanta e minha atenção vai para o espaço. Tento puxar o cabelo para cobrir o rosto antes que ele se vire, mas é tarde demais. Já está me olhando de novo.

O mesmo sorriso que deu para mim antes continua fixo em seu rosto, mas desta vez não viro o rosto. Na verdade, meus olhos não desviam dos dele enquanto ele segue na direção da nossa mesa. Antes que eu consiga reagir, ele está se sentando ao meu lado.

Puta merda. Mas o que ele está fazendo?

— Desculpe pelo atraso, amor — diz ele, passando o braço pelos meus ombros.

Ele acabou de me chamar de amor. Esse cara aleatório colocou o braço em volta de mim e me chamou de amor.

Que diabo está acontecendo?

Olho para o meu pai, pensando que de algum modo ele está envolvido nisso, mas ele olha o cara desconhecido ao meu lado com uma confusão ainda maior do que a que eu devo estar sentindo.

Enrijeço sob o braço do garoto quando sinto seus lábios pressionarem a lateral da minha cabeça.

— Essa porcaria de trânsito de Los Angeles — murmura ele.

O Cara Aleatório acabou de encostar os lábios no meu cabelo.

O quê.

Está.

Acontecendo.

O cara estende o braço pela mesa para apertar a mão do meu pai.

— Meu nome é Ben — diz ele. — Benton James Kessler. Namorado da sua filha.

O que da filha dele?

Meu pai retribui o aperto de mão. Tenho certeza absoluta de que minha boca está escancarada, então a fecho no mesmo instante. Não quero que meu pai saiba que não faço a menor ideia de quem é esse sujeito. Também não quero que esse Benton pense que fiquei boquiaberta porque gosto da atenção dele. Só estou olhando para ele assim porque... bom... porque obviamente ele é louco.

Ele solta a mão do meu pai e se acomoda à mesa. Dá uma breve piscadela para mim e se curva em minha direção, aproximando o suficiente a boca da minha orelha para que um soco nele seja algo justificável.

— Siga minhas deixas — sussurra ele.

Ele se afasta, ainda sorrindo.

Seguir as deixas dele?

O que é isso? Uma atividade do curso de improvisação dele?

Então me dou conta. Ele entreouviu toda a nossa conversa. Deve estar fingindo ser meu namorado numa forma estranha de enfrentar meu pai.

Hum. Acho que gosto do meu novo namorado falso.

Agora que sei que está jogando com meu pai, abro um sorriso afetuoso para ele.

— Não achei que você fosse conseguir chegar. — Eu me inclino para Ben e olho para o meu pai.

— Amor, você sabe que eu queria conhecer o seu pai. Você quase nunca consegue vê-lo. Nenhum trânsito ia me impedir de aparecer hoje.

Abro um sorriso satisfeito para o meu novo namorado falso por esse sarcasmo. Ben também deve ter um pai babaca, porque parece saber exatamente o que dizer.

— Ah, me desculpe — diz Ben, voltando-se para o meu pai. — Não sei seu nome.

Meu pai já está olhando com reprovação para Ben. *Meu Deus, estou adorando isso.*

— Donovan O'Neil — diz meu pai. — Você já deve ter ouvido esse nome. Fui o astro de...

— Não — interrompe Ben. — Não me lembra nada. — Ele se vira para mim e dá uma piscadela. — Mas Fallon me falou muito sobre você. — Ele belisca meu queixo e volta a olhar para o meu pai. — E por falar na nossa garota, o que acha de ela se mudar para Nova York? — Ele volta a olhar para mim e franze o cenho. — Não quero que minha joaninha fuja para outra cidade, mas se isso significa que ela está indo atrás do próprio sonho, serei o primeiro a garantir que ela pegue esse avião.

Joaninha? É melhor ele se contentar em ser meu namorado falso, porque esse apelido brega me deixou com vontade de dar um chute no saco mentiroso dele.

Meu pai pigarreia, evidentemente pouco à vontade com nosso novo convidado para o almoço.

— Consigo pensar em alguns sonhos que uma menina de 18 anos deveria ter, mas a Broadway não é um deles. Ainda mais considerando a carreira que ela já teve. A Broadway é um retrocesso, na minha opinião.

Ben se ajeita na cadeira. Ele tem um cheiro muito bom. Eu acho. Já faz tanto tempo que não me sento tão perto de um cara, que talvez ele tenha um cheiro completamente normal.

— Ainda bem que ela tem 18 anos — responde Ben. — A essa altura, não importa muito a opinião dos pais sobre o que ela faz com a própria vida.

Sei que ele só está representando, mas ninguém nunca me defendeu desse jeito. Isso está dando a impressão de que meus pulmões estão se contraindo. *Pulmões idiotas.*

— Não é uma opinião quando vem de um profissional da área — diz meu pai. — É um fato. Estou neste negócio há tempo suficiente para saber quando alguém precisa cair fora.

Viro repentinamente a cabeça para o meu pai no instante em que o braço de Ben fica tenso em meus ombros.

— Cair fora? — repete Ben. — Você realmente disse... *em voz alta*... que sua filha precisa desistir?

Meu pai revira os olhos e cruza os braços enquanto olha com raiva para Ben, que retira o braço dos meus ombros e imita os movimentos do meu pai, fuzilando-o com os olhos também.

Meu Deus, isso é tão desconfortável. E tão maravilhoso. Nunca vi meu pai agindo assim. Nunca o vi antipatizar com alguém de cara.

— Escute aqui, *Ben.* — Ele diz o nome com a boca cheia de desprazer. — Fallon não precisa que você encha a cabeça dela com coisas absurdas simplesmente porque você está animado com a perspectiva de ter um casinho na Costa Leste.

Ah, meu Deus. Meu pai acaba de se referir a mim como o *casinho* desse cara? Fico boquiaberta enquanto ele continua:

— Minha filha é esperta. É durona. Ela aceita que a carreira que teve durante toda a vida está fora de cogitação, agora que... — Ele gesticula para mim. — Agora que ela...

Ele é incapaz de terminar a própria frase e o arrependimento toma conta do seu rosto. Sei exatamente o que ele estava prestes a dizer. Há dois anos ele diz tudo, *menos isso.*

Há apenas dois anos, eu era uma das atrizes adolescentes de melhores perspectivas, e no instante em que o incêndio destruiu minha aparência, o estúdio rescindiu o contrato. Acho que ele lamenta não ser mais o pai de uma atriz mais do que lamenta ter quase perdido a filha em um incêndio provocado por seu próprio descuido.

Depois que meu contrato foi cancelado, nunca mais falamos sobre a possibilidade de eu voltar a atuar. Na verdade, nunca falamos sobre mais *nada*. Ele deixou de ser o pai que passava dias inteiros no set comigo por um ano e meio, e passou a ser o pai que vejo talvez uma vez por mês.

Então eu juro que ele vai concluir o que estava prestes a falar. Faz dois anos que espero para ouvi-lo confessar que é por causa da minha aparência que não tenho mais uma carreira. Até hoje, sempre foi uma suposição silenciosa. Nunca falamos do *porquê* de eu não trabalhar mais como atriz. Só falamos do fato de que *não atuo*. E já que ele começou, também seria legal ouvi-lo confessar que o incêndio ainda destruiu nosso relacionamento. Ele não sabe mais como ser um pai para mim, agora que não está mais agindo como treinador e empresário.

Estreito os olhos na direção dele.

— Termine a frase, pai.

Ele balança a cabeça, tentando desprezar totalmente o assunto. Ergo uma sobrancelha, desafiando-o a continuar.

— Quer mesmo fazer isso agora? — Ele dá uma olhada em Ben, na esperança de usar meu namorado falso como pretexto.

— Na verdade, quero.

Meu pai fecha os olhos e suspira fundo. Quando os abre de volta, se inclina para a frente e cruza os braços na mesa.

— Você sabe que eu te acho bonita, Fallon. Pare de distorcer minhas palavras. É que esta área tem padrões mais elevados do que um pai e tudo o que posso fazer é aceitar. Na realidade, achei que *nós tínhamos* aceitado isso — diz ele, olhando para Ben.

Mordo o interior da minha bochecha para não dizer nada de que vá me arrepender. Eu sempre soube a verdade. Quando me vi no espelho pela primeira vez no hospital, eu sabia que estava tudo acabado. Mas ouvir meu pai admitir em voz alta que ele também acha que eu devia parar de ir atrás dos meus sonhos é demais para mim.

— Uau — murmura Ben. — Isso foi... — Ele olha para o meu pai e balança a cabeça, enojado. — Você é o *pai* dela.

Se eu não soubesse a verdade, diria que a careta de Ben é autêntica e ele não está só atuando.

— Exatamente. Sou o *pai* dela. Não a mãe, que alimenta qualquer besteira que ela acha que fará sua garotinha se sentir melhor. Nova York e Los Angeles estão cheias de milhares de garotas indo atrás do mesmo sonho que Fallon vem buscando a vida toda. Garotas que são muito talentosas. Excepcionalmente bonitas. Fallon sabe que eu acredito que ela tem mais talento do que todas as outras juntas, mas ela também é realista. Todo mundo tem sonhos, mas, infelizmente, ela não possui mais as ferramentas para realizar os dela. Precisa aceitar isso antes de desperdiçar dinheiro em uma mudança para o outro lado do país que não vai fazer droga nenhuma pela carreira dela.

Fecho os olhos. Quem quer que tenha dito que a verdade machuca estava sendo otimista. A verdade é uma filha da puta que provoca uma dor excruciante.

— Meu Deus — diz Ben. — Você é inacreditável.

— E você não é realista — retruca meu pai.

Abro os olhos e cutuco o braço de Ben, para que ele saiba que quero sair da mesa. Não posso mais fazer isso.

Ben não se mexe. Em vez disso, passa a mão por baixo da mesa e aperta meu joelho, insistindo que eu fique sentada.

Minha perna enrijece com seu toque, porque meu corpo está mandando sinais confusos ao meu cérebro. Agora estou zangada com meu pai. *Muito zangada.* Mas de algum modo me sinto reconfortada por este completo estranho que me defende sem nenhum motivo aparente. Estou com vontade de gritar, sorrir e chorar, mas, acima de tudo, quero alguma coisa para comer. Porque agora estou com fome de verdade e quero *salmão quente*, droga!

Tento relaxar a perna para que Ben não sinta como estou tensa, mas ele é o primeiro cara em muito tempo a me tocar de verdade. Para ser sincera, é um pouco esquisito.

— Deixe eu te perguntar uma coisa, Sr. O'Neil — começa Ben. — Johnny Cash tinha lábio leporino?

Meu pai fica em silêncio. Eu também, torcendo para que Ben esteja querendo chegar a algum lugar com sua pergunta aleatória. Ele estava indo muito bem até começar a falar de cantores country.

Meu pai olha para Ben como se ele fosse louco.

— Mas o que um cantor country tem a ver com esta conversa?

— Tudo — responde Ben depressa. — Não, ele não tinha. Mas o ator que o interpretou em *Johnny e June* tinha uma cicatriz muito visível no rosto. Joaquin Phoenix foi até indicado ao Oscar por esse papel.

Os batimentos do meu coração se aceleram quando entendo o que ele está fazendo.

— E Idi Amin? — pergunta Ben.

Meu pai revira os olhos, entediado com este interrogatório.

— O que tem ele?

— Ele não era vesgo. Mas o ator que fez o papel... Forest Whitaker... *é*. Outro indicado ao Oscar, que estranho. *E* ele ganhou.

Esta é a primeira vez que vejo alguém colocar meu pai em seu devido lugar. E por mais que toda essa conversa esteja me deixando desconfortável, não estou tão desconfortável assim para deixar de curtir este momento raro e bonito.

— Parabéns — diz meu pai a Ben, nem um pouco impressionado. — Você ouviu falar de dois exemplos bem-sucedidos em meio a milhões de fracassos.

Tento não levar as palavras do meu pai para o lado pessoal, mas é difícil. A essa altura, sei que se tornou mais uma luta pelo poder entre os dois, e menos sobre mim e ele. Mas é uma grande decepção que ele prefira ganhar uma discussão com um completo desconhecido a defender a própria filha.

— Se sua filha é tão talentosa como você alega, você não iria querer encorajá-la a não desistir de seus sonhos? Por que você quer que ela veja o mundo como você?

Meu pai enrijece.

— E como exatamente você acha que eu vejo o mundo, Sr. Kessler?

Ben se recosta na cadeira sem desviar os olhos do meu pai.

— Pelos olhos fechados de um babaca arrogante.

O silêncio que se segue parece a calmaria que precede a tempestade. Espero um deles dar o primeiro soco, mas, em vez disso, meu pai tira a carteira do bolso. Joga dinheiro na mesa e olha diretamente para mim.

— Posso ser sincero demais, mas se prefere ouvir besteira, então esse imbecil é perfeito para você. — Ele sai da mesa. — Aposto que sua mãe adora ele — resmunga.

Estremeço com as palavras dele e morro de vontade de gritar um insulto de volta. Um insulto tão épico que deixaria seu ego ferido por dias. O único problema é que não há nada que alguém possa dizer para magoar um homem sem coração.

Em vez de gritar alguma coisa enquanto ele sai pela porta, simplesmente fico sentada em silêncio.

Com meu namorado falso.

Este só pode ser o momento mais humilhante e constrangedor da minha vida.

Assim que sinto a primeira lágrima escorrer, empurro o braço de Ben.

— Preciso sair — sussurro. — Por favor.

Ele sai da mesa e mantenho a cabeça baixa ao me levantar e passar por ele. Não me atrevo a olhar para ele enquanto vou mais uma vez ao banheiro. O fato de que ele sentiu necessidade de fingir ser meu namorado já é constrangedor o bastante. Mas eu precisava ter a pior briga de todas com meu pai bem na frente dele?

Se eu fosse Benton James Kessler, daria um fora em mim de mentirinha agora mesmo.

Ben

Apoio a cabeça nas mãos e espero ela voltar do banheiro.

Eu devia ir embora, na verdade.

Mas não quero sair. Sinto que atrapalhei o dia dela com a artimanha que usei com o pai. Por mais tranquilo que eu tenha tentado ser, não entrei na vida dessa garota com a elegância discreta de uma raposa. Invadi com a sutileza de um elefante de sete mil quilos.

Por que senti necessidade de me intrometer? Por que achei que ela não era capaz de lidar sozinha com o próprio pai? Agora ela deve estar chateada comigo e só fomos namorados falsos por meia hora.

Por isso decidi não ter namoradas na vida real. Sequer consigo *fingir* um namoro sem começar uma briga.

Mas acabei de pedir para ela um prato quente de salmão, então talvez isso compense alguma coisa, certo?

Ela finalmente sai do banheiro, mas assim que me vê ainda sentado ao lado de seu lugar à mesa, ela para. A expressão confusa deixa claro que a garota tinha certeza de que eu teria ido embora quando ela voltasse para a mesa.

Eu *devia* ter ido embora. Devia ter saído meia hora atrás.

Podia, devia, faria.

Eu me levanto e faço sinal para ela se sentar. Ela me olha com desconfiança enquanto ocupa seu lugar. Estendo o braço para a outra mesa e pego meu laptop, meu prato de comida e a bebida. Coloco tudo na mesa dela, depois ocupo o lugar em que o pai babaca dela estava sentado minutos atrás.

Ela baixa os olhos para a mesa, provavelmente se perguntando aonde foi parar sua comida.

— Tinha esfriado — digo a ela. — Falei para o garçom trazer outro prato para você.

Os olhos dela se fixam rapidamente nos meus, mas a cabeça não se mexe. Não sorri, nem agradece. Só... olha.

Dou uma mordida no meu hambúrguer e começo a mastigar.

Sei que ela não é tímida. Deu para perceber que ela é insolente pelo jeito que falou com o pai, então fico um pouco confuso com seu silêncio. Engulo a comida e tomo um gole do meu refrigerante, o tempo todo sustentando o contato visual silencioso com ela. Queria poder dizer que estou preparando mentalmente um pedido de desculpas brilhante, mas não estou. Parece que tenho uma mente focada que leva diretamente às duas coisas em que eu não devia estar pensando neste momento.

Os peitos dela.

Os dois.

Eu sei. Sou ridículo. Mas se vamos ficar sentados aqui nos encarando, seria legal se ela estivesse com um decote, no lugar dessa blusa de manga comprida que deixa *tudo* para a imaginação. Lá fora está fazendo uns 27 graus. Ela devia estar vestindo algo bem menos... inspirado num convento.

Um casal sentado a algumas mesas de distância se levanta e passa por nós, seguindo para a saída. Noto que Fallon baixa a cabeça e deixa o cabelo cair no rosto como um escudo protetor. Nem mesmo acho que ela tenha noção de que faz isso. Parece uma reação natural tentar disfarçar o que ela considera um defeito.

Deve ser por isso que ela está usando uma blusa de manga comprida. Impede que vejam o que está por baixo.

E é claro que este pensamento me leva de novo aos peitos dela. Será que também têm cicatrizes? Quanto do corpo dela foi realmente afetado?

Começo a despi-la na minha mente, mas não de um jeito sexual. Só estou curioso. Curioso *de verdade*, porque não consigo parar de encarar a garota e isto não é típico de mim. Minha mãe me criou com mais educação do que isso, mas o que ela não conseguiu me ensinar é que existiriam garotas assim, cuja mera existência testaria nossas boas maneiras.

Um minuto inteiro se passa, talvez dois. Como a maior parte das minhas batatas fritas, observando a garota olhar para mim. Ela não parece zangada. Não parece assustada. A essa altura, sequer tenta cobrir as cicatrizes que se esforça de forma tão desesperada para esconder de todos os outros.

Seus olhos começam a baixar lentamente até se fixarem na minha camisa. Ela fica olhando por um instante, depois desvia o olhar para os meus braços, os ombros, o rosto. Ela para quando chega em meu cabelo.

— Aonde você foi hoje de manhã?

A pergunta dela é totalmente despropositada e me faz parar no meio da mastigação. Achei que a primeira pergunta que ela me faria seria por que me dei o trabalho de interferir em sua vida pessoal. Demoro alguns segundos para engolir, tomo um gole, limpo a boca, depois me recosto na cadeira.

— Como assim?

Ela aponta para o meu cabelo.

— Seu cabelo está uma zona. — Ela gesticula para minha camisa. — Você está usando a mesma camisa de ontem.

— Seus olhos se fixam em meus dedos. — Suas unhas estão limpas.

Como ela sabe que estou com a mesma camisa de ontem?

— Então, por que saiu de onde estava quando acordou com tanta pressa hoje? — pergunta ela.

Baixo os olhos para a minha camisa, depois para minhas unhas. *Como é que essa garota sabe que saí com pressa esta manhã?*

— Gente desleixada não tem unhas limpas como as suas — afirma ela. — O que contradiz a mancha de mostarda na sua camisa.

Olho para a minha camisa. A mancha de mostarda que até então eu não tinha notado.

— Seu hambúrguer tem maionese. E como nunca se come mostarda no café da manhã, e você está devorando a comida como se não comesse desde ontem, então é mais provável que a mancha seja do que você comeu no jantar da noite passada. E é óbvio que você não se olhou no espelho hoje, ou não teria saído de casa com o cabelo desse jeito. Você tomou banho e dormiu sem secar o cabelo? — Ela toca seu cabelo comprido e brinca com as mechas entre os dedos. — Porque um cabelo grosso como o seu fica retorcido quando a pessoa dorme com ele molhado. É impossível ajeitar sem lavar de novo. — Ela se inclina para a frente e me olha com curiosidade. — Mas como é que a parte da *frente* do seu cabelo ficou tão virada para cima? Você dormiu de bruços ou coisa assim?

Mas ela é o quê? Detetive?

— Eu... — Olho para ela, sem acreditar. — É. Dormi de bruços. E estava atrasado para a aula.

Ela assente como se fosse algo de que já soubesse.

O garçom aparece com um prato novo de comida e serve mais água para a garota. Ele abre a boca como se quisesse dizer alguma coisa para ela, que não presta atenção. Ainda olhando para mim, ela resmunga um agradecimento para ele.

O garçom parece prestes a se afastar, mas, antes de fazer isso, ele para e se vira para ela. Retorce as mãos, evidentemente nervoso para fazer a pergunta que está quase saindo de sua boca.

— Então... Hmm. Donovan O'Neil? Ele é seu pai?

Ela olha para o garçom com uma expressão indecifrável.

— Sim — responde de forma monótona.

O garçom sorri e relaxa com a resposta dela.

— Nossa. — Ele balança a cabeça, fascinado. — Mas não é incrível? Ter *o* Max Epcott como pai?

Ela não sorri nem se retrai. Nada em seu rosto indica que esta é uma pergunta que ela já ouviu milhões de vezes. Espero por sua resposta sarcástica, porque, com base em como respondeu aos comentários absurdos do pai, de jeito nenhum o coitado do garçom vai sair daqui ileso.

Justo quando acho que ela vai revirar os olhos, a garota suspira baixinho e sorri.

— É muito surreal. Sou a filha mais sortuda do mundo.

O garçom abre um largo sorriso.

— Que legal.

Quando ele se vira e se afasta, ela me olha de novo.

— Aula de quê? — pergunta.

Preciso de um instante para processar a pergunta dela porque ainda estou tentando processar a resposta boba que ela acabou de dar ao garçom. Quase pergunto sobre isso, mas penso melhor. Sei que para ela é mais fácil dar as respostas que as pessoas esperam ouvir, em vez de um sermão repleto de verdades. E ela deve ser a pessoa mais leal que já conheci, porque não sei se eu conseguiria dizer essas coisas sobre aquele homem se ele fosse meu pai.

— Redação criativa.

Pensativa, ela sorri e pega o garfo.

— Eu sabia que você não era ator. — Ela come uma garfada do salmão e antes mesmo de engolir, já está cortando outro pedaço. Os vários minutos seguintes se passam em completo silêncio, enquanto nós dois terminamos de comer. Limpo todo o meu prato, mas a menina afasta o dela antes de ter terminado metade. — Então, me diga uma coisa. — Ela se inclina para a frente. — Por que você achou que eu precisava que viesse me resgatar com aquela besteira de namorado falso?

E aí está. Ela está chateada comigo. Pensei mesmo que estivesse.

— Não achei que você precisasse ser resgatada. É só que às vezes tenho dificuldade de controlar minha indignação quando presencio algo absurdo.

Ela ergue uma sobrancelha.

— Você só pode ser escritor, porque quem é que fala desse jeito?

Rio.

— Desculpe. Acho que estou tentando dizer que posso ser um idiota temperamental e devia cuidar da minha própria vida.

Ela tira o guardanapo do colo e o coloca no prato. Um dos seus ombros se ergue num leve gesto de indiferença.

— Não me importo — diz ela com um sorriso. — Foi meio engraçado ver meu pai tão atrapalhado. E nunca tive um namorado falso antes.

— Nunca namorei alguém *de verdade* — respondo.

Os olhos dela se fixam no meu cabelo.

— Pode acreditar, isso está óbvio. Ninguém que eu conheça teria saído de casa com essa sua aparência.

Fico com a impressão de que ela não se importa tanto com a minha aparência, não tanto quanto está demonstrando. Com certeza sofre discriminação física, então tenho dificuldade de acreditar que ela seria do tipo que coloca a aparência física de um cara no topo da sua lista de prioridades.

Fico achando que ela está me provocando. Se eu não tivesse alguma experiência na vida, diria que está dando mole para mim.

É. Eu definitivamente deveria ter saído desse restaurante há muito tempo, mas este é um dos poucos momentos em que agradeço com sinceridade pela enorme quantidade de decisões ruins que costumo tomar.

O garçom traz a conta, mas, antes que eu consiga pagar, Fallon pega o dinheiro que o pai jogou na mesa e entrega a ele.

— Precisa do troco? — pergunta o garçom.

Ela gesticula com desdém.

— Pode ficar.

O garçom limpa a mesa e, quando se afasta, não resta nada entre nós. O fim iminente da refeição me deixa um pouco inquieto, porque não sei o que dizer para mantê-la aqui por mais tempo. A garota está de mudança para Nova York e é provável que eu nunca mais a veja. Não sei por que pensar nisso me deixa ansioso.

— Então — diz ela. — Devemos nos separar agora?

Rio, embora ainda esteja tentando entender se ela tem uma cara de pau inacreditável ou não tem nenhuma personalidade. Há uma fronteira tênue entre as duas coisas, mas aposto que é a primeira. Quer dizer, estou *torcendo* para que seja.

— Não faz nem uma hora que estamos namorando e você já quer dar um fora em mim? Não sou muito bom nesse lance de namorado?

Ela sorri.

— Meio bom demais. Para ser sincera, isso me faz sentir esquisita. É este o momento em que você acaba com a ilusão definitiva de namorado e me diz que ficou com a minha prima enquanto estávamos dando um tempo?

Não consigo deixar de rir outra vez. *Sem dúvida nenhuma, cara de pau.*

— Não fiquei com a sua prima. Ela já estava grávida de sete meses quando dormi com ela.

Ouço uma gargalhada contagiante e nunca fiquei mais agradecido por ter um senso de humor um pouco decente. Só vou permitir que essa garota saia da minha frente quando ouvir pelo menos três ou quatro dessas gargalhadas.

Sua risada enfraquece, seguida por um sorriso. Ela olha para a porta.

— Você se chama mesmo Ben? — pergunta ela, encontrando meu olhar.

Confirmo com a cabeça.

— Qual é o seu maior arrependimento na vida, Ben?

Uma pergunta estranha, mas vou na onda. O esquisito parece totalmente normal com essa garota e pouco importa que eu nunca contaria para *ninguém* meu maior arrependimento.

— Acho que ainda não passei por isso — minto.

Ela me encara pensativa.

— Então você é um ser humano decente? Nunca matou ninguém?

— Até agora.

Ela reprime um sorriso.

— Então, se passarmos mais tempo juntos hoje, você não vai me matar?

— Só se for em legítima defesa.

Ela ri e pega sua bolsa. Pendura no ombro e se levanta.

— Isso é um alívio. Vamos à Pinkberry e podemos terminar o namoro durante a sobremesa.

Detesto sorvete. Detesto iogurte.

Detesto *especialmente* iogurte que finge ser sorvete.

Mas é claro que pego meu laptop e minhas chaves e a sigo até o inferno aonde ela quer me levar.

• • •

— Como você pode morar em Los Angeles desde os 14 anos sem nunca ter colocado os pés na Pinkberry? — Ela parece quase ofendida. Afasta-se de mim para olhar mais uma vez as opções de toppings. — Você já ouviu falar na Starbucks pelo menos?

Rio e aponto para a bala de ursinho. O atendente coloca uma colherada no meu pote.

— Eu praticamente moro na Starbucks. Sou escritor. É um rito de passagem.

Ela está na minha frente na fila, esperando nossa vez de pagar, mas olha meu pote com nojo.

— Ai, meu Deus — diz ela. — Você não pode vir à Pinkberry e comer só os *toppings*. — Ela me olha como se eu tivesse matado um filhote de gato. — Você é humano, por acaso?

Reviro os olhos e cutuco seu ombro para fazê-la se virar.

— Pare de me censurar ou vou largar você antes que a gente encontre uma mesa.

Pego uma nota de vinte na carteira e pago nossa sobremesa. Abrimos caminho pela loja lotada, mas não há mesa vaga. Ela vai direto para a porta, então eu a sigo até a calçada e andamos até encontrar um banco vago. Ela se senta de pernas cruzadas e coloca o pote no colo. É a primeira vez que dou uma olhada em seu pote e percebo que ela não colocou topping nenhum.

Olho para o meu pote: não tem nada *além de* toppings.

— Eu sei — diz ela, rindo. — Jack Sprat não come gordura...

— E a mulher magrela não atura — completo.

Ela sorri e coloca uma colherada na boca. Tira a colher e lambe o frozen yogurt do seu lábio inferior.

Eu não estava esperando por esse dia. Ficar sentado de frente para essa garota, vendo-a lamber iogurte dos lábios e tendo de engolir em seco só para ter certeza de que ainda estou respirando.

— Então quer dizer que você é escritor?

A pergunta dela me dá a base de que preciso para me fazer acordar. Concordo com a cabeça.

— Assim espero. Nunca fiz nada profissionalmente, então ainda não sei se posso me denominar escritor.

Ela se remexe até ficar de frente para mim e apoia o cotovelo no encosto do banco.

— Não é preciso ter um salário para validificar que você é escritor.

— *Validificar* não é uma palavra de verdade.

— Está vendo? Eu nem sabia disso, então você obviamente é um escritor. Com ou sem salário, considero você um escritor. *Ben, o Escritor.* É assim que vou me referir a você daqui em diante.

Rio.

— E como devo me referir a você?

Ela passa alguns segundos mordendo a ponta da colher, estreitando os olhos, pensativa.

— Boa pergunta. Agora meio que estou em transição.

— *Fallon, a Transitória* — proponho.

Ela sorri.

— Pode ser.

Suas costas se encostam no banco quando ela se vira para a frente. Ela descruza as pernas, permitindo que seus pés encontrem o chão.

— Então, que tipo de coisa você quer escrever? Ficção? Roteiros?

— Espero que tudo. Não quero restringir nada ainda, só tenho 18 anos. Quero tentar tudo, mas minha paixão é, sem dúvida, as ficções. E poesia.

Um suspiro baixo escapa de sua boca antes que ela coma outra colherada. Não sei de que jeito, mas parece que minha resposta a deixou triste.

— E você, Fallon, a Transitória? Qual é seu objetivo?

Ela me olha de soslaio.

— Estamos falando de objetivos na vida ou de qual é nossa paixão?

— Não faz muita diferença.

Ela ri sem entusiasmo.

— Há uma diferença enorme. Minha paixão é atuar, mas este não é meu objetivo na vida.

— Por que não?

Seus olhos se estreitam na minha direção antes que ela baixe o olhar novamente para o pote. Começa a mexer o frozen yogurt com a colher. Desta vez, ela suspira com o corpo todo, como se estivesse se esfarelando no chão.

— Sabe, Ben. Agradeço por você estar sendo legal desde que nos tornamos um casal, mas pode parar de fingir. Meu pai não está aqui para testemunhar.

Eu estava prestes a comer outra colherada, mas minha mão fica paralisada antes que a colher chegue à boca.

— O que isso quer dizer? — pergunto, a direção que essa conversa acabou seguindo me deixa desconcertado.

Ela enfia a colher no iogurte antes de se curvar e jogá-lo em uma lixeira a seu lado. Puxa uma perna para cima e passa os braços em volta, olhando mais uma vez para mim.

— Você realmente não conhece minha história ou só está fingindo que não sabe?

Não sei bem a que história ela está se referindo, então balanço de leve a cabeça.

— Agora estou muito confuso.

Ela suspira. De novo. Acho que nunca fiz uma garota suspirar tanto assim em tão pouco tempo. E não são o tipo de suspiro que faz um cara se sentir bem com suas habilidades. São o tipo de suspiro que o faz se perguntar o que ele está fazendo de errado.

Ela cutuca com o polegar uma lasca de madeira no encosto do banco. Concentra-se na madeira como se estivesse falando com ela, não comigo.

— Tive muita sorte aos 14 anos. Consegui um papel em uma série brega e adolescente, uma mistura de Sherlock Holmes com Nancy Drew chamada *Gumshoe*. Fui a protagonista da série durante um ano e meio e estava indo muito bem. Mas então aconteceu *isto*. — Ela indica o próprio rosto. — Meu contrato foi cancelado. Fui substituída e desde então não atuo. Então é isso que quero dizer quando afirmo que objetivos e paixões são coisas separadas. Atuar é minha paixão, mas, como meu pai disse, não tenho mais as ferramentas necessárias para alcançar meu objetivo de vida. Então acho que vou procurar um novo, a não ser que aconteça um milagre em Nova York.

Não sei nem o que dizer. Ela está me olhando, esperando uma resposta, mas não consigo pensar em nada assim tão rápido. Ela apoia o queixo no braço e olha fixamente para além de mim.

— Não sou muito bom com discursos motivacionais de improviso — digo a ela. — Às vezes, à noite, reescrevo conversas que tive durante o dia, mas as altero para que reflitam tudo o que eu queria ter dito no momento. Então, só quero que você saiba que esta noite, quando eu colocar esta conversa no papel, vou dizer alguma coisa heroica e isso vai fazer você se sentir muito bem com sua vida.

Ela encosta a testa no braço e ri. Ver isto me faz sorrir.

— Esta é de longe a melhor resposta que recebi por essa história.

Eu me inclino para a frente para jogar meu pote na lixeira atrás dela. É o mais perto que chego dela desde que estávamos sentados juntos à mesa. O corpo inteiro dela enrijece com a minha proximidade. Em vez de me afastar de imediato, olho bem em seus olhos e me concentro em sua boca.

— É para isso que servem os namorados — digo me afastando devagar dela.

Normalmente, eu não daria muita importância ao fato de estar dando em cima de uma garota deliberadamente. Faço isso o tempo todo. Mas Fallon está me olhando como se eu tivesse cometido um pecado capital e isso me leva a questionar se interpretei mal o clima entre nós.

Eu me afasto por completo, sem desviar do seu olhar irritado. Ela aponta o dedo para mim.

— Isso — diz ela. — Isso mesmo. É a essa merda que estou me referindo.

Não sei a que ela está se referindo, então ajo com cautela.

— Você acha que estou fingindo dar em cima de você para fazer com que se sinta melhor consigo mesma?

— E não está?

Ela realmente acha isso? As pessoas não dão em cima dela? É por causa das cicatrizes ou das *inseguranças* que ela tem por causa das cicatrizes? Com certeza os homens não são tão superficiais como Fallon está sugerindo. Se for assim, sinto vergonha por todos eles. Porque essa garota deveria estar afugentando os caras que dão em cima dela, e não questionando seus motivos.

Aperto a tensão do centro do meu maxilar, depois tapo a boca com a mão enquanto penso como responder. É claro que essa noite, quando eu parar para pensar neste momento, vou inventar todo tipo de respostas ótimas. Mas agora... Não consigo descobrir a resposta perfeita para salvar minha vida.

Acho que vou ficar com a sinceridade. Ou melhor, *principalmente* com a sinceridade. Parece ser o melhor jeito de responder a essa garota, porque ela nota quando é papo-furado, como se estivesse escrito em um papel transparente.

Agora sou eu quem suspira fundo.

— Quer saber o que pensei quando vi você pela primeira vez?

Ela inclina a cabeça.

— Quando você me viu pela primeira vez? Quer dizer, uma *hora* inteira atrás?

Ignoro seu cinismo e continuo:

— A primeira vez que você passou por mim... Antes que eu interrompesse o almoço com seu pai... Fiquei encarando sua bunda o tempo todo enquanto você andava. E não consegui deixar de me perguntar que tipo de calcinha você estaria usando. Foi só no que pensei durante todo o tempo em que você ficou no banheiro. Você era do tipo que usa fio dental? Ou não usa calcinha? Porque não vi um contorno na sua calça jeans que sugerisse que você estava com uma calcinha.

"Antes de você voltar do banheiro, comecei a sentir um pânico no estômago, porque não tinha certeza se queria ver seu rosto. Fiquei ouvindo sua conversa e já sabia que sua personalidade me atraía. Mas e o seu rosto? As pessoas dizem que não se deve julgar um livro pela capa, mas e se de algum jeito você lesse o livro sem ter visto primeiro a capa? E se você realmente gostasse do que está no livro? É claro que quando você se aproxima do livro e está prestes a ver a capa pela primeira vez, torce para que seja algo que vá achar atraente. Por que quem é que quer um livro incrível na estante se tiver que olhar para uma capa de merda?"

Ela rapidamente volta os olhos para o colo, mas continuo falando:

— Quando você saiu do banheiro, a primeira coisa que notei foi seu cabelo. Me lembrou da primeira garota que beijei na vida. Ela se chamava Abitha. O cabelo dela era lindo e sempre cheirava a coco, então isso me fez perguntar se seu cabelo tinha o mesmo cheiro. Depois fiquei imaginando se você beijava como Abitha, porque embora ela tenha sido meu primeiro beijo, ainda é um dos únicos de que consigo me lembrar em detalhes. Então logo notei seus olhos, depois de admirar seu cabelo. Você ainda estava distante, mas olhava direto para mim, quase como se não entendesse por que eu estava encarando.

"Depois fiquei muito sem graça e me remexi na cadeira, porque como você já deixou claro, eu sequer me olhei no espelho hoje. Eu não sabia o que você estava vendo ao me encarar, e se chegou a *gostar* do que viu. As palmas das minhas mãos suaram porque esta foi a primeira impressão que você teve de mim e eu não sabia se era boa o suficiente.

"A essa altura, você estava muito perto da minha mesa e foi quando meus olhos se fixaram em sua bochecha. Em seu pescoço. Vi as cicatrizes pela primeira vez e, justo quando notei, você desviou os olhos rapidamente para o chão e deixou o cabelo cobrir a maior parte do seu rosto. E sabe o que pensei naquela hora, Fallon?"

Os olhos dela rapidamente encontraram os meus e percebi que ela não queria que eu falasse isso. Ela acha que sabe exatamente o que pensei naquele momento, mas não tem a menor ideia.

— Fiquei muito aliviado — digo a ela. — Porque entendi, com aquele simples movimento, que você era muito insegura. E me dei conta... porque é óbvio que você não sabe que é bonita pra cacete... de que eu podia ter uma chance com você. Então eu sorri. Porque tive esperanças de que se eu jogasse as cartas certas... podia descobrir exatamente que tipo de calcinha você estava usando por baixo dessa calça jeans.

É como se o mundo escolhesse este momento para ficar em silêncio. Não passa nenhum carro. Nenhum passarinho canta. A calçada a nossa volta está totalmente vazia. São os dez segundos mais longos de minha vida, esperando que ela responda. Tanto tempo, dez segundos é o suficiente para me deixar com vontade de retirar tudo o que disse. Tempo suficiente para que eu deseje ter ficado de boca fechada, em vez de desabafar desse jeito.

Fallon pigarreia e vira o rosto. Toma impulso no banco e se levanta.

Não me mexo. Só olho, curioso para saber se ela vai escolher este momento para finalmente me dar um pé na bunda falso.

Ela respira fundo e solta o ar justo quando seus olhos encontram os meus.

— Ainda tenho um monte de coisa para guardar nas malas esta noite — disse ela. — Sabia que oferecer ajuda é a atitude educada de um namorado?

— Precisa de ajuda para fazer as malas? — disparo rapidamente.

Ela dá de ombros com indiferença.

— Tudo bem.

Fallon

Minha mãe é minha heroína. Um exemplo para mim. A mulher que quero me tornar. Ela suportou meu pai por sete anos. Qualquer mulher que consiga fazer isso por tanto tempo merece uma medalha de honra.

Quando me ofereceram o papel principal de *Gumshoe*, aos 14 anos, ela hesitou em me deixar aceitar. Detestava como a carreira do meu pai o obrigara aos refletores. Sentia um ódio imenso do homem no qual tudo isso o transformou. Ela disse que antes de se tornar um nome conhecido, ele era maravilhoso e encantador. Mas depois que a fama lhe subiu à cabeça, ela passou a não suportar mais ficar do lado dele. Disse que 1993 foi o ano que levou à morte de seu casamento, à ascensão da fama dele e ao nascimento da primeira e última filha do casal: *eu*.

Então, é claro que ela fez tudo o que pôde para não deixar que o mesmo acontecesse comigo quando comecei a atuar. Imagine fazer a transição para o limiar da condição de mulher enquanto é uma atriz promissora em Los Angeles. É muito fácil perder a si mesma. Vi isso acontecer com várias amigas minhas.

Mas minha mãe não deixou que isso acontecesse comigo. Assim que o diretor encerrava as gravações no set a cada dia, eu ia para casa e tinha que lidar com uma lista de tarefas e várias regras severas. Não estou dizendo que minha mãe era rigorosa. Ela só não me deu nenhum tratamento especial, por mais famosa que eu ficasse.

Ela também não permitiu que eu namorasse antes dos 16 anos. Assim, nos primeiros meses depois do meu 16º aniversário, fui a três encontros com três caras diferentes. E foi divertido. Dois deles eram colegas de trabalho com quem eu podia ou não já ter ficado algumas vezes no camarim das gravações. E um era irmão de uma amiga minha. E não importa com quem eu saísse ou o quanto me divertisse, minha mãe teria a mesma conversa comigo sempre que eu chegava em casa de um encontro, sobre a importância de não se apaixonar enquanto não tivesse idade para conhecer verdadeiramente a mim mesma. Ela *ainda* tem a mesma conversa comigo e eu sequer *saio*.

Minha mãe teve uma compulsão por livros de autoajuda depois de se divorciar do meu pai. Ela leu todo livro que conseguiu encontrar sobre criação de filhos, casamento, descobrir a si mesma como mulher. Depois de tudo isso, ela concluiu que meninas mudam mais entre os 16 e 23 anos do que em qualquer outra época da vida. E é importante para ela que eu não passe esses anos apaixonada por um cara, porque, se eu fizer isso, ela tem medo de que eu nunca aprenda a amar *a mim mesma*.

Ela conheceu meu pai quando tinha dezesseis e o deixou aos vinte e três, então acho que essas restrições de faixa etária têm alguma relação com sua experiência pessoal. Mas considerando que só tenho 18 anos e não pretendo sossegar com ninguém tão cedo, imagino que seja fácil seguir os conselhos dela e deixá-la levar o crédito. Isso, pelo menos, eu posso fazer.

Acho engraçado ela pensar que existe essa idade mágica em que a mulher finalmente aprende quem é. Mas vou admitir que uma das minhas citações preferidas é uma que ela mesma criou.

Você nunca vai conseguir se encontrar se estiver perdida em outra pessoa.

Minha mãe não é famosa. Não tem uma carreira incrível. Sequer se casou com o amor da sua vida. Mas uma coisa ela sempre teve...

Razão.

E é por isso que, até encontrar um motivo contrário, vou dar ouvidos a cada palavra que ela diz, por mais absurda que pareça. Pelo que sei, ela nunca me deu um conselho ruim, então, apesar de Benton James Kessler passar a impressão de ter saído direto das páginas de um dos inúmeros romances que guardo empilhados na estante do meu quarto, o cara não tem a menor chance comigo por pelo menos mais cinco anos.

Mas isso não quer dizer que eu não quisesse me arrastar até seu colo e montar nele, bem ali no banco do parque, enquanto enfiava a língua em sua boca. Porque foi muito difícil me conter depois que ele confessou que me achava bonita.

Não, espere.

Bonita pra cacete foram as palavras exatas dele.

E embora pareça bom demais para ser verdade e provavelmente seja cheio de defeitos e pequenos hábitos irritantes, ainda estou me sentindo gananciosa o bastante para querer passar o resto do dia com ele. Porque, quem sabe? Estou me mudando para Nova York, mas ainda posso montar nele esta noite e enfiar a língua em sua boca.

Quando acordei hoje de manhã, pensei que este dia seria um dos mais difíceis dos últimos dois anos. Quem poderia dizer que o aniversário do pior dia da minha vida poderia acabar tão bem?

— 12, 25, jogo da velha — digo a Ben, passando o código do portão do meu prédio. Ele baixa a janela e digita o código. Peguei um táxi para encontrar meu pai no restaurante esta manhã, e por isso Ben se ofereceu para me levar para casa.

Indico uma vaga no estacionamento, então ele vira naquela direção, parando ao lado do carro da minha colega de apartamento. Nós dois saímos e nos encontramos na frente do veículo dele.

— Estou com a sensação de que deveria te alertar antes de entrarmos — digo.

Ele olha para o prédio e depois de volta para mim, desconfortável.

— Você não mora com um namorado *real*, não é?

Rio.

— Não, nada disso. Minha colega de apartamento se chama Amber e provavelmente vai bombardear você com milhões de perguntas, considerando que nunca entrei pela porta da frente acompanhada de um cara. — Não sei por que não me incomoda em nada confessar isso a ele.

Ele passa casualmente o braço por meus ombros e segue comigo para o prédio.

— Se está me pedindo para fingir que somos só amigos, não vai rolar. Não vou subestimar nossa relação por causa da sua amiga.

Rio e o levo à porta do meu apartamento. Ergo a mão para bater na porta, mas em vez disso giro a maçaneta. Esta ainda é minha casa por pelo menos mais dez horas, então eu não deveria sentir necessidade de bater na porta.

O braço de Ben se afasta dos meus ombros para que eu passe primeiro pela porta. Dou uma olhada na sala, mas encontro Amber em pé perto da bancada da cozinha, com o namorado. Ela e Glenn já namoram há mais de um ano e nenhum deles me disse, mas tenho certeza de que ele vai se mudar para cá assim que eu sair esta noite.

Ela ergue a cabeça e seus olhos se arregalaram no segundo em que ela vê Ben entrando atrás de mim.

— Ei — digo animada, como se não fosse nada incomum trazer para casa um cara muito bonito de quem nunca falei.

Atravessamos a sala e os olhos de Amber permanecem fixos em Ben o tempo todo.

— Oi — diz ela finalmente, ainda encarando ele. — Quem é você? — Ela olha para mim e aponta para Ben. — Quem é ele?

Ben dá um passo para a frente e estende a mão.

— Benton Kessler — diz ele, apertando a mão dela. Em seguida, troca um aperto de mão com Glenn. — Mas pode me chamar só de Ben. — O braço dele volta a meu ombro. — Sou o namorado de Fallon.

Rio, mas só eu faço isso. Os olhos de Glenn observam Ben de cima a baixo.

— Namorado? — pergunta ele, voltando a atenção para mim. — Ele sabe que você está de mudança para Nova York?

Confirmo com a cabeça.

— Ele soube assim que nos conhecemos.

Amber ergue uma sobrancelha.

— E isso foi... *quando*?

Ela está confusa, porque sabe que costumo contar tudo a ela. E ter um namorado, sem dúvida nenhuma, é considerado parte de tudo.

— Ah, cara — diz Ben, me olhando de cima. — Quanto tempo faz agora, amor? Uma, duas horas?

— No máximo duas.

Amber estreita os olhos para mim. Já quer saber todos os detalhes e detesta ter que esperar Ben ir embora para consegui-los.

— Estaremos no meu quarto — digo despreocupadamente.

Ben dá um breve aceno para eles e afasta o braço dos meus ombros, entrelaçando os dedos nos meus.

— É um prazer conhecer vocês dois. — Ele aponta para o corredor. — Vou com a Fallon até o quarto dela para ver que tipo de calcinha ela usa.

Amber fica boquiaberta e Glenn ri. Empurro o braço de Ben, chocada por ele ter levado a piada a esse ponto.

— Não, você vai comigo até o meu quarto para me ajudar a *fazer as malas.*

Ele faz beicinho. Reviro os olhos e sigo na frente dele pelo corredor até meu quarto.

Amber e eu somos grandes amigas há mais de dois anos. Assim que nos formamos no ensino médio, nos mudamos juntas para este apartamento. O que significa que eu só morei aqui por seis meses, por isso parece que estou guardando todas as coisas que acabei de *tirar* das malas.

Quando entramos no meu quarto, Ben fecha a porta. Seus olhos percorrem o ambiente, e dou alguns minutos para ele bisbilhotar enquanto abro minha mala. O apartamento onde vou morar em Nova York é totalmente mobiliado, então só preciso levar minhas roupas e meus produtos de higiene. Todo o resto está na casa da minha mãe.

— Você gosta de ler? — pergunta ele.

Olho por cima do ombro e o encontro passando o dedo pelos livros na minha estante.

— Adoro ler. Você precisa se apressar a escrever um livro, porque já está na minha pilha ASL.

— Sua *pilha ASL?*

— A pilha *A Ser Lido* — esclareço.

Ele pega um dos livros da estante e lê a contracapa.

— Detesto te dizer isso, mas acho que você não vai gostar de qualquer livro que eu acabe escrevendo. — Ele devolve o livro à estante e pega outro. — Você parece gostar de histórias de amor e essa não é minha praia.

Paro de examinar as blusas no meu closet e olho para ele.

— Não — digo com um gemido. — Por favor, não me diga que você é um daqueles leitores pretensiosos que julgam as pessoas pelos livros que elas gostam.

Ele balança a cabeça no mesmo instante.

— De jeito nenhum. Só não entendo nada de escrever romances. Tenho 18 anos. Não sou especialista quando se trata de amor.

Saio do closet e me encosto na porta.

— Nunca se apaixonou?

Ele assente.

— Claro que sim, mas não do jeito que vale um romance inteiro, por isso não tenho como escrever sobre o assunto. — Ele se joga na cama e se recosta na cabeceira, olhando para mim.

— Você acha que Stephen King realmente foi assassinado por um palhaço na vida real? — pergunto a ele. — Shakespeare tomou mesmo um frasco de veneno? Claro que não, Ben. Por isso se chama ficção. Você inventa essas merdas.

Ele sorri para mim de sua posição na cama e vê-lo sentado ali deixa meu rosto quente e me causa um incômodo. De repente sinto vontade de pedir para ele rolar em meus lençóis, assim posso sentir seu cheiro quando dormir esta noite. Mas então lembro que não vou dormir nestes lençóis esta noite porque estarei em um avião para Nova York. Eu me viro e fico novamente de frente para o meu closet, assim ele não vê meu rosto vermelho.

Ele ri baixinho.

— Você estava tendo pensamentos obscenos.

— Claro que não — respondo, alarmada.

— Fallon, estamos namorando há duas horas. Você me parece um livro aberto e neste exato momento acredito que é um livro cheio de cenas eróticas.

Rio e começo a tirar as blusas dos cabides. Só quero ter o trabalho de dobrá-las quando decidir como serão guardadas, por isso jogo tudo no meio do chão do quarto.

Retiro cerca de um quarto das blusas do meu closet antes de olhar de novo para Ben. As mãos dele estão apoiadas na nuca e ele me observa fazer a mala. Eu não esperava que ele fosse mesmo me ajudar quando chegássemos aqui, porque provavelmente ele tinha outras intenções. Mas seu reconhecimento também me faz sentir bem por ele ainda parecer animado em ficar mais tempo comigo.

No caminho para cá, decidi que eu não ia questionar os motivos dele. É claro que meu lado inseguro ainda se pergunta que diabo um cara como ele está fazendo com uma garota como eu, mas sempre que essa ideia entra de mansinho em minha cabeça, me lembro da conversa que tivemos no banco. E digo a mim mesma que tudo o que ele falou parecia verdadeiro, que ele sinceramente me acha atraente de algum jeito. E, para ser franca, será que isso realmente importa na totalidade das coisas? Estou me mudando para o outro lado do país, então o que acontecer nas próximas horas não terá nenhum impacto na minha vida, de um jeito ou de outro. Quem liga se esse cara só quer transar comigo? Na verdade, eu *prefiro* que ele só queira isso. É a primeira vez em dois anos que alguém me faz sentir desejável, por isso não vou me preocupar, porque estou curtindo muito tudo isso.

Vou até a cômoda e o ouço discar um número no celular. Fico em silêncio enquanto ele espera ser atendido.

— Posso fazer uma reserva para dois às sete horas esta noite?

O silêncio depois dessa pergunta é palpável enquanto espero para ouvir o que ele vai dizer em seguida. Meu coração trabalhou mais nas últimas duas horas do que nos dois últimos meses inteiros.

— Benton Kessler. K-E-S-S-L-E-R. — *Mais silêncio.* — Perfeito. Muito obrigado. — *Mais silêncio.*

Estou vasculhando minha primeira gaveta, fingindo que não estou rezando a Deus que Ben pretenda que eu seja a convidada dele nesse jantar. Eu o escuto se mexer na cama e se levantar, então me viro e o vejo andando na minha direção. Ele sorri e por cima do meu ombro espia a gaveta que estou vasculhando.

— É sua gaveta de calcinhas? — Ele pega uma. Arranco da mão dele e jogo na minha mala.

— Tire a mão — digo a ele.

Ele dá a volta por mim e apoia o cotovelo na cômoda.

— Se está levando as calcinhas, significa que não anda sem. Então, por um processo de eliminação, deduzi que agora você está de fio dental. Só preciso descobrir qual é a cor.

Jogo o conteúdo da gaveta na mala.

— É preciso muito mais do que esse papo furado para ver minha calcinha, *Ben, o Escritor.*

Ele sorri.

— Ah, é? Tipo o quê? Um jantar elegante? — Ele se afasta da cômoda e se empertiga, enfiando as mãos nos bolsos da calça jeans. — Porque por acaso acabei de fazer uma reserva no Chateau Marmont para as sete.

Rio.

— Não me diga.

Dou a volta por ele, indo até meu closet de novo, tentando esconder o sorriso enorme no meu rosto. *Obrigada, meu Deus. Ele vai me levar para jantar.* Assim que chego ao closet, meu sorriso perde o entusiasmo. *Mas o que é que vou vestir? Não tenho um encontro desde quando eu nem tinha peito direito!*

— Fallon O'Neil? — diz ele, desta vez da porta do closet. — Quer sair comigo esta noite?

Suspiro e baixo os olhos para minhas roupas chatas.

— Mas o que é que vou vestir para ir ao Chateau? — Olho para ele e faço uma careta. — Não podíamos ir só ao Chipotle ou coisa assim?

Ele ri e depois entra no meu closet, esbarrando em mim. Mexe nas roupas do fundo.

— Comprido demais — diz ao passar pelos cabides, um por um. — Feio demais. Casual demais. Elegante demais.

Por fim, ele para e pega algo pendurado. Vira-se com um vestido preto que eu pretendo jogar fora desde o dia em que minha mãe comprou para mim.

Ela está sempre comprando roupas para mim, na esperança de que eu realmente vá usá-las. Roupas que não cobrem minhas cicatrizes.

Nego com a cabeça e arranco o vestido da mão dele, pendurando-o de volta no lugar. Pego um dos poucos vestidos de manga comprida que tenho e tiro do cabide.

— Gosto desse.

Seus olhos se voltam para o vestido que escolheu inicialmente e ele o tira do cabide, empurrando-o para mim.

— Mas quero que você use este.

Empurro o vestido de volta para ele.

— Não quero vestir isso, quero usar este.

— Não. Estou pagando o jantar, então posso escolher o que olhar enquanto comemos.

— Então *eu* vou pagar o jantar e usar o vestido que *eu* quiser.

— Então vou te deixar na mão e ir para o Chipotle.

Resmungo.

— Acho que estamos tendo nossa primeira briga de casal.

Ele sorri e estende a mão com o vestido que escolheu.

— Se você concordar em usar este vestido esta noite, podemos fazer as pazes agora, neste closet.

Ele é implacável. Mas não vou usar esse maldito vestido. Se tiver que ser sincera, serei.

Suspiro, frustrada.

— Minha mãe comprou esse vestido para mim no ano passado, quando estava na fase *vamos dar um jeito na Fallon*. Mas ela não faz ideia de como é desagradável estar na minha pele. Então, por favor, não me peça outra vez para usar esse vestido, porque fico muito mais relaxada em roupas que não deixam muita pele à mostra. Não gosto de deixar as pessoas pouco à vontade e se eu usar algo assim, elas vão se sentir mal olhando para mim.

O maxilar de Ben fica tenso e ele vira o rosto, observando o vestido em suas mãos.

— Tudo bem — diz ele simplesmente, largando o vestido no chão.

Finalmente.

— Mas a culpa é toda sua se as pessoas ficam pouco à vontade olhando para você.

Sequer escondo minha surpresa. Essa é a primeira coisa que ele me disse durante todo o dia que me deixou com a sensação de estar falando com meu pai. Não vou mentir. Isso magoa. Minha garganta parece inchar e se fechar, então pigarreio.

— Isso não foi muito gentil — digo baixinho.

Ben dá um passo na minha direção. Meu closet já é muito pequeno. Não preciso que ele chegue ainda mais perto. Ainda mais depois de dizer algo tão ofensivo.

— É a verdade — insiste ele.

Fecho os olhos, porque é isso ou encarar a boca que pronuncia palavras tão detestáveis.

Suspiro para me acalmar, mas empaco quando os dedos de Ben roçam o cabelo na frente do meu rosto. O contato físico inesperado me obriga a apertar os olhos ainda mais forte. Eu me sinto tão idiota por não obrigá-lo a ir embora ou, pelo menos, empurrá-lo para fora do closet. Mas, por algum motivo, não consigo me mexer nem falar. Aliás, nem *respirar*.

Ele afasta o cabelo da minha testa, passando os dedos até que não esteja mais em meu rosto.

— Você usa o cabelo desse jeito porque não quer que as pessoas vejam muita coisa de você. Usa mangas compridas e blusas de gola alta porque acha que ajuda. Mas não ajuda.

Parece que as palavras dele se transformam em punhos e socam minha barriga. Afasto o rosto de sua mão, mas mantenho olhos fechados. Tenho vontade de chorar de novo, e já chorei o bastante por causa de um aniversário idiota.

— As pessoas não se sentem desconfortáveis quando olham para você por causa das cicatrizes, Fallon. Ficam desconfortáveis porque você faz com que as pessoas sintam que é errado olhar para você. E *acredite* em mim... Você é o tipo de pessoa para quem as pessoas querem olhar. — Sinto a ponta de seus dedos roçarem meu queixo e estremeço. — Você tem uma estrutura óssea incrível e sei que esse é um elogio estranho, mas é verdade. — Seus dedos se afastam do meu maxilar e sobem por meu queixo até ele tocar minha boca. — E seus lábios. Os homens olham porque querem saber que gosto têm, e as mulheres olham por inveja, porque se tivessem lábios da cor dos seus, nunca mais precisariam comprar batom.

Solto o que pode ser uma mistura de riso e choro, mas ainda não me atrevo a olhar para ele. Estou dura feito uma tábua, me perguntando onde ele vai me tocar em seguida. O que ele vai *dizer* em seguida.

— E só conheci uma garota na vida com um cabelo tão comprido e bonito como o seu, mas já te falei sobre Abitha. E só para você saber, ela não deve nada a você, apesar de beijar muito bem.

Sinto as mãos dele subirem e afastarem meu cabelo dos ombros. Ele está tão perto que sei que consegue ver meu peito subindo e descendo freneticamente. Mas, *meu Deus*, de repente fica muito difícil respirar, como se eu estivesse 30 mil metros acima do nível que ocupava cinco minutos atrás.

— Fallon — diz ele, exigindo minha atenção. Seus dedos encontram meu queixo e ele inclina meu rosto para cima. Quando abro os olhos, ele está um pouco mais perto do que eu imaginava. Está me olhando de cima com uma expressão penetrante. — As pessoas *querem* olhar para você. Acredite em mim, sou uma delas. Mas quando tudo em você grita "vire o rosto", é exatamente o que elas vão fazer. A única pessoa que se importa com algumas cicatrizes no seu rosto é você.

Quero tanto acreditar nele. Se conseguisse acreditar em tudo o que ele diz, talvez minha vida significasse muito mais para mim do que significa agora. Se eu acreditasse nele, talvez não ficasse tão nervosa com a ideia de voltar a fazer testes de elenco. Talvez eu estivesse fazendo exatamente o que minha mãe diz que uma garota da minha idade deve fazer: descobrir quem realmente sou. E não me esconder de mim mesma.

Que droga, nem mesmo *me visto* para mim. Visto o que acho que os outros preferem me ver usar.

Os olhos de Ben se fixam na minha blusa e, pela primeira vez, noto seus pulmões puxando ar com tanto esforço quanto os meus. Ele ergue a mão e passa os dedos pelo primeiro botão da minha blusa, abrindo-o. Tomo fôlego depressa. Os olhos dele não desviam da minha blusa e os meus não se afastam do seu rosto. Quando ele leva os dedos ao segundo botão, posso jurar que a respiração dele fica trêmula.

Não sei o que ele está fazendo e morro de medo de ele estar prestes a ser a primeira pessoa a ver o que tem por baixo da minha blusa. Mas não consigo encontrar de jeito nenhum palavras que o impeçam.

Quando o segundo botão é aberto, ele desce para o terceiro. Antes de abrir este botão, seus olhos encontram os meus e ele parece tão assustado quanto eu. Continuamos nos entreolhando até que ele chega ao último botão. Quando solta, baixo os olhos para minha blusa.

Só uma parte da pele aparece acima do meu umbigo, então ainda não me sinto realmente exposta. Mas estou prestes a sentir, porque lentamente ele ergue as mãos para o topo da minha blusa. Antes que ele faça mais algum movimento, fecho bem os olhos de novo.

Não quero ver a expressão dele quando descobrir o quanto do meu corpo foi queimado. Quase todo o meu lado esquerdo, para ser exata. O que ele vê quando olha meu rosto é só uma fração se comparado ao que há por baixo da minha roupa.

Sinto minha blusa sendo aberta e quanto mais de mim é exposto, mais fica difícil conter as lágrimas. É a pior hora do mundo para ficar sentimental, mas acho que as lágrimas não têm uma fama de *timing* impecável.

A respiração dele é extremamente audível, assim como seu suspiro quando minha blusa se abre por completo. Quero empurrá-lo para fora do closet, fechar a porta e me esconder, mas é exatamente isso o que venho fazendo nos últimos dois anos, então, por motivos que não consigo explicar, não peço para ele parar.

Ben desliza a blusa pelos meus ombros e, lentamente, por meus braços. Puxa pelo resto do caminho, passando por minhas mãos, até que a deixa cair no chão. Sinto as mãos dele roçando nas minhas e fico constrangida demais para me mexer, sabendo exatamente o que ele está vendo ao olhar para mim.

Os dedos dele sobem por minhas mãos e pelos pulsos, justo quando a primeira lágrima escorre pela minha bochecha. Mas a lágrima não o abala. Um arrepio percorre a maior parte da minha pele enquanto ele continua subindo com as mãos por meus antebraços. Em vez de correr os dedos até meus ombros, ele para. Ainda não me atrevo a abrir os olhos.

Sinto a testa dele encostar delicadamente na minha e, só o fato de que ele está respirando tão acelerado quanto eu, me dá algum conforto neste momento.

Sinto um frio na barriga quando suas mãos encontram a barra da minha calça jeans.

Isso está indo longe demais.

Longe demais, longe demais, longe demais, mas só consigo respirar loucamente e deixar que seus dedos abram o botão da minha calça, porque, por mais que eu queira que ele pare, tenho a sensação de que ele não está tirando minha roupa por prazer. Não sei muito bem o que ele está fazendo, mas estou imobilizada demais para perguntar.

Respire, Fallon. Respire. Seus pulmões precisam de ar novo.

A testa dele continua encostada na minha e sinto sua respiração em meus lábios. Tenho a sensação de que os olhos dele estão arregalados e ele está olhando para o espaço entre nós dois, observando as próprias mãos abrindo meu zíper.

Quando o zíper chega a seu destino, ele desliza as mãos entre minha calça jeans e meu quadril, tão despreocupadamente que eu chego a acreditar que nem incomoda tocar as cicatrizes do meu lado esquerdo. Ele puxa minha calça pelo quadril e começa lentamente a se abaixar, deslizando a calça por minhas pernas. A respiração de sua boca percorre meu corpo até que eu a sinto parar na barriga, mas seus lábios não tocam nenhuma vez em minha pele.

Quando a calça jeans está nos meus pés, tiro um pé de cada vez.

Não faço ideia do que vai acontecer em seguida. O que vai acontecer em seguida? O que. Vai. Acontecer. Em. Seguida?

Meus olhos ainda estão fechados e não faço ideia se ele está de pé, ajoelhado ou saindo dali.

— Levante os braços — diz ele.

Sua voz sai rouca e próxima de mim, e me assusta de tal modo que meus olhos se abrem involuntariamente. Ele está de pé bem na minha frente, segurando o vestido que largou no chão.

Olho para ele e de maneira nenhuma esperava ver aquela expressão. Seus olhos são tão acalorados e ferozes que é como se ele precisasse de cada grama de moderação para não retirar minhas duas últimas peças de roupa.

Ele pigarreia.

— *Por favor,* levante os braços, Fallon.

Faço isso e ele coloca o vestido pela minha cabeça, puxando-o por meus braços. Puxa até passar pela cabeça, e continua, ajeitando-o sobre minhas curvas. Quando o vestido finalmente está no lugar, ele levanta meu cabelo e o deixa cair nas costas. Dá meio passo para trás e me olha de cima a baixo. Pigarreia, mas sua voz ainda sai rouca quando ele fala.

— Bonita pra cacete — diz ele, abrindo um sorriso devagar. — E vermelha.

Vermelha?

Olho para o vestido, que sem dúvida é preto.

— Sua calcinha — disse ele, esclarecendo. — É vermelha.

Solto uma lufada de ar com o que pensei que fosse um riso, porém parece mais um choro trinado. É quando percebo que as lágrimas continuam escorrendo por meu rosto, então tento enxugar com as mãos, mas continuam escorrendo.

Não consigo acreditar que ele acabou de me despir para provar seu argumento. Não acredito que eu *permiti*. Agora sei exatamente o que Ben quis dizer quando falou que acha difícil controlar sua indignação na presença do absurdo. Ele considera minhas inseguranças absurdas e assumiu a tarefa de me provar isso.

Ben dá um passo para a frente e me abraça. Tudo nele é reconfortante e quente e não faço ideia de como reagir. Uma das mãos dele toca minha nuca e ele pressiona meu rosto em seu peito. Estou rindo de como minhas lágrimas são ridículas, porque, *quem faz isso? Quem chora quando um cara tira sua roupa pela primeira vez?*

— É um recorde — diz Ben, me afastando do seu peito para me olhar. — Fiz minha namorada chorar em menos de três horas de relacionamento.

Rio outra vez, depois pressiono o rosto em seu peito e o abraço também. Por que ele não estava lá no segundo em que acordei no hospital, dois anos atrás? Por que tive de enfrentar dois anos inteiros antes de finalmente ter alguma confiança?

Depois de mais um ou dois minutos em que tento conter minhas emoções erráticas, finalmente me sinto calma o bastante para notar que ele não tem um cheiro tão bom quando minha cara está enfiada numa camisa que ele não tira há dois dias.

Eu me afasto e passo os dedos embaixo dos olhos de novo. Não estou mais chorando, mas tenho certeza de que tem rímel para todo lado.

— Vou usar esse vestido idiota com uma condição — digo. — Se você for para casa e tomar um banho primeiro.

O sorriso dele aumenta.

— Isto já fazia parte dos meus planos.

Ficamos ali em silêncio por mais um tempo, depois não consigo ficar neste closet nem por mais um segundo. Empurro os ombros dele e o expulso do quarto.

— São quase quatro horas — digo. — Volte às seis e estarei vestida e pronta para sair.

Ele segue para a porta do meu quarto, mas me olha novamente antes de sair.

— Quero que você prenda o cabelo no alto esta noite.

— Não abuse da sorte.

Ele ri.

— Pra que existe a sorte, se não posso abusar dela?

Aponto para a porta.

— Vá. Banho. E faça a barba no chuveiro.

Ele abre a porta e começa a se afastar.

— Barba, é? Pretende roçar sua boca no meu rosto hoje à noite?

— *Vá* — digo com um riso exasperado.

Ele fecha a porta, mas ainda ouço o que ele diz a Amber e Glenn assim que entra na sala de estar.

— É vermelha! A calcinha dela é vermelha!

Ben

Que diabos estou fazendo?

Ela está se mudando para Nova York. É um jantar. Só isso.

Mas, sério, que diabos estou fazendo? Eu não devia estar fazendo isso.

Visto uma calça jeans e entro no closet para pegar uma camisa limpa. Justo quando enfio a camisa pela cabeça, a porta se abre.

— E aí — diz Kyle, recostando-se no batente. — É bom ver você voltar para casa, para variar. — *Meu Deus. Agora, não.* — Quer jantar comigo e Jordyn hoje à noite?

— Não posso. Tenho um encontro.

Vou até a cômoda e pego meu perfume. Nem acredito que Fallon se dispôs a chegar perto de mim com o cheiro que eu estava hoje. É um pouco constrangedor.

— Ah, é? Com quem?

Pego a carteira na cômoda e depois meu casaco.

— Minha namorada.

Kyle ri enquanto passo por ele e sigo pelo corredor.

— *Namorada?* — Ele sabe que eu não namoro, então me segue para arrancar mais informações de mim. — Sabe que se eu contar a Jordyn que você tem um encontro com sua namorada, ela vai me interrogar até minha cabeça explodir. É melhor me dar mais informações.

Eu rio. Ele tem razão, a namorada dele gosta de saber tudo sobre todo mundo. E, por algum motivo, como Jordyn está prestes a vir morar com a gente, acha que já é da família. E ela é *particularmente* enxerida quando se trata da família.

Kyle me segue até a porta e por todo o caminho até meu carro. Segura a porta antes que eu consiga fechá-la.

— Sei onde você esteve ontem à noite.

Paro de tentar fechar a porta e me jogo no banco. *Lá vamos nós outra vez.*

— Sua namorada tem uma boca muito grande, sabia?

Ele se encosta na porta, olhando para mim de braços cruzados.

— Ela está preocupada com você, Ben. Todos nós estamos.

— Estou bem. Você vai ver. Vou ficar bem.

Kyle fica alguns minutos me olhando em silêncio, querendo acreditar em mim desta vez. Mas já prometi tantas vezes a ele que vou ficar bem, que agora entra por um ouvido e sai por outro. E eu entendo. Mas ele não faz ideia de que desta vez é *realmente* diferente.

Ele desiste e fecha a porta sem dizer mais nada. Sei que ele só está tentando ajudar, mas não precisa. As coisas vão mesmo mudar. Entendi isso no instante em que pus os olhos em Fallon hoje.

• • •

Chego à porta da casa dela às 17h05, aproximadamente. Cheguei cedo, mas, como eu disse... ela está se mudando para Nova York e nunca mais vou vê-la. Cinquenta e cinco minutos a mais com ela nem chega perto do que eu quero.

A porta se abre quase no mesmo instante em que bato. Amber sorri para mim e dá um passo para o lado.

— Ah, oi, namorado da Fallon de quem nunca ouvi falar. — Ela indica o sofá. — Pode se sentar. Fallon está no banho.

Olho para o sofá, depois para o corredor que leva até o quarto de Fallon.

— Não acha que ela precisa da minha ajuda no banho?

Amber ri, mas depois, com a mesma rapidez, seu rosto fica inexpressivo e sério.

— Não. Sente-se.

Glenn está sentado no sofá à frente daquele em que sou forçado a me acomodar. Faço um gesto de cabeça e ele ergue uma sobrancelha, em alerta. Acho que este é o momento de que Fallon me avisou.

Amber atravessa a sala e se senta ao lado de Glenn.

— Fallon me disse que você é escritor.

Concordo com a cabeça.

— Ben, o Escritor. Eu mesmo.

Pouco antes de ela disparar a segunda pergunta, Fallon aparece subitamente no corredor.

— Oi. Achei que tinha escutado você aqui.

Não há nenhum sinal de que ela tenha acabado de tomar um banho. Eu me viro para Amber, que dá de ombros.

— Não custava nada tentar.

Eu me levanto e ando até o corredor, apontando para Amber, mas olhando Fallon.

— Sua amiga é muito enxerida.

— É mesmo — diz Fallon. — E você chegou uma hora mais cedo.

— Cinquenta e cinco minutos.

— Dá no mesmo.

— Nada disso.

Ela se vira e volta na direção da porta do quarto.

— Estou muito cansada de brigar com você, Ben. — Ela entra no banheiro perto do seu quarto. — Terminei de fazer as malas. Ainda nem comecei a me arrumar.

Volto a ocupar meu lugar na cama.

— Não tem problema. Já estou à vontade. — Estendo o braço e pego o livro na mesa de cabeceira. — Vou ficar lendo até você ficar pronta.

Ela enfia a cabeça pela porta do banheiro e olha para o livro em minhas mãos.

— Cuidado. Esse é dos bons. Pode fazer você mudar de ideia sobre escrever um romance.

Torço o nariz e balanço a cabeça. Ela ri e desaparece de novo no banheiro.

Abro a primeira página do livro, com a intenção de apenas dar uma olhada. Quando me dou conta, estou na página 10.

Página 17.

Página 20.

37.

Meu Deus, isso parece crack.

— Fallon?

— Oi? — diz ela do banheiro.

— Você já terminou este livro?

— Não.

— Bom, preciso que você termine antes de se mudar para Nova York, então vai poder me dizer se ela realmente encontra o irmão.

Ela reaparece na porta num átimo.

— O quê?! — grita. — Ele é *irmão* dela?

Sorrio.

— Peguei você.

Ela revira os olhos e desaparece outra vez no banheiro. Eu me obrigo a parar de ler e jogo o livro de lado. Olho ao redor do quarto de Fallon e já parece diferente de quando estive aqui, uma hora atrás. Ela tirou todas as fotos da mesa de cabeceira, sendo que eu sequer tinha dado uma boa olhada nelas. O closet está quase vazio, exceto por algumas caixas no chão.

Mas quando entrei, notei que ela havia mantido o vestido. Eu estava imaginando que ela fosse mudar de ideia e guardá-lo na mala antes que eu tivesse a chance de interferir.

Pelo canto do olho, noto um movimento, então olho para o banheiro. Ela está parada na soleira da porta.

Meus olhos se fixam primeiro no vestido. Mereço crédito por ter escolhido este. Mostra o suficiente do seu decote para me deixar bem e feliz, mas não tenho certeza se vou conseguir desviar os olhos do rosto dela por tempo suficiente para olhar o decote.

Não sei dizer que diferença há nela, porque não parece que está maquiada, mas de algum modo está ainda mais bonita do que antes. Fico feliz por ter abusado da sorte e lhe pedido para prender o cabelo, porque ela o penteou num coque pequeno e bagunçado no alto da cabeça e estou adorando. Eu me levanto e vou até a soleira da porta, onde ela está encostada. Levo as mãos ao batente, acima de sua cabeça, e sorrio para ela.

— Bonita pra cacete — sussurro.

Ela sorri e depois baixa a cabeça.

— Estou me sentindo idiota.

— Mal conheço você, então não vou discutir sobre seu nível de inteligência, porque você pode muito bem ser burra como uma porta. Mas, pelo menos, é bonita.

Ela ri e se fixa por um instante em meus olhos, mas depois seu foco se dirige para a minha boca e, *meu Deus,* quero beijar essa garota. Quero beijá-la tanto que chega a doer e não estou conseguindo mais sorrir, porque sinto muita dor.

— O que foi?

Faço uma careta e seguro o batente da porta com mais força.

— Quero tanto, tanto te beijar, que estou dando o meu melhor para não fazer isso agora mesmo.

Ela afasta a cabeça e suas sobrancelhas se unem, demonstrando confusão.

— Você sempre passa a impressão de que quer vomitar quando tem vontade de beijar uma garota?

Balanço a cabeça.

— Até encontrar você, não.

Ela bufa e esbarra em mim ao passar. Isso *não* saiu como eu queria.

— Não quis dizer que pensar em beijar você me deixa enjoado. Quis dizer que quero tanto te beijar que meu estômago chega a doer. Parece dor no saco, mas em vez disso é no estômago.

Ela começa a rir e leva as mãos à testa.

— O que vou fazer com você, Ben, o Escritor?

— Pode me beijar e me fazer sentir melhor.

Ela balança a cabeça e anda até a cama.

— Nem pensar. — Ela se senta na cama e pega o livro que eu estava lendo. — Leio muitos romances, então sei quando é o momento certo. Se vamos nos beijar, tem de ser digno de um livro. Depois que me beijar, quero que você esqueça completamente aquela Abitha de quem não para de falar.

Vou para a outra extremidade da cama e me deito ao lado dela, que está encostada na cabeceira. Rolo de lado e me apoio no cotovelo.

— Quem é Abitha?

Ela dá um riso forçado para mim.

— Isso mesmo. De agora em diante, quando você conhecer uma garota, é melhor compará-la comigo e não com ela.

— Usar você como padrão é totalmente injusto com o resto da população feminina.

Ela revira os olhos, supondo que estou brincando mais uma vez. Mas, com toda sinceridade, a ideia de comparar alguém com Fallon é ridícula. Não tem comparação. E é um saco só ter passado algumas horas com ela e já saber disso. Eu quase queria nunca ter conhecido ela. Porque eu não namoro de verdade, ela está de mudança para Nova York e só temos 18 anos e... tanta... coisa.

Olho para o teto e me pergunto como isto vai funcionar. Como vou simplesmente me despedir dela esta noite, sabendo que nunca mais vou falar com ela? Tapo os olhos com meu antebraço. Queria não ter entrado naquele restaurante hoje. Não dá para sentir falta de quem nunca nos foi apresentado.

— Ainda está pensando em me beijar?

Jogo a cabeça no travesseiro e olho para ela.

— Fui além do beijo. Casa comigo.

Ela ri e se mexe na cama para ficar de frente para mim. Sua expressão é tranquila, com o vestígio de um sorriso. Ela estende a mão e coloca a palma em meu pescoço. Minha respiração fica ofegante.

— Você fez a barba — diz ela, passando o polegar pelo meu queixo.

Acho que nenhuma parte de mim consegue sorrir quando ela me toca desse jeito, porque não há absolutamente nada de bom no fato de que não vou sentir isso de novo depois desta noite. É cruel pra cacete.

— Se eu pedir o número do seu telefone, você me dá?

— Não — responde ela, quase de imediato.

Comprimo bem os lábios e espero ela me explicar por que não, mas Fallon não faz isso. Simplesmente continua passando o polegar de um lado a outro do meu queixo.

— E-mail?

Ela balança a cabeça.

— Você tem pelo menos um pager? Um fax?

Ela ri e é bom ouvir sua risada. O clima estava ficando pesado demais.

— Não quero um namorado, Ben.

— Então, está terminando comigo?

Ela revira os olhos.

— Você entendeu o que eu quis dizer. — Ela afasta a mão do meu rosto e a coloca na cama entre nós dois. — Só temos 18 anos. Estou me mudando para Nova York. Nós mal nos conhecemos. E prometi a minha mãe que não me apaixonaria por ninguém antes dos 23.

Concordo, concordo, concordo e... *O quê?*

— Por que 23?

— Minha mãe diz que a maioria das pessoas tem a vida definida aos 23 anos, então quero ter certeza de que sei quem sou e o que quero da vida antes de me apaixonar. Porque é fácil se apaixonar, Ben. A parte difícil vem quando você quer cair fora.

Faz sentido. *Se você for o Homem de Lata.*

— Acha que pode mesmo controlar se vai ou não se apaixonar por alguém?

— Se apaixonar pode não ser uma decisão consciente, mas se afastar da situação antes que aconteça, é. Então, se eu conhecer alguém por quem acho que posso me apaixonar... Vou me afastar de sua presença até estar preparada para isso.

Uau. Ela parece uma mini-Sócrates com todos esses conselhos sobre a vida. Acho que devia anotar. Ou debater com ela.

Mas, sinceramente, fico aliviado que ela esteja dizendo essas coisas porque estava com medo de que fosse me beijar bêbada e, no fim da noite, me convencesse de que somos almas gêmeas. Porque Deus sabe que se ela pedir, vou me jogar, sabendo que é a última coisa que devo fazer. Os homens não dizem não para uma garota como ela, por mais que achem relacionamentos pouco atraentes. Os homens veem peitos combinados com um ótimo senso de humor e acham que encontraram a porra do Santo Graal.

Mas cinco anos parecem uma eternidade. Tenho certeza de que ela nem vai se lembrar desta noite depois de cinco anos.

— Pode me fazer um favor, então, e me procurar quando tiver 23 anos?

Ela ri.

— Benton James Kessler, você vai ser um escritor famoso demais daqui a cinco anos para se lembrar de alguenzinho como eu.

— Ou você vai ser uma atriz famosa demais para se lembrar de *mim.*

Ela não responde. Na verdade, meu comentário a deixa triste. Ficamos em silêncio em nossos lugares, de frente um para o outro na cama de Fallon. Mesmo com as cicatrizes e a evidente tristeza em seus olhos, ela ainda é uma das garotas mais bonitas que já vi. Seus lábios parecem macios e convidativos e estou tentando ignorar os nós no meu estômago, mas sempre que olho para sua boca, a intensidade das tentativas de me conter me obriga a fazer uma careta. Tento não imaginar como seria se eu me inclinasse para a frente e a beijasse, mas, com Fallon assim tão perto, desejo de verdade já ter lido de algum jeito todos os romances já escritos, porque o que faz um beijo valer um *livro*? Preciso saber, para fazer acontecer.

Ela está deitada sobre o lado direito do corpo e, com esse vestido, grande parte da sua pele está exposta. Consigo ver onde as cicatrizes começam, pouco abaixo do pulso, subindo pelo braço e pelo pescoço, espalhando-se pelo rosto. Toco seu rosto assim como ela estava tocando o meu. Eu a sinto se retrair sob a minha palma, porque estou tocando a parte que ela nem mesmo queria que eu *olhasse* algumas horas atrás. Passo depressa o polegar pelo seu queixo, depois deslizo a mão por seu pescoço. Ela fica tensa sob meu toque.

— Isso te incomoda?

Seus olhos ficam tremeluzindo, se fixando e se desviando dos meus.

— Não sei — sussurra ela.

Será que sou o único que já tocou suas cicatrizes? Já sofri acidentes e me queimei tentando cozinhar, então sei como é quando uma queimadura cicatriza. Mas as marcas dela são muito mais salientes do que uma queimadura superficial. Sua pele parece muito mais macia ao toque do que uma pele normal. Mais frágil. Há alguma coisa na sensação em meus dedos que me faz ter vontade de continuar tocando nela.

Fallon deixa. Por vários minutos de sossego, nenhum dos dois fala e continuo passando os dedos por seu braço e pelo pescoço. Os olhos dela ficam marejados, como se ela estivesse prestes a chorar. Isso faz com que eu me pergunte se ela não está gostando. Consigo entender por que isto a deixaria pouco à vontade, mas, por algum motivo distorcido, me sinto mais confortável com ela agora do que me senti o dia todo.

— Eu deveria odiar isso por você — sussurro, passando os dedos pelas cicatrizes do seu antebraço. — Deveria ficar furioso por você, porque a dor de passar por isso deve ter sido excruciante. Mas, por algum motivo, quando toco em você... gosto de sentir sua pele.

Não sei muito bem como Fallon vai receber as palavras que acabaram de sair da minha boca. Mas é verdade. De repente, fico agradecido pelas cicatrizes... porque são um lembrete de que poderia ter sido muito pior. Ela podia ter morrido naquele incêndio e não estaria ao meu lado agora.

Desço a mão por seu ombro, pela extensão do seu braço e volto a subir. Quando meus olhos encontram os dela, há a evidência de que uma lágrima acabou de escorrer por sua bochecha.

— Uma das coisas que sempre tento lembrar a mim mesma é que todo mundo tem cicatrizes — diz ela. — Muita gente tem umas ainda piores do que as minhas. A única diferença é que as minhas são visíveis e a da maioria das pessoas, não.

Não digo que ela tem razão. Não digo que embora ela seja tão linda por fora, eu só queria poder ser assim por dentro.

Fallon

— Merda. *Fallon!* Merda, merda, merda, droga, merda, merda.

Ouço Ben xingando feito um marinheiro, mas não entendo por quê. Sinto as mãos dele em meus ombros.

— Fallon, A Transitória, acorde agora!

Abro os olhos e ele está sentado na cama, passando a mão no cabelo. Parece irritado.

Eu me sento na cama e esfrego os olhos para me livrar do sono.

O sono.

Nós dormimos?

Olho para o despertador que mostra 8:15. Pego o relógio e o trago mais para perto do rosto. Não pode estar certo. Mas é isso mesmo. São 8h15.

— Merda — digo.

— Perdemos o jantar — diz Ben.

— Eu sei.

— Dormimos por duas horas.

— É. Eu sei.

— Perdemos *duas horas, porra,* Fallon.

Ele parece realmente perturbado. Fofo, mas perturbado.

— Desculpe.

Ele me lança um olhar confuso.

— O quê? Não. Não diga isso. Não foi culpa sua.

— Só dormi três horas na noite passada — digo a ele. — Estava muito cansada o dia todo.

— É — diz ele com um suspiro de frustração. — Também não dormi muito na noite passada. — Ele se impulsiona para fora da cama. — Que horas é o seu voo?

— Onze e meia.

— Desta noite?

— É.

— Tipo, daqui a três horas?

Assinto.

Ele geme e passa as mãos no rosto.

— Merda — repete Ben. — Isto significa que você precisa ir. — Suas mãos baixam para o quadril e ele olha para o chão. — Isto significa que *eu* devo ir embora.

Não quero que ele vá.

Mas preciso que vá. Não gosto deste pânico que está crescendo em meu peito. Não gosto das palavras que quero dizer a ele. Quero dizer a ele que mudei de ideia, que pode ter meu número de telefone. Mas se eu der meu telefone, vou falar com ele. O tempo todo. E serei distraída por ele e por cada pequena mensagem de texto que mandar, e cada telefonema, depois vamos ficar no Skype o tempo inteiro e quando eu me der conta não serei mais *Fallon, a Transitória*. Serei *Fallon, a Namorada*.

Esse pensamento devia me encher de muito mais repugnância do que realmente faz.

— Tenho que ir — diz ele. — Você deve ter muita coisa para fazer nos próximos minutos para poder chegar ao aeroporto.

Na verdade, não. Já guardei tudo, mas não digo nada.

— Quer que eu vá embora?

Percebo que ele está torcendo para que eu diga não, mas há uma grande parte de mim que precisa que ele vá

— Amber vai me levar — digo, bastante decepcionada por já ter carona.

Ele assente e se balança sobre os pés.

— Bom, o aeroporto não fica no caminho da minha casa, mas... Vou fingir que é, se quiser que eu leve você.

Caramba, ele é lindo. Suas palavras me deixam excitada e exacerbada e... *Não sou um maldito ursinho de pelúcia. Preciso resistir.*

Não aceito a oferta dele de imediato. Amber e eu só vamos nos ver de novo quando ela for a Nova York em março, então não sei se ela ficaria chateada se eu disser que prefiro que um cara que só conheço há meio dia me leve ao aeroporto.

— Eu não me importo — diz Amber da sala. Ben e eu olhamos pelo corredor. Glenn e Amber estão sentados no sofá, nos observando. — Daqui, não só conseguimos ver vocês se agarrando, como também ouvimos a conversa.

Eu a conheço bem o bastante para saber que está me fazendo um favor. Ela dá uma piscadela para mim, e quando volto a olhar para Ben, há um pouco mais de esperança em sua expressão. Despreocupadamente, cruzo os braços e inclino a cabeça.

— Por acaso, você não mora perto do aeroporto, mora?

Sua boca forma um sorriso.

— Na verdade, moro. Não é incrivelmente conveniente?

Ben passa os minutos seguintes me ajudando com as dificuldades de última hora. Tiro o vestido que eu pretendia usar e visto uma calça de ioga e uma camiseta, para ficar confortável no avião. Ele leva minhas malas para o carro e eu me despeço de Amber.

— Lembre que sou toda sua durante as férias de primavera — diz.

Ela me abraça, mas nenhuma de nós é do tipo de chorar em uma despedida boba. Ela sabe, tão bem quanto eu, que esta mudança vai ser boa para mim. Amber foi uma das minhas maiores incentivadoras desde o acidente, torcendo para que eu encontrasse a confiança que perdi dois anos atrás. E não é morando neste apartamento que isso vai acontecer.

— Me ligue de manhã, para eu saber que você chegou bem.

Terminamos as despedidas, depois sigo Ben até o carro dele. Ele dá a volta para abrir a porta para mim, mas, antes de entrar, dou uma última olhada na porta do meu apartamento. É uma sensação estranha. Só visitei Nova York algumas vezes e não tenho certeza se vou gostar de lá. Mas este apartamento é confortável demais, e às vezes o conforto pode ser um suporte quando se trata de resolver sua vida. Os objetivos são alcançados com desconforto e trabalho árduo. Não são alcançados quando você se esconde em um lugar onde se sente à vontade e confortável.

Sinto os braços de Ben me envolverem por trás. Ele apoia o queixo em meu ombro.

— Está em dúvida?

Balanço a cabeça. Estou nervosa, mas de jeito nenhum estou em dúvida. *Ainda não.*

— Ótimo — diz ele. — Porque não quero ter que jogar você no porta-malas e levá-la até Nova York.

Rio, aliviada por ele não ser como meu pai, um egoísta que tenta me convencer a seguir seus passos. Ele mantém os braços em volta de mim enquanto me viro, me encostando no carro, e ele me olha fixamente. Não tenho muito tempo de sobra antes de fazer o *check-in* no aeroporto, mas não quero me apressar para chegar lá sendo que posso aproveitar isso por mais alguns minutos. Vou correndo até o portão, se chegar atrasada.

— Tem uma citação que me lembra de você, de Dylan Thomas. É meu poeta preferido.

— Qual é?

Um sorriso lento abre caminho pela boca de Ben. Ele baixa a cabeça e sussurra a citação em meus lábios:

— "Desejava me afastar, mas tenho medo; alguma vida, ainda não gasta, pode explodir."

Nossa. Ele é bom. E fica ainda melhor quando pressiona a boca quente na minha, segurando meu rosto nas palmas das mãos. Entrelaço as mãos no cabelo dele, permitindo que ele tenha total controle da velocidade e da intensidade do beijo. Ele o mantém suave e conciso e imagino que beije do mesmo jeito que escreve. Golpes gentis nas teclas, cada palavra muito bem pensada e concluída com propósito.

Ele me beija como se quisesse que este beijo fosse lembrado. Por qual de nós dois, não sei, mas deixo que ele receba o máximo que pode deste beijo e dou o máximo que tenho. E é perfeito. Ótimo. Ótimo *de verdade*.

É como se ele realmente fosse meu namorado e isto fosse algo que fizéssemos o tempo todo. O que me faz relembrar que ficar confortável demais pode ser um suporte. Com beijos como este, posso tranquilamente me imaginar fazendo parte da vida de Ben e me esquecendo de viver a minha. E é exatamente por isso que preciso seguir em frente com essa despedida.

Quando o beijo, enfim, termina, ele roça a ponta do nariz no meu.

— Me diga uma coisa — pede ele. — Numa escala de 1 a 10, quanto nosso primeiro beijo é digno de um livro?

Ele tem um *timing* cômico perfeito. Sorrio e mordisco seu lábio inferior.

— Pelo menos 7.

Ele se afasta, chocado.

— Sério? Isso é tudo que eu consigo? Um 7?

Dou de ombros.

— Já li sobre alguns primeiros beijos ótimos.

Ele baixa a cabeça, fingindo arrependimento.

— Eu sabia que devia ter esperado. Podia conseguir um 10, se tivesse um plano. — Ele se afasta, me soltando. — Eu deveria levar você ao aeroporto e depois, assim que você chegasse à segurança, gritaria seu nome dramaticamente e correria até você em câmera lenta. — Ele faz a mímica da cena em câmera lenta, andando sem sair do lugar e estendendo o braço para mim. — Faaaaallooooon — diz ele numa voz arrastada e demorada. — Nããããão meeee abandoooooneeeee!

Estou rindo muito quando ele para de atuar e volta a abraçar minha cintura.

— Se você tivesse feito isso no aeroporto, teria valido pelo menos 8. Talvez 9, dependendo da veracidade.

— Nove? Só isso? Se isso vale 9, o que pode me dar um 10?

Reflito. O que *tornam* as cenas de beijo nos livros tão boas? Já li muitos, eu deveria saber.

— Angústia — respondo. — Sem dúvida, precisa de alguma angústia para valer 10.

Ele parece confuso.

— Por que angústia valeria um 10? Dê alguns exemplos.

Encosto a cabeça no carro e olho para o céu enquanto penso.

— Não sei, depende da situação. Talvez o casal não tenha permissão para ficar junto, então o fator proibido cria a angústia. Ou talvez eles sejam melhores amigos durante anos e a atração secreta gera angústia suficiente para fazer o beijo valer 10. Às vezes, a infidelidade gera uma boa angústia, dependendo das personagens e da situação.

— Isso é esquisito — diz ele. — Então você está dizendo que se eu estivesse saindo com outra garota e beijasse você no corredor como fiz, teria ido de 7 para 10?

— Se você estivesse saindo com outra garota, nunca teria entrado no meu apartamento, para início de conversa. — De repente, fico tensa ao pensar nisso. — Espere aí. Você não tem uma namorada de verdade, tem?

Ele dá de ombros.

— Se eu tivesse, nosso próximo beijo valeria 10?

Ai, meu Deus. Por favor, não diga que acabei de me tornar a outra.

Ele percebe o medo em meu rosto e ri.

— Relaxe. Você é a única namorada que tenho e está prestes a terminar comigo e se mudar para o outro lado do país. — Ele se inclina e beija a lateral da minha cabeça. — Pegue leve comigo, Fallon. Meu coração é frágil.

Apoio a cabeça em seu peito e, embora eu saiba que ele está brincando, parte de mim não consegue deixar de se sentir verdadeiramente triste por ter que dizer adeus a ele. Leio muitas críticas sobre os audiobooks que narro, por isso vi os comentários dos leitores que fariam qualquer coisa para tornar reais os namorados do livro. Aqui estou eu, com a certeza de estar nos braços de um deles e prestes a me afastar.

— Quando é seu primeiro teste de elenco?

Ele realmente tem muita fé em mim.

— Ainda não procurei. Para ser sincera, estou um pouco apavorada para fazer testes. Tenho medo de que as pessoas vão olhar para mim e rir.

— Qual é o problema com isso?

— Em ser motivo de riso? — pergunto. — Primeiro, é humilhante. E acaba com qualquer confiança.

Ele me olha incisivamente.

— *Tomara* que riam de você, Fallon. Se as pessoas estão rindo de você, significa que você está dando a cara a tapa para ser motivo de riso. Não é todo mundo que tem coragem de sequer dar esse passo.

Fico feliz que esteja escuro, porque sinto minhas bochechas corarem. Ele está sempre dizendo coisas que parecem muito simples, mas ao mesmo tempo profundas.

— Você lembra um pouco a minha mãe — digo a ele.

— É exatamente o que estou tentando — comenta ele com sarcasmo.

Depois me puxa para seu peito de novo e beija o topo da minha cabeça. Preciso ir para o aeroporto, mas tento enrolar o máximo possível, porque a despedida iminente me assombra.

— Acha que a gente vai se ver de novo?

Seus braços me envolvem com mais força.

— Espero que sim. Eu estaria mentindo se dissesse que já não estou tramando ir atrás de você quando fizer 23. Mas cinco anos é muito tempo, Fallon. Quem sabe o que pode acontecer entre o presente e cinco anos à frente? Droga, eu nem tinha pelo no saco cinco anos atrás.

Rio de novo, como fiz com quase tudo o que ele disse hoje. Não sei se um dia ri tanto e com sinceridade com uma pessoa só.

— Você devia mesmo escrever um livro, Ben. Uma comédia romântica. Você é meio engraçado.

— O único jeito que me fará ter vontade de escrever um romance é se você for uma das personagens principais. E *eu*, é claro. — Ele se afasta e sorri para mim. — Vamos fazer um trato. Se você prometer fazer um teste para a Broadway, vou escrever um livro sobre o relacionamento que não pudemos ter por causa da distância e da imaturidade.

Queria que ele estivesse falando sério, porque adoro a ideia. O problema é que tem um defeito evidente.

— Mas a gente nunca mais vai se ver. Como vamos saber se o outro cumpriu o plano?

— Um sabe da responsabilidade do outro — diz ele.

— Vou repetir... A gente não vai mais se *ver* depois desta noite. E não posso te dar o número do meu telefone.

Sei muito bem que não devo dar a ele um jeito de entrar em contato comigo. Tem muita coisa que preciso fazer sozinha e se ele tiver meu telefone, todo o meu foco se voltaria para a hora em que ele deveria me ligar todo dia.

Ben me solta e dá um passo para trás, cruzando os braços. Começa a andar de um lado para outro, mordendo o lábio inferior.

— E se... — Ele para e me encara. — E se nos encontrássemos de novo no ano que vem, no mesmo dia? Todos os anos? Faremos isso por cinco anos. Mesma data, mesma hora, mesmo lugar. Vamos continuar de onde paramos esta noite, mas só nesse dia. Vou saber se você está fazendo seus testes de elenco e posso escrever um livro sobre os dias que passamos juntos.

Fico um instante absorvendo as palavras dele. Tento fazer a mesma expressão séria de Ben, mas a perspectiva de vê-lo uma vez por ano me enche de expectativa e me esforço ao máximo para não parecer ansiosa demais.

— Um encontro uma vez por ano na mesma data parece uma base muito boa para um romance. Se você transformar nossa história em ficção, iria para o topo da minha ASL.

Agora ele está sorrindo. E eu também, porque nunca achei que poderia ficar tão ansiosa pela data de hoje. O dia 9 de novembro tem sido um aniversário que me apavora desde a noite do incêndio e esta é a primeira vez que pensar nessa data me faz sentir bem.

— Estou falando sério, Fallon. Vou começar a escrever a droga do livro esta noite, se isso significar que vou ver você em novembro do ano que vem.

— Também estou falando sério. Vamos nos encontrar todo dia 9 de novembro. Mas não teremos contato nenhum entre essas datas.

— Justo. Será 9 de novembro ou nada. E vamos parar depois de cinco anos? — pergunta ele. — Quando nós dois tivermos 23?

Concordo com a cabeça, mas não pergunto a ele o que tenho certeza de que nós dois estamos pensando. O que vai acontecer depois do quinto ano? Acho que vale a pena guardar para outro dia... Quando veremos se nós realmente estamos cumprindo esse plano ridículo.

— Uma coisa me preocupa — diz ele, apertando o lábio inferior entre os dedos. — Nós precisamos ser... Sabe como é... monogâmicos? Se for assim, acho que nós dois estamos entrando num jogo difícil.

Rio do absurdo que ele fala.

— Ben, de jeito nenhum eu poderia pedir para você fazer isso por cinco anos. Acho que a ideia é tão boa porque vamos continuar tocando nossa própria vida. Nós dois vamos levar a vida como devemos até essa idade, mas também ficaremos juntos uma vez por ano. É o melhor de dois mundos.

— Mas e se um de nós se apaixonar por outra pessoa? — pergunta ele. — Isso não vai estragar o livro, se não terminarmos juntos?

— Se o casal fica ou não junto no fim de um livro não determina se é um final feliz ou não. Desde que os dois acabem felizes, não importa realmente que terminem felizes juntos.

— E se nos apaixonarmos um pelo outro? Antes que os cinco anos terminem?

Detesto que meu primeiro pensamento seja que ele não vai se apaixonar de jeito nenhum por mim. Não sei o que me deixa mais cansada. As cicatrizes no meu rosto ou os pensamentos autodepreciativos em relação às cicatrizes no meu rosto. Desprezo esses pensamentos e abro um sorriso forçado.

— Ben, é claro que você vai se apaixonar por mim. Daí o motivo para a regra dos cinco anos. Precisamos de instruções firmes para que nossos corações não assumam o controle antes de você ter terminado seu livro.

Vejo a expectativa em seus olhos enquanto ele assente. Nós dois ficamos em silêncio por um instante, pensando no acordo que acabamos de fazer. Mas então ele se encosta de novo no carro ao meu lado e fala:

— Vou precisar estudar os romances. Você precisa me dar algumas sugestões.

— Posso muito bem fazer isso. Talvez ano que vem você consiga transformar aquele beijo 7 em um 10.

Ele ri, apoiando o cotovelo no teto do carro enquanto me observa.

— Só para ter certeza, se as cenas de beijo são o que você mais gosta nos livros, o que é que você menos gosta? Preciso saber, para não estragar nossa história.

— Gancho no fim dos capítulos — digo de imediato. — E amor instantâneo.

Ele faz uma careta.

— Amor instantâneo?

Concordo com a cabeça.

— Quando duas personagens se encontram e supostamente têm uma grande ligação logo de cara.

Ele ergue uma sobrancelha.

— Fallon, acho que talvez a gente já esteja ferrado, se essa é uma das coisas de que você menos gosta.

Penso no comentário por um instante. Talvez ele tenha razão. Tem sido um dia inacreditável ao lado dele. Se ele colocasse o dia de hoje no papel, provavelmente eu ia revirar os olhos e dizer que era brega e irreal demais.

— Só não me peça em casamento antes do meu voo e acho que vamos ficar bem.

Ele ri.

— Tenho certeza de que te pedi em casamento mais cedo na sua cama. Mas vou tentar não engravidar você antes do seu voo.

Nós dois estamos sorrindo quando ele estende a mão para minha porta e gesticula para que eu entre no carro. Assim que pegamos a rodovia, abro a bolsa e tiro papel e caneta.

— O que está fazendo?

— Preparando seu dever de casa. Vou anotar cinco dos meus romances preferidos para você começar.

Me faz rir pensar em Ben transformando nossa história em ficção, mas também espero que ele consiga. Não é todo dia que uma garota pode dizer que tem uma autêntica obra de ficção livremente baseada em seu relacionamento com o autor.

— É melhor você me fazer mais divertida quando desenvolver minha personagem. E quero peitos maiores. E menos gordura.

— Seu corpo é perfeito. E seu humor também — afirma ele.

Não sei por que mordo o interior da bochecha como se estivesse constrangida por sorrir. Desde quando um elogio virou algo constrangedor? Talvez sempre tenha sido, mas não fui elogiada o bastante para saber.

No topo da lista de livros, escrevo o nome do restaurante e a data de hoje, caso ele esqueça.

— Pronto — digo, dobrando o papel e colocando-o no porta-luvas.

— Pegue outro pedaço de papel — ordena ele. — Tenho um dever de casa para você também. — Ele fica pensando em silêncio por um tempo e depois fala: — Tenho algumas coisas. Número 1...

Escrevo número 1.

— Trate de fazer as pessoas rirem de você. Pelo menos uma vez por semana.

Bufo.

— Você espera que eu faça um teste de elenco toda *semana*?

Ele assente.

— Até conseguir o papel que quiser, sim. Número 2, precisa namorar. Antes você disse que fui o primeiro cara que você levou para o seu apartamento. Isso não é experiência suficiente para uma garota da sua idade, ainda mais se vou basear um romance em nós. Precisamos de um pouco mais de angústia. Saia com pelo menos cinco caras antes que eu reencontre você.

— *Cinco*?

Ele é louco. Isto significa cinco a mais do que eu pretendia.

— E quero que você beije pelo menos dois deles.

Eu o encaro, sem acreditar. Ele indica o papel em minhas mãos com a cabeça.

— Escreva, Fallon. Esta é a tarefa número 3. Beijar dois caras.

— Vai me dizer que a tarefa número 4 é encontrar um cafetão?

Ele ri.

— Não. São só três tarefas. Ser motivo de riso uma vez por semana, sair com cinco caras, beijar pelo menos dois. Moleza.

— Talvez para você.

Escrevo suas tarefas idiotas, dobro o papel e o guardo na bolsa.

— E quanto às redes sociais? Temos permissão para fuxicar o Facebook um o do outro? — pergunta ele.

Merda. Eu não tinha pensado nisso, apesar de não ter usado muito as redes sociais nos últimos dois anos. Pego o celular de Ben.

— Vamos bloquear um ao outro — digo a ele. — Assim não podemos trapacear.

Ele resmunga, como se eu tivesse estragado seus planos. Pego nossos celulares e procuro nossos perfis, bloqueando o outro em cada rede social em que consigo pensar. Quando termino, devolvo o celular dele e uso o meu para ligar para minha mãe.

Tomei um café da manhã bem cedo hoje com ela antes que saísse para trabalhar. O café da manhã também serviu como nossa despedida. Ela vai passar dois dias em Santa Barbara, por isso Amber ia me levar ao aeroporto.

— Oi — digo quando ela atende.

— Oi, querida — responde ela. — Já está no aeroporto?

— Quase. Mando uma mensagem quando chegar em Nova York, mas você estará dormindo.

Ela ri.

— Fallon, as mães não dormem quando os filhos estão voando pelo céu a 800 quilômetros por hora. Vou deixar o celular ligado, então é melhor me mandar uma mensagem assim que pousar.

— Vou mandar, prometo.

Ben me olha pelo canto do olho, provavelmente se perguntando com quem estou falando.

— Fallon, estou muito feliz por você estar fazendo isso — acrescenta ela. — Mas vou avisando que sentirei muito a sua falta e que talvez fique triste quando você ligar, mas não tenha saudade de casa. Vou ficar bem. Prometo. Estou triste por não ver você com tanta frequência, mas estou ainda mais feliz por você estar dando este passo. E prometo que é só o que vou dizer sobre isso. Eu te amo, tenho orgulho de você e falo com você amanhã.

— Também te amo, mãe.

Quando desligo o telefone, flagro Ben me olhando de novo.

— Não acredito que você ainda não me apresentou a sua mãe. Já estamos namorando há dez horas. Se isto não acontecer logo, vou levar para o lado pessoal.

Rio enquanto enfio o celular na bolsa. Ele pega minha mão, que fica segurando durante todo o caminho até o aeroporto.

Passamos o resto do percurso praticamente em silêncio. Além de perguntar sobre os dados do meu voo, ele só diz "chegamos".

Em vez de parar em um estacionamento, como eu esperava que ele fizesse, Ben encosta na pista de desembarque. Eu me sinto ridícula por ficar decepcionada por ele não se oferecer a me acompanhar até lá dentro, porque ele me trouxe até o aeroporto. Não posso ser exigente.

Ele tira minha bagagem do porta-malas, e pego minha bolsa e a mala de mão no carro. Ele fecha o porta-malas e se aproxima de mim.

— Bom voo — diz ele me dando um beijo no rosto e um abraço rápido. Assinto e ele volta para o carro. — Dia 9 de novembro! — grita. — Não se esqueça!

Sorrio e aceno, mas por dentro estou confusa e decepcionada com a falta de emoção na sua despedida.

Mas talvez seja melhor assim. De certo modo, eu estava com medo de vê-lo ir embora, mas essa despedida, que *não* é digna de um livro, facilitou um pouco. Talvez porque eu tenha ficado meio irritada com isso.

Respiro fundo e afasto o pensamento enquanto observo seu carro se afastar. Pego minhas malas e entro, sem muito tempo a perder antes do voo. O aeroporto ainda está movimentado apesar de ser tão tarde, por isso manobro pela multidão até um guichê. Entrego meu bilhete de embarque, verifico a bagagem e sigo para a segurança.

Tento não pensar no que estou fazendo. Que estou prestes a me mudar de onde morei a vida toda para uma cidade onde não conheço absolutamente ninguém. Pensar nisso me dá vontade de chamar um táxi e voltar direto para casa, mas não posso.

Preciso fazer isto.

Preciso me obrigar a ter uma vida antes de ser engolida de vez pela vida que não vivo.

Tiro a carteira de habilitação da bolsa e me preparo para entregar ao agente de segurança, enquanto espero na fila. Há cinco pessoas na minha frente.

Cinco pessoas é tempo suficiente para me convencer a não me mudar para Nova York, então fecho os olhos e penso em tudo o que me empolga lá. Barracas de cachorro-quente. Broadway. Times Square. Hell's Kitchen. Estátua da Liberdade. Museu de Arte Moderna. Central Park.

— Faaaaalloooon!

Meus olhos se abrem.

Eu me viro e Ben está passando pelas portas giratórias. Ele sai correndo na minha direção.

Em câmera lenta.

Tapo a boca com a mão e tento não rir enquanto ele lentamente estende um braço como se tentasse me alcançar. Ele está gritando:

— Nãããããão vááááá aindaaaaa!

E se desloca devagar pela multidão.

Gente de todos os lados se vira para ver o tumulto. Quero cavar um buraco e me esconder, mas estou rindo demais para me importar com o constrangimento da situação. Mas o que ele está fazendo?

Quando Ben me alcança, por fim, depois do que parece uma eternidade, um sorriso enorme surge em seu rosto.

— Você não achou realmente que só eu ia te largar aqui e ir embora daquele jeito, achou?

Dou de ombros, porque foi exatamente o que pensei.

— Deveria conhecer melhor seu namorado. — Ele segura meu rosto nas mãos. — Tive que criar uma angústia para fazer este beijo valer um 10.

Ele pressiona a boca na minha e me beija com tanta emoção que me esqueço das coisas. De tudo. Esqueço de onde estou. Quem sou. Que tem um cara e sou uma garota, que estamos nos beijando e *as sensações*, o nó em meu estômago, os arrepios na pele, a mão em meu cabelo e meus braços que parecem pesados demais. Então ele sorri ainda encostado nos meus lábios.

Minhas pálpebras tremulam até abrir e *eu nem sabia que beijos podiam fazer as pálpebras tremerem*. Mas fazem, e as minhas tremem.

— Numa escala de 1 a 10? — pergunta ele.

O ambiente parece rodar, então inspiro muito fundo e tento não desmaiar.

— Um 9. Sem dúvida um belo 9.

Ele dá de ombros.

— Vou aceitar. Mas, no ano que vem, será 11. Prometo.

Ele me beija na testa e me solta. Começa a andar de costas e tenho noção de que todos ali em volta estão nos olhando, mas tudo o que posso é não ligar para isso. Pouco antes de chegar à porta giratória, ele coloca as mãos em concha na boca e grita:

— Espero que todo o estado de Nova York ria de você!

Acho que nunca abri um sorriso tão largo. Ergo a mão e aceno uma despedida enquanto ele desaparece.

Na verdade, foi um 10.

Segundo

9 de novembro

Suas lágrimas em minha alma, elas têm vidas paralelas.
Corra, doa, queime.
Repita.
Suas lágrimas em minha alma, elas têm vidas paralelas.

— Benton James Kessler

Ben

Quando você se joga em uma lembrança
Tão sombria e distante
É pego por um mistério
Que o guia pelo dia.
Mesmo que esteja fraco
E não saiba como agir
Eu sempre estarei lá
Para quando você cair.

Escrevi esta merda de poema quando estava no terceiro ano. Foi a primeira coisa que mostrei a alguém.

Na verdade, acho que não cheguei a mostrar a alguém. Minha mãe encontrou no meu quarto e foi assim que passei a respeitar a beleza da privacidade. Ela mostrou para toda a minha família e me fez nunca mais querer partilhar meu trabalho.

Agora percebo que minha mãe não estava tentando me constranger. Só estava orgulhosa de mim. Mas continuo não mostrando a ninguém as coisas que escrevo. É quase como dizer cada pensamento em voz alta. Algumas coisas não são para consumo público.

E não sei como explicar isso a Fallon. Ela supõe, com base no nosso acordo do ano passado, que estou escrevendo um romance que ela vai ler um dia. E, por mais que ela alegue que é ficção, cada frase que escrevi no ano passado é mais verídica do que qualquer coisa que eu admitiria em voz alta. Espero que depois de hoje eu consiga começar a reescrever para dar a ela algo para ler, mas, ano passado, escrever sobre minha vida fodida foi um pouco terapêutico.

E embora eu estivesse ocupado com a faculdade e com o que agora chamo de minha "terapia da escrita", ainda encontro tempo para fazer o dever de casa que ela me passou. *E mais ainda.* Li 26 romances, sendo que cinco foram recomendados por Fallon. O que ela deixou de me dizer é que dois romances que ela sugeriu eram os primeiros de uma série, então é claro que tive que ler todos os volumes.

Até então, em minha "pesquisa", concluí que Fallon tem toda razão. Os beijos nos livros e os beijos na vida real não são idênticos. E toda vez que leio um desses romances, eu me encolho quando penso nas poucas vezes em que beijei Fallon no ano passado. Não foram, de maneira nenhuma, dignos de um livro e, embora eu tenha lido muito neste ano que passou, ainda não sei bem o que torna um beijo digno de um livro. Mas sei que ela merecia mais do que lhe dei.

Eu estaria mentindo se dissesse que não beijei ninguém desde Fallon em novembro passado. Saí com algumas meninas poucas vezes desde então, e quando Fallon disse de brincadeira que queria que eu comparasse cada garota com ela, seu desejo foi realizado. Porque foi exatamente o que aconteceu com as duas meninas que beijei. Uma delas não era nem de longe tão divertida quanto Fallon. A outra só pensava nela mesma. E nenhuma das duas tinha bom gosto para música, mas isto não conta, porque não faço ideia de qual seja o gosto de Fallon para música.

Sem dúvida, é algo que venho pretendendo descobrir hoje. Eu tinha uma lista de coisas que precisava saber para trabalhar no romance *real* que prometi a ela. No entanto, parece que essa lista vai ficar sem resposta, e ano passado inteiro estudando romances e escrevendo sobre nosso primeiro 9 de novembro juntos foi à toa.

Porque ela não apareceu.

Olho o relógio de novo para ter certeza de que marcava a mesma hora do meu celular. *Sim.*

Peguei a folha do dever de casa para me certificar de estava com a hora certa. *Sim.*

Olho em volta mais uma vez para ter certeza de que é o mesmo restaurante onde nos encontramos ano passado. *Sim.*

Sei disso, porque o restaurante mudou de dono recentemente e ganhou um nome diferente. Mas ainda fica no mesmo prédio, no mesmo endereço, e tem a mesma comida.

Então... *Onde é que você se meteu, Fallon?*

Ela está quase duas horas atrasada. A garçonete já me deu refil de bebida quatro vezes. E cinco copos de água em duas horas é muito para minha bexiga, mas estou me dando meia hora antes de ir ao banheiro, porque tenho medo de não estar sentado aqui quando ela entrar, e pensar que eu não apareci e ir embora.

— Com licença.

Os batimentos do meu coração se aceleram de imediato com as palavras dela e ergo a cabeça. Mas... *ela não é Fallon.*

No mesmo instante, fico decepcionado.

— Você se chama Ben? — pergunta a garota.

Ela está usando um crachá. *Tallie.* Tallie tem um crachá da *Pinkberry.* Como é que ela sabe meu nome?

— É. Meu nome é Ben.

Ela suspira e aponta para o crachá.

— Eu trabalho aqui na rua. Tem uma garota no telefone lá dizendo que é uma emergência.

Fallon!

Fico impressionado com a rapidez com que saio da mesa e passo pela porta. Saio correndo pela rua até chegar à Pinkberry e abro a porta. O cara atrás do balcão me olha estranho e recua um passo. Estou sem fôlego e ofegante, mas aponto para o telefone atrás dele.

— Tem alguém me aguardando na linha?

Ele pega o aparelho, aperta um botão e me entrega.

— Alô? Fallon? Você está bem?

Não ouço logo sua voz, mas sei que é ela, só pelo suspiro.

— Ben! Ah, graças a Deus você ainda estava lá. Desculpe *mesmo.* Meu voo atrasou e tentei ligar para o restaurante, mas o número deles foi cortado, depois tive de embarcar. Consegui finalmente o número quando pousei e tentei ligar várias vezes, mas só dava ocupado, então eu não sabia mais o que fazer. Agora estou num táxi e peço desculpas de verdade por estar tão atrasada, mas não tive como entrar em contato com você.

Eu não sabia que meus pulmões conseguiam prender tanto ar. Exalo, aliviado e decepcionado por ela, mas completamente eufórico que tenha vindo mesmo. Ela se lembrou, veio e vamos fazer isto de verdade. Pouco importa que agora ela saiba que passei as últimas duas horas esperando no restaurante.

— Ben?

— Estou aqui — digo. — Está tudo bem, que bom que você conseguiu. Mas deve ser mais rápido você me encontrar na minha casa. O trânsito está um pesadelo por aqui.

Ela pede o endereço e eu dou.

— Tudo bem. — Ela parece nervosa. — Vejo você daqui a pouco.

— Tá, estarei lá.

— Ah, espere! Ben? Hum... Eu meio que disse à garota que atendeu ao telefone que você pagaria vinte pratas se ela desse o recado. Desculpe por isso. Ela me passou a impressão de que não ia fazer, então tive que subornar.

Eu rio.

— Não tem problema. Vejo você daqui a pouco.

Ela se despede de mim e entrego o telefone a Tallie, que agora está atrás da caixa registradora. Ela estende a mão para os vinte dólares. Pego a carteira e entrego a nota.

— Eu poderia pagar dez vezes mais pelo telefonema dela.

• • •

Ando de um lado para outro na entrada.

O que estou fazendo?

Tem tanta coisa errada nisso. Sequer *conheço* essa garota direito. Passei algumas horas com ela e estou me comprometendo a escrever um livro sobre ela? Sobre *nós*? E se desta vez nem mesmo tivermos alguma sintonia? Talvez eu estivesse num período tarado no ano passado e estava apenas num estado de espírito excepcionalmente receptivo e generoso. Talvez ela nem seja engraçada. Pode ser uma escrota. Pode estar estressada por causa do voo atrasado e talvez nem *queira* estar aqui.

Quer dizer, quem *faz* uma coisa dessas? Que pessoa em sã consciência atravessa o país de avião para ver alguém por um dia, alguém que mal conhece?

Provavelmente não muitas pessoas. Mas hoje eu pegaria um avião sem hesitar, se tivéssemos combinado de nos encontrar em Nova York.

Estou esfregando as mãos no rosto quando um táxi vira a esquina. Tento me fazer acreditar que isto é totalmente normal. Não é loucura. Não é compromisso. Somos amigos. Amigos que atravessam o país de avião para ficarem juntos.

Espere. *Somos amigos?* Sequer mantemos contato, então provavelmente a gente nem se qualifique como conhecidos.

O táxi está encostando perto da entrada.

Porra, controle o nervosismo, Kessler.

O carro para.

A porta de trás se abre.

Eu devia recebê-la na porta. É esquisito ficar assim tão longe.

Vou andando até o táxi quando ela começa a sair do veículo.

Por favor, que seja a mesma Fallon que conheci ano passado.

Seguro a maçaneta e abro completamente a porta. Tento demonstrar tranquilidade, não transparecer o nervosismo. Ou pior, a *animação.* Estudei romances suficientes para saber que as garotas gostam quando os caras são um pouco indiferentes. Li em algum lugar que homens assim são chamados de machos alfa.

Seja um babaca, Kessler. Só um pouquinho. Você consegue.

Ela sai do carro e, ao fazer isso, é como nos filmes, onde tudo fica em câmera lenta. Nada parecido com minha versão da câmera lenta. Isto é muito mais elegante. O vento sopra algumas mechas de cabelo em seu rosto. Ela levanta a mão para afastar o cabelo e então noto o que um ano pode fazer.

Ela está diferente. O cabelo está mais curto. Está com franja. Usa uma blusa de manga curta, algo que ela confessou não fazer nunca antes do ano passado.

Está cheia de confiança, da cabeça aos pés.

É a coisa mais sexy que já vi.

— Oi — diz Fallon, enquanto estendo a mão por trás dela para fechar a porta.

Parece tão feliz em me ver que só isso me faz sorrir para ela.

Lá se foi a indiferença.

Literalmente durou zero segundo minha tentativa de colocar em prática o alter ego de macho alfa que andei praticando.

Solto o ar que contive por um ano, dou um passo para a frente e a puxo para o abraço mais verdadeiro que já dei em alguém. Envolvo sua nuca com a mão e a puxo para mim, sentindo o refrescante cheiro de inverno dela. No mesmo instante, ela me envolve com os braços e enterra o rosto em meu ombro. Sinto um suspiro escapar de Fallon e ficamos nessa posição até o táxi dar a ré na entrada da casa e desaparecer na esquina.

E, mesmo então, não nos soltamos.

Ela está agarrando as costas da minha camisa com os punhos cerrados e estou tentando não deixar evidente o fato de que talvez esteja um pouco obcecado com seu novo corte de cabelo. É mais suave. Mais reto. Mais leve. Renovador e, *porra, isso dói.*

De novo.

Porque ela é a única que me faz estremecer assim? Ela suspira em meu pescoço e quase a afasto porque, *droga, isso é demais.* Não sei ao certo o que mais me incomoda. O fato de que parecemos ter recomeçado bem de onde paramos ano passado, ou o fato de que ano passado não foi um mero acaso. Para ser sincero, de algum modo acho que é a última hipótese. Porque, neste ano que passou, foi um inferno passar cada minuto do dia com ela na cabeça, sem saber se a veria de novo. E agora que sei que ela está comprometida com esse meu plano idiota de nos encontrarmos uma vez por ano, prevejo outro longo ano de agonia pela frente.

Já estou com medo do segundo em que ela se for, e Fallon acabou de chegar.

Ela ergue a cabeça do meu ombro e olha para mim. Afasto sua franja com a mão para ver melhor seu rosto. Apesar de ela ter ficado frenética ao telefone mais cedo, agora dá a impressão de estar totalmente tranquila.

— Oi, Fallon, a Transitória.

Seu sorriso se expande.

— Oi, Ben, o Escritor. Por que você parece estar sofrendo?

Tento sorrir, mas tenho certeza de que minha expressão não está nada atraente.

— Porque manter minha boca longe de você é muito sofrido.

Ela ri.

— Por mais que eu queira sua boca na minha, preciso avisar que um beijo de chegada provavelmente valerá um 6.

Prometi a ela um 11. Vou ter de esperar.

— Venha. Vamos entrar para que eu possa descobrir qual é a cor da calcinha que você está usando.

Ela dá aquele riso familiar enquanto seguro sua mão e entro com ela em casa. Já posso dizer que não tenho com o que me preocupar. Ela é a mesma Fallon de que me lembro do ano passado. Talvez até um pouco melhor.

Então... Quem sabe isto signifique que tenho *tudo* com que me preocupar.

Fallon

Eu não estava esperando isso quando ele disse para nos encontrarmos na casa dele. Eu meio que esperava um apartamento, mas esta é uma casa moderna de dois andares. Uma casa-*casa*. Ele fecha a porta depois de entrarmos e segue para a escada. Vou atrás dele.

— Não trouxe bagagem? — pergunta ele.

Não quero pensar no pouco tempo que vou realmente ficar aqui.

— Vou voltar esta noite.

Ele para no meio da escada e se vira para mim.

— Esta noite? Não vai nem passar a noite na Califórnia?

Balanço a cabeça.

— Não posso. Preciso estar em Nova York às oito da manhã. Meu voo sai às dez e meia desta noite.

— O voo leva mais de cinco horas — diz ele, preocupado. — Com o fuso horário, você só vai conseguir chegar em casa depois das seis da manhã.

— Vou dormir no avião.

Suas sobrancelhas se afastam e sua boca se comprime.

— Não acho isso bom para você — diz ele. — Devia ter ligado. Podíamos ter mudado a data ou coisa assim.

— Não tenho seu telefone. Além do mais, isso estragaria toda a premissa do seu livro. É 9 de novembro ou nada, lembra?

Acho que talvez ele esteja fazendo beicinho, mas lembro que foi ele quem inventou esta regra.

— Desculpe ter chegado atrasada. Ainda temos seis horas antes que eu tenha que ir para o aeroporto.

— Cinco horas e meia — corrige ele.

Ben volta a subir a escada. Eu o sigo até o quarto, mas agora sinto que ele está chateado comigo. Sei que provavelmente havia formas de ir e voltar de avião no mesmo dia, mas, para ser sincera, eu nem tinha certeza se ele ia aparecer. Achei que ele devia ter dias loucos e espontâneos com namoradas falsas o tempo todo e sequer se lembraria de mim. Imaginei que não ficaria constrangida demais comigo mesma por acreditar que ele apareceria se eu conseguisse voltar para o avião algumas horas depois e fingir que isso nunca aconteceu.

Mas ele não só apareceu, como ainda esperou minhas duas horas de atraso.

Duas horas.

É extremamente lisonjeiro. Eu provavelmente teria desistido depois da primeira hora, achando que ele tinha me dado bolo.

Ben abre uma porta e gesticula para que eu entre primeiro. Sorri para mim enquanto entro em seu quarto, mas seu sorriso parece forçado.

Ele não tem direito de ficar chateado comigo. Nós combinamos de nos encontrar hoje e, sim, eu me atrasei, mas vim. Eu me viro e apoio as mãos no quadril, pronta para me defender caso ele diga mais alguma palavra sobre o pouco tempo que temos. Ele fecha a porta e se encosta nela, mas em vez de tocar nesse assunto de novo, tira os sapatos. A decepção some de seu rosto e, na verdade, ele parece... sei lá... *feliz.*

Depois de tirar os sapatos, ele se aproxima rapidamente de mim e me empurra. Dou um gritinho quando caio para trás, mas antes que possa entrar em pânico, minhas costas tocam uma nuvem. Ou uma cama. Seja o que for, é a coisa mais confortável em que já me deitei.

Ele se aproxima com um sorriso irônico e brilho nos olhos.

— Vamos ficar à vontade — diz ele. — Temos muito o que conversar.

Ele se posiciona entre meus joelhos e levanta uma das minhas pernas para tirar o sapato. É uma sapatilha, então ele tira com facilidade. Em vez de baixar meu pé, passa a mão lentamente pela minha perna enquanto se abaixa na cama.

Eu tinha me esquecido de como é quente na Califórnia. Ele realmente precisa ligar um ventilador.

Ben ergue minha outra perna e tira o sapato do mesmo jeito, passando a mão por ela num ritmo torturante, tudo isso enquanto sorri para mim.

A altitude daqui é diferente da de Nova York? Meu Deus, está tão difícil respirar neste quarto.

Quando fico descalça, ele dá a volta por mim e se senta na cabeceira da cama.

— Venha cá — diz ele.

Eu me viro de bruços e o encontro deitado em um travesseiro com a cabeça apoiada na mão. Dá um tapinha no travesseiro ao lado dele.

— Eu não mordo.

— Que pena — digo, me arrastando para onde ele está. Eu me deito no travesseiro de frente para ele. — Desde que nos conhecemos, noventa por cento do nosso tempo juntos foram passados em uma cama.

— Não há nada de errado nisso. Adorei seu cabelo.

Suas palavras me deixam agitada, mas sorrio como se ouvisse isso todo dia.

— Ora, obrigada.

Ficamos nos olhando em silêncio por um momento. Eu estava começando a me esquecer da aparência de Ben, mas agora que estou diante dele, parece que nunca fui embora. Agora ele parece menos um adolescente do que no ano passado. E isso me faz questionar se ano que vem, quando eu o encontrar, ele estará um homem. Não que haja alguma diferença entre um homem e um cara de 19 anos, porque são a mesma coisa.

— Não temos muito tempo — afirma ele. — Tenho uma tonelada de perguntas. Tenho um livro para escrever e não sei absolutamente nada sobre você.

Abro a boca para argumentar, porque parece que ele sabe tudo a meu respeito. Mas depois fecho a boca, porque acho que, na realidade, ele não sabe muita coisa sobre mim. Só passamos um dia juntos.

— Você escreveu alguma coisa este ano?

Ele assente.

— Escrevi. Você beijou alguém este ano?

Confirmo com a cabeça.

— Beijei. E você?

Ele dá de ombros.

— E *você*, Ben?

Ele assente.

— Algumas vezes.

Tento não deixar que isso me afete, mas "algumas" significa exatamente quantas vezes?

— E você comparou todas comigo?

Ele confirma com a cabeça.

— Falei ano passado que isso é totalmente injusto com o resto da população feminina. Você é incomparável.

Estou muito feliz por ter vindo hoje. Não me importa se eu ficar sem dormir por uma semana, valerá a pena só para receber esse elogio.

— E os seus caras? Você teve encontros?

— Cara — corrijo. — Teve só um. Eu tentei.

Ele ergue uma sobrancelha, então logo fico na defensiva.

— Ben, você não pode esperar que eu me jogue de cabeça em um estado totalmente novo sendo que eu nunca *saí* lá. Leva tempo. Fiquei muito orgulhosa quando beijei esse único cara. Ele achou que fiquei eufórica por causa do beijo, mas eu só estava feliz porque risquei um item do meu dever de casa.

Ele ri.

— Bom, acho que um vai servir. Mas isso quer dizer que seu dever de casa para este ano acabou de ficar um pouco mais pesado.

— Ah, tudo bem. Então o seu também vai ficar. E por falar nisso, quero provas deste livro que você está escrevendo. Quero ler alguma coisa que você escreveu sobre nós.

— Não — responde ele no mesmo instante.

Eu me levanto na cama.

— O quê? Não? Não pode me dizer que escreveu algo este ano e não me provar. Me dê alguma coisa.

— Não gosto que as pessoas leiam o que escrevo.

Rio.

— Sério? Isso é o mesmo que um cantor de ópera se recusar a soltar alguma nota quando se apresenta.

— Não tem nada a ver. Vou deixar você ler quando eu tiver terminado.

— Vai me fazer esperar *quatro anos*?

Seus lábios se curvam em um sorriso quando ele assente.

Caio, derrotada, de volta no travesseiro.

— Suspiro.

— Você *disse* suspiro? Em voz alta? Em vez de realmente *suspirar*?

— Olho revirado.

Ele ri e se aproxima de mim. Agora estou olhando para cima e ele, para baixo, e seria ótimo se Ben não estivesse me olhando como se planejasse exatamente como seus lábios vão se fundir com os meus.

Suspiro fundo enquanto as mãos dele deslizam por meu queixo.

— Senti sua falta, Fallon — sussurra ele. — Muito. E dane-se se eu não devia confessar isso, mas tentei aquele lance de macho alfa por dois segundos e simplesmente não consigo. Então, hoje você não vai ter o Ben Alfa. Desculpe.

Nossa, será que ele está...

Ele está.

— Ben — digo, semicerrando os olhos. — Você está... me *booksting*?

Ele ergue uma sobrancelha.

— *Booksting*?

— É. Quando um cara gato fala de livros com uma garota. É como *sexting*, só que é falado e tem livros em vez de sexo. Nem tem a ver com mensagens de texto. Tudo bem, não tem nada a ver com *sexting*, mas fez sentido na minha cabeça.

Ele se joga na cama, rindo. Eu me aproximo dele e coloco a mão em seu peito enquanto me inclino na sua direção.

— Não pare — provoco com uma voz sedutora. — Me dê mais, Ben. Você leu e-books ou... — Estou percorrendo lentamente seu peito com o dedo. — Capa *dura*?

Ele coloca as mãos na nuca e uma expressão presunçosa surge em seu rosto.

— Ah, eram de capa dura, sim. E não sei se você está preparada para isso, mas... tenho minha própria pilha de ASL. Devia ver, Fallon. É *enorme*.

Solto um gemido, mas não tenho certeza se é falso.

— Agora também sei o que torna um beijo digno de um livro — diz ele. — Então, prepare-se. — Ele se apoia no cotovelo de novo e sorri. — Mas é sério. Essa atração feminina pelo macho alfa é um pouco brochante, porque não tenho nada a ver com os caras dos seus livros.

Não tem mesmo. Você é melhor.

— Eu nunca andaria de moto nem brigaria com outro homem só para me divertir. E por mais que eu tenha fantasiado sobre transar com você este ano, acho que eu nunca conseguiria dizer na cara dura: "*eu sou seu dono*". E sempre quis fazer uma tatuagem, mas só uma pequena, porque de jeito nenhum ia suportar a dor. No geral, os livros eram interessantes, mas também me fizeram sentir muito inadequado.

Ele não pode estar falando sério.

— Ben, nem todos os caras dos livros que li são assim.

Ele inclina a cabeça.

— Mas é óbvio que você gosta dos *bad boys*, se gosta de ler sobre eles.

— Isso não é verdade. Gosto de ler livros assim porque não têm nenhuma relação com a minha vida. São totalmente diferentes de qualquer situação pela qual vou passar, ainda bem. Mas me divirto com esses livros. Porque, por mais que eu goste de ler sobre um cara dizendo a uma garota que ela fica muito, muito molhada para ele... Se alguém me dissesse isso durante o sexo, eu não ficaria nada excitada. Eu ficaria apavorada de ter me mijado nas calças sem querer.

Ben ri.

— E se nós estivéssemos transando e você me dissesse *eu sou seu dono,* eu literalmente iria escapulir debaixo de você, vestir minha roupa, sair da sua casa e vomitar no seu jardim. Então, só porque gosto de ler sobre esse tipo de cara, não quer dizer que eu precise que os homens na vida *real* sejam assim.

Ele sorri com malícia.

— Posso ficar com você para mim?

Que pena que ele está só brincando.

— Sou toda sua pelas próximas cinco horas.

Ele me coloca deitada de costas.

— Me conte sobre esse *garoto* que você beijou. — O uso que ele faz da palavra *garoto* parece um insulto ao cara. Gosto disso. Ben fica fofo com ciúme. — Preciso saber de todos os detalhes do seu beijo, assim posso inserir uma trama secundária ao livro.

— Uma trama *secundária*? — pergunto. — Isso quer dizer que você já tem a trama *principal*?

A expressão dele não se altera.

— Então, como você o conheceu?

— Ensaios.

— Você saiu com ele?

— Duas vezes.

— Por que só duas vezes? O que aconteceu?

Quero dizer "suspiro" de novo. Realmente não quero falar sobre esse garoto.

— Não deu em nada. Temos mesmo que falar sobre isso?

— Temos. É parte do acordo.

Resmungo.

— OK. Ele se chama Cody. Tem 21 anos. Estávamos fazendo teste de elenco para a mesma peça e tivemos uma conversa legal. Ele pediu meu número e eu dei.

— Você deu a ele o número do seu telefone? — pergunta Ben, abatido. — Por que você não dá seu número *para mim*?

— Porque gosto de você de verdade. Enfim, saímos naquele fim de semana e nos beijamos algumas vezes. Ele era legal. Divertido...

Ben faz uma careta.

— Mais divertido do que eu?

— Seu senso de humor é incomparável, Ben. Pare de me interromper. Então concordei em sair com ele pela segunda vez. Fomos à casa dele para ver um filme. Começamos a nos agarrar e... eu simplesmente... não consegui fazer aquilo.

— Não conseguiu fazer aquilo? Tipo aquilo *aquilo*? Ou só se agarrar com ele?

Não sei o que é mais estranho. Conversar com Ben sobre a pegação que fiz com outro cara ou me sentir tão à vontade em falar com Ben sobre a pegação que fiz com outro cara.

Bom, pelo menos até então. Agora só quero ficar quieta.

— Não consegui nem uma coisa, nem outra. Foi...

Fecho os olhos, sem querer contar o verdadeiro motivo para eu não ter feito. Mas é Ben. É fácil falar com ele.

— Foi diferente. Ele me fez sentir... sei lá. *Defeituosa*.

Noto que Ben engole em seco.

— Explique — pede ele, com a voz rouca.

Gosto que ele pareça um pouco aborrecido, gosto que ele, na realidade, não *queira* ouvir minha história sobre ficar com outro cara. E gosto ainda mais que ele pareça um pouco protetor comigo.

Acho que Ben é mais alfa do que acredita ser.

Suspiro fundo, me preparando para a sinceridade que eu não devia querer compartilhar, na realidade, mas por algum motivo eu *quero*.

— Ano passado, quando você me tocou, me fez sentir... bonita. Como se eu não tivesse cicatriz alguma. Bom... não é nada disso, falei errado. Você fez com que eu sentisse que as cicatrizes faziam parte do que me *fazia* bonita. E eu nunca tinha sentido isso, nem pensei que *um dia* sentiria. Então, quando eu estava com Cody, reparei em tudo. Que ele só tocava o lado direito do meu rosto, que só beijava o lado direito do meu pescoço. Quando estávamos ficando, ele insistia que a luz ficasse apagada.

Ben faz uma careta como se estivesse sofrendo de novo, mas desta vez ele parece muito convincente.

— Continue. — Ele obriga as palavras a saírem de sua boca.

— Teve uma hora que ele tentou tirar meu sutiã, mas eu não podia fazer isso. Não queria que ele visse. Ele foi muito legal e não me pediu para continuar. E, para ser sincera, isso me incomodou um pouco. De algum jeito, eu queria que ele me consolasse e agisse como se ainda me quisesse, mas ele pareceu um pouco aliviado por eu ter parado.

Ben rola de costas e passa as mãos pelo rosto. Depois de um instante, retorna para sua posição, me olhando de cima.

— Por favor, nunca mais fale com esse idiota de merda.

Com essas palavras, uma onda surpreendente de calor me invade. O polegar dele roça meu queixo e sua expressão está cheia de sinceridade.

— Por que você não queria que ele visse?

A confusão em meu rosto o estimula a dar mais detalhes.

— Você disse: "*Eu não queria que ele visse.*" Mas se você já estava sem blusa e ele tinha visto suas cicatrizes, você estava se referindo a quê?

Engulo em seco. Quero enfiar um travesseiro no rosto e me esconder. Nem acredito que ele se tocou disso.

Na verdade, acho que eu *vou tapar* o rosto dele com um travesseiro.

— Pare — diz ele, quando tento alcançar o travesseiro. Ben o recoloca atrás da minha cabeça e se inclina mais para perto. — Sou *eu*, Fallon. Não fique constrangida. Me conte a que você estava se referindo.

Respiro fundo, na esperança de que mais ar nos meus pulmões, de algum modo, me dê mais coragem para responder. Depois solto a respiração da forma mais lenta que consigo, assim posso enrolar antes de dar uma resposta.

Tapo os olhos com o braço e digo o mais rápido que dá:

— Meu seio esquerdo.

Fico esperando que ele faça mais perguntas, ou me obrigue a tirar o braço, mas ele não faz nada disso. Nem acredito que acabei de dizer isso a ele. Nunca revelei isso a ninguém, nem mesmo a Amber. Durante o incêndio, não só a maior parte do lado esquerdo do meu corpo foi queimada, mas, como se não fosse castigo suficiente, me machuquei quando tentaram me tirar pela janela do segundo andar. Por sorte, não me lembro de nada entre o momento de ir dormir naquela noite e acordar no hospital, mas as cicatrizes são um lembrete diário. E meu seio esquerdo suportou a maior parte da tortura. Não sou idiota. Sei que para os garotos peitos devem ser bonitos e simétricos, e os meus não são.

Sinto a mão de Ben encostar no meu pulso e ele afasta meu braço do rosto. Coloca delicadamente as palmas na minha bochecha.

— Por que você ficaria incomodada se alguém visse? Porque tem cicatrizes?

Concordo com a cabeça, mas depois nego.

— Isso é tão constrangedor, Ben.

— Para mim não é. E tenho certeza absoluta de que não deveria ser para você. Já te vi sem blusa, lembra? Pelo que me lembro, era magnífico.

— Você me viu sem blusa, mas devia ter me visto sem sutiã. Aí entenderia.

De imediato, Ben se apoia em um cotovelo.

— Está bem.

Eu o encaro, sem acreditar.

— Isso não foi um convite.

— Mas quero ver.

Nego com a cabeça. Até rio, porque de jeito nenhum vou colocar o peito para fora da blusa para que ele fique encarando aquele horror.

— Quero que o livro seja justo e seus ferimentos são algo de que preciso falar. Então, você precisa me deixar ver. Vamos considerar isso como uma pesquisa.

As palavras dele parecem dar um tabefe em meu coração.

— O quê? — Minha voz está tão instável que passo a impressão de estar chorando. Mas não estou. *Ainda.* — Como assim, você vai ter que falar sobre isso no livro? Você não está escrevendo sobre minhas cicatrizes, né?

A confusão toma seu rosto.

— Faz parte da sua história. É claro que estou escrevendo sobre isso.

Eu me ergo com os cotovelos e estreito os olhos para ele.

— Eu queria que você me transformasse em ficção e me fizesse *bonita*, Ben. Você não pode transformar a personagem principal num *show de horrores*. Ninguém quer se identificar com isso. Personagens principais devem ser bonitas e...

No mesmo instante, Ben rola para cima de mim e tapa minha boca com a mão. Respira fundo, preparando-se para o que parece uma briga. Ele solta depressa o ar, torcendo o queixo de irritação.

— Escute bem — diz ele, mantendo a mão em minha boca para que eu não o interrompa. — Fico irritado por você permitir que algo tão banal defina uma parte imensa de você. Não posso colocar você bonita neste livro, porque seria um insulto. Você é bonita *pra cacete*. E divertida. E os únicos momentos em que não estou completamente enfeitiçado por você são os que você sente pena de si mesma. Porque não sei se você já se deu conta, mas você está *viva*, Fallon. E toda vez que se olhar no espelho, não tem o direito de odiar o que vê. Porque você sobreviveu enquanto muita gente não teve tanta sorte. Então, de agora em diante, quando pensar em suas cicatrizes, não tem permissão para sentir rancor delas. Você vai adotá-las, porque tem sorte de estar na Terra para vê-las. E é melhor que qualquer cara que você deixar que toque suas cicatrizes agradeça a você pelo privilégio.

Meu peito dói.

Não consigo respirar.

Ele afasta a mão da minha boca e então aproveito para inspirar com sofreguidão. Meus olhos transbordam de lágrimas e não consigo deixar de tremer ao tentar reprimi-las. Ben se inclina completamente sobre mim, aninhando minha cabeça nas mãos. Pressiona os lábios na lateral da minha cabeça e sussurra:

— Você mereceu essa, Fallon.

Concordo com a cabeça, porque ele tem razão.

Ele tem razão.

É claro que ele tem razão. Estou viva, com saúde e, sim, o incêndio deixou marcas na minha pele, mas não levou embora as partes mais importantes de mim. Não conseguiu alcançar nada abaixo da superfície. Então, por que me trato desse jeito?

Preciso parar de fazer isso comigo mesma.

— Shhhh — sussurra ele, passando o polegar pelas lágrimas em meu rosto.

Minhas emoções me dominaram completamente. Estou tão zangada porque ele sentiu que inclusive tinha o direito de falar comigo desse jeito, mas o fato de ter feito isso faz meu coração desejar ter lábios para beijá-lo. E estou brava comigo mesma por ter sido tão autocentrada nesses últimos anos. É claro que o incêndio foi um horror. Sim, eu queria que nunca tivesse acontecido. Mas aconteceu e não posso mudar isso, então preciso superar.

Fico com vontade de rir, porque tudo que ele disse parece ter tirado um peso do meu peito, e estou respirando pela primeira vez em três anos.

Tudo parece diferente. Mais novo. Como se o ar estivesse zumbindo, me lembrando de que tenho sorte por estar aqui, respirando.

Então é isso que faço. Respiro fundo e jogo os braços em volta dele, apoiando a cabeça nos ombros de Ben.

— Obrigada — sussurro. — Seu imbecil.

Sinto que ele ri, então me recosto no travesseiro e deixo que ele enxugue mais lágrimas minhas. Ele está me olhando como se eu fosse uma bela bagunça, e não vou me deixar questionar isso. Porque sou. Sou uma bela bagunça, porra, e ele tem sorte de estar por cima de mim.

Deslizo as mãos pelo seu peito e através da camisa sinto seu coração batendo. Tão forte quanto o meu.

Ficamos nos encarando e ele não pede permissão para baixar a cabeça e roçar a boca na minha.

— Fallon, estou excitado demais. Vou te beijar agora e não peço desculpas.

Então seus lábios reivindicam os meus. Minha cabeça gira, meu corpo parece flutuar e não consigo mexer os braços. Mas não preciso fazer isso, porque ele leva minhas mãos acima da cabeça e entrelaça nossos dedos, empurrando-os no colchão. Sua língua desliza pela minha e há tanto sentimento nisso, que é como se ele me beijasse da mesma forma que me olha. De dentro para fora.

Lentamente, ele planta beijos em meu pescoço, mantendo minhas mãos presas na cama, sem me permitir tocar nele enquanto explora minha pele. *Meu Deus, como senti saudade dele.* Saudade de como me sinto quando estou com ele. Eu queria poder ter isso todo dia. Uma vez por ano está longe de ser o suficiente.

A pressão em minha mão direita desaparece quando ele passa os dedos por meu braço, até a cintura. Sua boca voltou à minha e ele me beija mais uma vez enquanto sua mão entra de mansinho debaixo da minha blusa. Basta sentir seus dedos na pele para me lembrar por que penso nele toda noite quando minha cabeça encosta no travesseiro.

— Estou tirando sua blusa — diz ele.

Eu nem hesito.

Eu nem hesito?

Ele tira a blusa pela minha cabeça e a joga para trás. Seus olhos se fixam em meus seios, tapados por um sutiã de renda preta que eu tinha certeza de que ele não veria esta noite. Ele abre um sorriso diabólico, passando a ponta dos dedos pela renda. Envolve meu seio direito com a mão em concha, arrastando o polegar pelo tecido que esconde o mamilo. No segundo em que faz isso, eu me retraio, porque já li livros suficientes para saber que o passo seguinte será me tocar *por baixo* do tecido. Meu corpo inteiro fica tenso porque acho que não quero que ele tire meu sutiã. Não quero que ele me veja inteira. Ninguém nunca me viu inteira.

— Linda — diz ele, deslizando a boca por meu peito. — Relaxe, está bem?

Eu poderia tentar, mas agora estou tensa porque ele me chamou de linda e não porque está prestes a ir aonde ninguém jamais foi.

Sempre achei esse apelido carinhoso meio irritante, mas dá certo quando ele o pronuncia.

Cravo os dedos em seu cabelo e o guio para meu seio esquerdo, me perguntando como isso foi de zero a dez em questão de segundos. *Ah, meu Deus, ele está baixando a alça do meu sutiã.* A boca de Ben está bem ali, acompanhando a curva do meu seio e seus dedos puxam o tecido para baixo... mais para baixo... mais... *acabou.*

Sinto o frescor do ar em meu seio exposto, mas meus olhos estão fechados com força demais para que eu veja a expressão dele. Mas sinto seus lábios enquanto ele beija meu peito sem hesitar, passando a língua em minha pele, chupando, beijando, apertando e... *curtindo.*

— Fallon.

Ben quer que eu olhe para ele, mas fico muito mais à vontade de olhos fechados.

— Abra os olhos, Fallon.

Consigo fazer isso.

Abro os olhos e encaro o teto.

Consigo fazer isso.

Lentamente, baixo os olhos até fitar os dele.

— Você é bonita. Cada centímetro seu é muito bonito.

Ele pressiona os lábios entre meus seios e os arrasta lentamente por minha pele, passando a língua nas cicatrizes. Espero ele dar uma desculpa... para se afastar de mim.

Mas não é o que ele faz. Em vez disso, sorri para mim.

— Você está bem? Posso continuar?

Minha primeira vontade é negar com a cabeça, porque eu não devia querer que ele continuasse. Antigamente, sempre que eu imaginava isto acontecendo com um cara, me imaginei com um corpo perfeito, sem cicatrizes. Mas aqui estou, olhando Ben, enquanto ele explora cada parte de mim que eu queria que fosse diferente. E ele está gostando de verdade disso.

E eu... também.

Concordo com a cabeça e talvez solte outro gemido porque *puta merda, como ele é gostoso.* O fato de ser o motivo do seu olhar acalorado me faz sentir ainda mais desejável do que quando me imagino perfeita. Ele sobe os beijos por meu pescoço até pairar acima de mim. Passa a mão por minha nuca e baixa a cabeça.

— Desculpe. Não sei como pegar mais leve quando estou com você.

Mas ele não só se limita a pegar mais leve. Ele para completamente, porque a porta do quarto se abre.

Ben se deita por cima de mim depressa, me cobrindo, mas não é rápido o bastante para que eu deixe de ver a garota em pé na soleira da porta, de olhos arregalados.

Ah, meu Deus. A porta. A garota.

— Ben? — diz ela.

Acho que posso entrar em pânico.

— Podemos ter um minuto, Jordyn? — pede Ben, sem olhar para ela.

A porta logo é batida e um pedido de desculpas abafado vem do outro lado.

— Desculpe! Ah, nossa, *mil* desculpas!

A reação dela não é a de uma namorada irritada e isso me enche de alívio. Mas não diminui meu constrangimento.

— Desculpe — diz Ben. — Eu não sabia que ela estava em casa. — Ele me dá um selinho apressado e se levanta. — Não se preocupe. Isso é muito mais constrangedor para ela do que para nós.

Puxo o sutiã para cima dos seios e me sento na cama.

— Fale por você.

Ben pega minha blusa ao pé da cama e me devolve, me ajudando a vesti-la. Ele está sorrindo com malícia.

— Não é engraçado — sussurro.

Ele ri baixinho.

— Se você conhecesse Jordyn, saberia que, na verdade, é hilário.

Estou desconcertada e só neste momento percebo que na realidade conheço muito pouco de Ben.

— Ela é sua irmã?

— Vai ser, daqui a alguns dias — diz ele, me respondendo enquanto calça os sapatos. — Ela vai se casar com meu irmão Kyle neste fim de semana. Eles estão preparando tudo.

Ele tem um irmão?

Sou lembrada do pouco que realmente sei sobre a família dele.

— O casamento vai ser aqui? Eles moram aqui?

Ele assente.

— Meus irmãos e eu herdamos a casa depois que minha mãe morreu. Todos nós moramos aqui porque tem muito espaço. Meu irmão mais velho viaja muito, então ele passa mais tempo fora do que em casa. Kyle e Jordyn dividem o quarto principal no primeiro andar.

Não sei por que supus que Ben fosse filho único. E eu não fazia ideia que a mãe dele tinha morrido. Sinto que esse cara, que acabou de devorar meus peitos com a boca, é um completo estranho. Ele deve ter notado a confusão e o constrangimento ainda em meu rosto, então se curva para mim e sorri, tranquilizador.

— Mais tarde vamos fazer o jogo das perguntas e você vai saber quase tudo sobre mim. Por mais entediante que minha vida seja. Mas, por enquanto, quero que você conheça minha futura irmã.

Ele puxa minhas mãos até que eu me levante. Calço os sapatos e o acompanho para fora do quarto. Chegamos ao topo da escada e ele para, me dá o beijo mais doce e suave antes de continuar descendo para encontrar Jordyn.

Coloque a culpa no fato de que sou péssima para romances, mas eu estava convencida de que quanto maior o gesto, maior o amor. Algumas das minhas cenas preferidas dos livros que li são aqueles pontos cruciais no arco da história, quando o cara declara seu amor pela garota de forma grandiosa. Mas, pelo que sinto com este pequeno beijo de Ben, acho que andei negligenciando as melhores partes dos romances. Talvez os gestos grandiosos não importem tanto quanto todas as coisas irrelevantes entre os dois personagens principais.

Isto me deixa com vontade de voltar atrás e reler tudo, agora que estou vivendo essas coisas com alguém na vida real.

— Sinto muito mesmo — diz alguém enquanto Ben me puxa para a cozinha. — Eu não fazia ideia de que você tinha chegado em casa e estava procurando uma tesoura, mas você *está* em casa e ela, *sem dúvida*, não é uma tesoura.

Ela é fofa. Mais baixa do que eu, cabelo louro típico da Califórnia e um rosto incapaz de esconder alguma emoção. Porque, neste exato momento, só de olhar para ela, sei que está prestes a desmoronar.

— Jordyn, esta é Fallon — diz Ben, gesticulando para mim.

Aceno e Jordyn imediatamente atravessa o cômodo e me dá um abraço.

— É um prazer conhecer você, Fallon. Não fique sem graça, é perfeitamente normal Ben ter garotas no quarto.

Volto a olhar para Ben e ele ergue as mãos, na defensiva, como se não soubesse por que ela disse isso. Levanto as palmas das mãos como se pedisse socorro, porque ela está me apertando muito e não sei o que devo fazer. Ben pigarreia e Jordyn finalmente me solta.

— Ah, meu Deus, dei a entender tudo errado — diz ela, sacudindo as mãos. — Não é *normal* ter garotas no quarto dele. Não foi isso que eu quis dizer. Só quis dizer que não precisa ter vergonha, somos todos adultos. Não foi minha intenção dizer que você é uma entre muitas. Na verdade, é raro ele trazer garotas aqui, por isso não pensei duas vezes antes de entrar no quarto, porque é tão raro que nunca pensei que ele realmente *estivesse* ali. Com você. Com uma garota.

Ela está andando de um lado para outro e sempre que tenho um vislumbre de seu rosto, ela parece estar prestes a chorar. Nunca vi ninguém precisando mais de um abraço do que ela agora.

Eu me aproximo de Jordyn e ela para de andar. Coloco as mãos nos ombros dela. Respiro fundo, de um jeito exagerado, endireitando minha postura. Ela imita o movimento, puxando ar para os pulmões. Solto a respiração com calma e ela faz o mesmo. Sorrio.

— Está tudo bem, Jordyn. Ben e eu estamos ótimos. Mas parece que você precisa de uma bebida. Ou de dez.

Ela concorda febrilmente e dá um tapa na própria boca assim que suas lágrimas começam a escorrer.

Ah, meu Deus. O que foi agora? Olho para Ben em busca de ajuda, mas ele está olhando para mim como se o comportamento de Jordyn fosse totalmente normal. De qualquer modo, ele se aproxima dela, virando seu rosto para ele.

— Ei — diz Ben num tom tranquilizador, puxando-a para um abraço. — Qual é o problema?

Ela balança a cabeça, apontando para o outro cômodo.

— Os marcadores dos lugares chegaram e metade foi escrita errada e as mesas e cadeiras deveriam chegar aqui esta manhã, mas transferiram a entrega para o dia seguinte, mas amanhã não vai dar, porque amanhã tenho que fazer a última prova do vestido e agora preciso ficar aqui para a entrega, e o voo da minha mãe foi cancelado, então ela não pode me ajudar a terminar os arranjos de flores esta noite e...

Ben a interrompe:

— Calma.

Ele gesticula para a geladeira, então ando pela cozinha e encontro meia garrafa de vinho. Sirvo uma taça para Jordyn enquanto Ben a acalma. Quando a entrego, ela está sentada em um banquinho, enxugando as lágrimas.

— Obrigada — diz ela ao aceitar o vinho. — Normalmente não sou assim tão louca ou nervosa, mas esta é a pior semana da minha vida. Sei que vai valer a pena no fim, mas... — Ela me olha com severidade. — Nunca se case. Nunca. Só se você for para Las Vegas.

Finjo estar absorvendo seu conselho, mas o nível de estresse dela é suficiente para fazer qualquer um não desejar um casamento.

— Espere aí — diz ela, apontando para mim. — Seu nome é Fallon? De Fallon O'Neil?

Ah, não. Não sou reconhecida com frequência por causa da série, mas, quando isso acontece, em geral é por meninas que têm mais ou menos a idade de Jordyn. Garotas que deviam acompanhar religiosamente a série.

— Você não é a atriz que estrelava aquela série policial, é?

O braço de Ben envolve meu ombro como se ele tivesse orgulho desse fato.

— É ela mesma.

— Não brinca! Eu via essa série sempre! Bem, até que substituíram você por aquela garota canastrona.

Esse comentário me faz sentir bem. Não consegui me forçar a ver a série depois de ter sido substituída, mas não vou mentir e dizer que não fiquei um pouco aliviada por ter saído do ar duas temporadas depois por causa da queda na audiência.

— Por que você saiu do programa? — pergunta ela. Depois acrescenta: — Ah. Espere, eu me lembro. Você se machucou, não foi? Foi aí que ficou com as cicatrizes?

Sinto o braço de Ben ficar tenso no mesmo instante.

— Jordyn — diz ele.

Fico feliz por ele estar tentando interceptar a conversa por mim, mas é difícil ficar ofendida com Jordyn quando é evidente que ela só está curiosa e não está julgando nem um pouco.

— Está tudo bem — falo, assim que ela parece estar prestes a pedir desculpas. — Não passou de um acidente infeliz e foi uma droga ter que deixar a série. Mas sou grata por ter sobrevivido. Podia ter sido muito pior.

Sinto Ben beijar a lateral da minha cabeça e suponho que seja porque, para ele, é importante que as palavras de encorajamento que me disse no segundo andar talvez realmente tenham sido apreendidas.

A porta da frente bate e a atenção de todos é transferida da conversa sobre minha carreira para a voz de um homem.

— Onde está minha putinha? — chama ele.

Ai, meu Deus. Espero que não seja o noivo.

— Ian está em casa — afirma Ben. Ele segura minha mão e me puxa para a sala de estar. — Venha conhecer meu irmão mais velho.

Sigo Ben até a sala e vejo um homem se ajoelhando perto da porta, fazendo carinho em um cachorrinho branco.

— Aí está minha putinha — diz ele com doçura à cadela. Quer dizer, da forma mais doce que essa frase pode soar.

— Olhe quem está aqui — diz Ben, chamando a atenção do cara.

Só quando Ian se levanta é que noto que ele está usando um uniforme de piloto. Imediatamente, Ben gesticula para mim. Não vou mentir, conhecer gente nova é bem constrangedor. Mas conhecer a família de Ben traz todo um novo nível de constrangimento.

— Ian, esta é Fallon. Fallon, Ian.

Ian avança um passo à frente e aperta minha mão. Ele e Ben são muito parecidos, então não consigo deixar de encará-lo. Ele tem o maxilar forte de Ben e os dois têm a mesma boca, mas Ian é um pouco mais alto e é louro.

— E Fallon é sua... — Ele deixa a frase inacabada, esperando que Ben a complete. Mas Ben me olha e espera que *eu* faça isso.

Mas que droga é essa? Isso é que é ficar encurralada.

— Eu sou... *o enredo do livro* de Ben?

Ben dá uma gargalhada, mas Ian ergue uma sobrancelha com curiosidade. Fica ainda mais parecido com o irmão quando faz isso.

— Você está finalmente escrevendo um livro de verdade? — pergunta Ian.

Ben revira os olhos e pega minha mão para me puxar de volta para a escada.

— Ela não é meu enredo, é minha namorada e hoje é nosso aniversário de um ano.

Agora Jordyn está na sala, ao lado de Ian. Os dois olham para Ben como se ele estivesse guardando o maior segredo do mundo.

— Você está namorando há um *ano* inteiro? — questiona Jordyn, dirigindo a pergunta a mim. Antes que eu possa dizer que ele só está brincando, ela ergue as mãos, derrotada. — Ben, você me disse que não ia levar uma acompanhante! Não encomendei cadeiras suficientes e, *ai, meu Deus*, já deve ser tarde demais!

Ela sai intempestivamente da sala para dar um telefonema desnecessário.

Dou um tapa no braço de Ben.

— Isso foi muita maldade! Ela já está estressada demais.

Ele ri e revira os olhos teatralmente, com um gemido.

— Está bem.

Ben vai atrás de Jordyn e assim que ficamos apenas Ian e eu na sala, a porta se abre. *De novo*. Meu Deus, quantas pessoas cabem nesta casa?

Mais um homem entra e vê primeiro Ian. Os dois se abraçam e ele dá tapas nas costas de Ian.

— Você disse que só ia chegar amanhã.

Ian dá de ombros.

— Miles ficou com as viagens de hoje no meu lugar, então consegui chegar mais cedo. O tempo deve ficar ruim amanhã e eu não queria me atrasar.

O irmão que ainda não conheço fala:

— Cara, se você perdesse o jantar de ensaio para o casamento, Jordyn ia cortar meu... — Sua voz falha quando me vê parada no meio da sala.

Espero que ele diga alguma coisa, mas apenas me olha com cautela, de cima a baixo, cheio de desconfiança, como se eles não recebessem visitas com muita frequência. Ian dá um passo à frente e gesticula para mim.

— Conhece a namorada de Ben?

A expressão do cara não muda, a não ser por um arco quase imperceptível que surge na sua testa. Ele se empertiga rapidamente e anda em minha direção.

— Kyle Kessler — diz ele, estendendo a mão. — E você é?

— Fallon — respondo com uma voz um pouco acuada. — Fallon O'Neil.

Diferente de Ian e Ben, Kyle não me recebe de forma acolhedora. Não é que ele me receba com antipatia... Só não se parece com os irmãos. É mais sério. Mais intimidante. Por um segundo, noto que ele olha para o lado esquerdo do meu rosto e isto me faz questionar o que ele acha de Ben trazer para casa uma pessoa como eu. Mas depois me lembro das palavras que Ben me falou no segundo andar, e a sorte que ele tem de trazer para casa alguém como eu. Em vez de ceder a meu impulso inicial de deixar o cabelo cair no rosto, eu me empertigo... mais confiante. Kyle solta minha mão quando Ben volta para a sala.

— Está tudo bem com Jordyn.

Ben para de imediato quando vê Kyle. Seus olhos se arregalam um pouco, como se ele estivesse chocado por ver o irmão, e noto uma mudança em sua postura. Ele tenta disfarçar com um sorriso.

— Você disse que só viria para casa à noite.

Kyle larga suas chaves numa mesa próxima e aponta para Ben.

— Precisamos conversar.

Não consigo interpretar o tom de voz de Kyle. Ele não parece muito zangado, mas também não parece satisfeito com Ben.

Ben abre um sorriso tranquilizador para mim antes de acompanhar Kyle para fora da sala.

— Volto logo — diz ele.

Fico sozinha com Ian mais uma vez. Enfio as mãos nos bolsos da calça jeans, sem saber o que fazer comigo enquanto espero por Ben.

Ian se abaixa e pega a cachorrinha branca a seus pés. Indica a escada com a cabeça.

— Não tomo um banho há três dias. É onde estarei, se um deles perguntar.

— Está bem — digo. — Foi um prazer conhecer você, Ian.

Ele sorri.

— O prazer foi meu, Fallon.

Então fico sozinha. Esses últimos minutos foram muito estranhos. A família de Ben é... interessante.

Olho ao redor da sala, tentando descobrir uma pista de quem é Ben. Há fotos dele e dos irmãos no console da lareira. Pego uma para olhar mais atentamente. Ainda é complicado saber, mas nas fotos anteriores fica claro que Ben é o mais novo, e Ian, o mais velho. Mas não faço ideia de quantos anos separam os irmãos. Talvez dois ou três?

Não vejo foto nenhuma da mãe deles por ali. Isso me faz questionar há quanto tempo ela morreu e onde está o pai. Ben ainda não falou nada sobre ele.

Ouço um baque alto no corredor. Com medo de que talvez seja Jordyn, sigo nessa direção. Paro assim que vejo Ben espremido na parede com o braço de Kyle apertando seu pescoço.

— Você é idiota? — diz Kyle entre dentes.

Ben olha para o irmão como se quisesse matá-lo, mas não faz nenhum esforço para revidar. Quando estou prestes a sair em disparada pelo corredor para afastar Kyle dele, Ben me vê pelo canto do olho. O irmão se vira para ver o que chamou a atenção de Ben e, assim que me vê, recua um passo, soltando-o.

Fico muito confusa com o que acabou de acontecer. Kyle está entre mim e Ben, olhando de um para outro. Justo quando parece que está prestes a se virar e sair, ele gira o corpo e acerta Ben em cheio no olho, jogando-o na parede.

— O que é isso?! — grito para Kyle.

Corro até Ben, que ergue a mão, me mantendo afastada.

— Está tudo bem — diz ele. — Vá lá para cima. Vou subir num minuto.

Ele está tapando o olho com a mão e Kyle continua ali, dando a impressão de que quer bater nele de novo. Mas recua assim que Jordyn vem correndo ver a cena. Ela olha de Kyle para Ben, chocada, como se isto não fosse típico dos dois.

E torna toda esta cena ainda mais confusa. Não tenho irmãos, mas, pelo que sei, eles se batem o tempo todo. Porém, pela reação de Jordyn, não é o que acontece nesta casa. Provavelmente ela vai começar a chorar a qualquer minuto.

— Você *bateu* nele? — pergunta ela a Kyle.

Por uma fração de segundo, Kyle parece envergonhado, como se quisesse se desculpar. Mas depois bufa e volta sua atenção a Ben.

— Você mereceu — diz ele, saindo do corredor. — Você *mereceu*, porra.

Ben

Estamos no meu banheiro e fico encostado na bancada enquanto ela passa uma toalha de rosto molhada no meu olho, limpando o sangue.

Não acredito que Kyle me bateu na frente dela. Estou muito irritado e tentando relaxar, mas está difícil. Ainda mais com ela espremida no banheiro comigo desse jeito, tocando meu rosto com a ponta dos dedos.

— Quer falar sobre isso?

Ela pega um Band-Aid e o abre.

— Não.

Ela pressiona o Band-Aid no meu rosto e o alisa.

— Devo ficar preocupada?

Ela joga o papel na lixeira e coloca a toalha de rosto na pia.

Encaro o espelho e passo o dedo no inchaço em volta do olho.

— Não, Fallon. Você nunca deve ficar preocupada quando se trata de mim. Nem de Kyle, aliás.

Ainda não consigo acreditar que ele me bateu. Durante toda a vida, ele nunca tinha me batido. Chegou muito perto disso uma ou duas vezes. Ou ele está muito estressado com o casamento, ou desta vez eu o irritei de verdade.

— A gente pode sair daqui? — pergunto.

Ela dá de ombros.

— Acho que sim. Aonde quer ir?

— Aonde você for.

Apenas ver o sorriso dela já alivia grande parte da minha tensão.

— Tive uma ideia — diz ela.

• • •

— Está com frio?

É a terceira vez que pergunto e ela continua dizendo que não, mas está tremendo. Eu a puxo para perto e enrolo melhor o cobertor à nossa volta.

Ela queria ir à praia, apesar de estar quase escuro e ser novembro. Pegamos comida para viagem no Chipotle, é claro, e ela montou um piquenique improvisado com as mantas que trouxemos da minha casa. Terminamos de comer meia hora atrás e estávamos conversando, conhecendo melhor um ao outro. Só que com o peso do que aconteceu em casa, todas as perguntas até agora foram seguras. Mas faz pelo menos dois minutos que nenhum dos dois pergunta nada, então talvez o papo tenha acabado. Ou quem sabe o próprio silêncio seja uma pergunta.

Estou segurando a mão dela embaixo do cobertor e observamos as ondas se quebrarem nas pedras. Depois de um tempo, ela apoia a cabeça no meu ombro.

— Não vou à praia desde que tinha 16 anos — diz ela.

— Tem medo do mar?

Ela ergue a cabeça do meu ombro e puxa os joelhos para cima, envolvendo-os com os braços.

— Antigamente eu ia o tempo todo. Sempre que tinha uma folga, era para onde eu ia. Mas então aconteceu o incêndio e levei muito tempo para me recuperar. Eu entrava e saía do hospital e da fisioterapia. O sol não faz bem para a pele que está em processo de cura, então eu simplesmente... nunca mais voltei. Mesmo depois de não haver mais problema entrar em contato com o sol, eu não tinha mais a confiança para aparecer em um lugar em que todos expunham a maior quantidade de pele possível.

Mais uma vez, não sei o que dizer a ela. Detesto saber que o incêndio destruiu tanto da sua confiança, mas acho que ainda não tenho noção do quanto realmente destruiu sua vida.

— É bom voltar — sussurra ela.

Aperto sua mão, porque tenho certeza de que isso é o que ela realmente quer.

Ficamos em silêncio de novo e meus pensamentos insistem em retornar ao que aconteceu com Kyle no corredor. Não sei o quanto ela ouviu, mas continua aqui, então não deve ter sido muita coisa. Porém, dizer que ela viu um lado diferente de Kyle do que eu queria é uma meia verdade. Ela deve achar que ele é um idiota e, considerando os poucos minutos que testemunhou dele, não posso culpá-la.

— Quando eu estava no quarto ano, tinha um garoto mais velho que implicava comigo — conto a ela. — Todo dia, no ônibus, ou ele me batia ou fazia comentários maldosos. Isso durou meses e algumas vezes desci do ônibus com o nariz sangrando.

— Meu Deus.

— Kyle é alguns anos mais velho do que eu. Ele estava no final do ensino fundamental, mas pegávamos o mesmo ônibus porque estudávamos numa escola bem pequena. Um dia, depois que o garoto me bateu bem na frente de Kyle, eu esperava que ele me defendesse. Que desse uma surra no menino, porque sou o irmão mais novo dele. É isso que irmãos mais velhos devem fazer. Proteger os mais novos de quem faz bullying. — Estico as pernas e suspiro. — Mas Kyle ficou sentado ali, me encarando. Nunca interferiu. E quando chegamos em casa, eu estava com muita raiva dele. Falei que era dever dele, como meu irmão, dar uma lição em quem faz bullying. Ele riu e falou: "E como isso vai ensinar alguma coisa *a você*?"

"Eu não sabia o que dizer, porque, o que eu devia estar aprendendo ao apanhar pra caramba todo dia? Kyle falou: 'O que impedir o bullying vai ensinar a você? Nada. Se eu interferisse, o que você ganharia além de aprender a depender de outra pessoa e não de si mesmo? Sempre terá gente fazendo bullying, Ben. Você precisa aprender a lidar com eles sozinho. Precisa aprender a não deixar que eles levem a melhor sobre você. E se eu batesse em algum garoto por você, não iria te ensinar droga nenhuma.'"

Fallon olha para mim.

— Você deu ouvidos a ele?

Balanço a cabeça.

— Não, fui para o meu quarto e chorei, porque achei que ele só estava sendo mau. O garoto continuou implicando comigo por mais várias semanas. Mas, então, um dia, tive um estalo. Não sei o que foi, mas aos poucos comecei a me defender. Parei de permitir que ele me pegasse, como fazia. Parei de ficar todo assustado perto dele. E, depois de algum tempo, quando ele notou que os insultos não me incomodavam, finalmente desistiu.

Ela fica em silêncio, mas sei que está se perguntando por que estou lhe contando essa história.

— Ele é um bom irmão — digo. — É uma boa pessoa. Detesto que você tenha visto esse lado dele hoje, porque aquilo não é ele. Ele tinha o direito de ficar chateado comigo e, não, eu não quero falar sobre isso. Mas meus irmãos são gente boa de verdade e eu só queria que você soubesse disso.

Ela me olha com apreço. Passo o braço por ela e a puxo para o meu peito enquanto me deito na manta abaixo de nós. Estou olhando as estrelas, surpreso porque já fazia tempo que não parava para observá-las.

— Fiquei animada com a ideia de ter um irmão — diz ela. — Sei que agi como se não tivesse ficado feliz quando meu pai me contou ano passado, mas sempre quis uma irmã ou um irmão. Infelizmente, no fim das contas, a mulher que ficou noiva do meu pai não estava grávida. Ela achou que ele tinha dinheiro por causa do seu status de subicelebridade. Quando descobriu que meu pai estava quebrado, largou ele.

Nossa. Não me sinto tão mal com meu drama familiar que ela presenciou hoje.

— Isso é horrível — digo a ela. — Ele ficou chateado?

Mas não me importo com isso. Esse homem merece cada carma negativo que voltou para ele, pelo jeito que a tratou naquele dia.

Ela dá de ombros.

— Não sei. Foi minha mãe quem me contou isso. Não falo com ele desde o ano passado.

Isso me deixa triste por ela. Por mais imbecil que ele seja, ainda é o pai dela, então sei que deve magoar.

— Que tipo de pessoa finge uma gravidez para prender um homem? Que trapalhada. Mas essa parece uma ótima trama para um livro.

Ela ri em meu peito.

— É fraca e já foi usada vezes demais como trama secundária.

Ela apoia o queixo nos braços e sorri para mim. O luar atinge seu rosto, brilhando acima dela como se Fallon estivesse num palco.

O que me lembra...

— Vai me contar sobre esse ensaio que você mencionou mais cedo? Para o que foi?

O sorriso dela desaparece.

— Teatro comunitário — diz ela. — Amanhã é a estreia e temos ensaios com figurino de manhã, por isso preciso voltar tão cedo. Não tenho um papel principal e não vou receber nada, mas gosto, porque muitos atores me pedem conselho. Não sei por que, talvez por eu ter uma experiência no passado, mas é bom. É legal não ficar entocada em casa o tempo todo.

Gosto de ouvir isso.

— E o trabalho?

— Meu horário é flexível. Continuo gravando audiobooks e arrumo trabalho suficiente para pagar as contas, então isso é bom. Tive que me mudar, porque meu aluguel era um pouco alto, mas... no geral, está tudo indo bem. Estou feliz lá.

— Que ótimo — digo a ela, passando os dedos em seu cabelo. — Fico feliz por você estar feliz lá.

E fico mesmo. Mas não vou mentir que uma parte de mim tinha uma esperança egoísta de que a veria hoje e ela me diria que Nova York não deu certo. Que ela voltou a morar em Los Angeles, acha que sua regra de cinco anos é idiota e quer me ver amanhã.

— Você tem um emprego? — pergunta ela. — Nem acredito que não sei isso sobre você. Deixo você mexer nos meus peitos e nem ao menos sei o que você faz da vida.

Rio.

— Estudo na Universidade da Califórnia. Sou estudante em tempo integral e faço dois cursos, então não sobra muito tempo para trabalhar. Mas não tenho muitas contas. Sobrou bastante dinheiro da herança da minha mãe para me sustentar durante toda a faculdade, então, por enquanto, está tudo certo.

— Quais são os dois cursos?

— Redação criativa e comunicação. A maioria dos escritores não tem muita sorte para construir uma carreira que os sustente, então quero ter um plano B.

Ela sorri.

— Você não precisa de um plano B, porque daqui a alguns anos terá um romance best-seller para pagar suas contas.

Espero que ela não ache realmente isso.

— Como se chama? — pergunta ela.

— Como se chama *o quê*?

— Nosso livro. Qual vai ser o título?

— Será *9 de novembro*.

Observo a reação dela, mas sua expressão não revela nada do que ela pensa sobre o título. Depois de alguns segundos, ela apoia a cabeça no meu peito, portanto não consigo mais ver seu rosto.

— Não contei isso no ano passado — começa ela, com a voz mais baixa do que antes. — Mas 9 de novembro é aniversário do incêndio. E ficar ansiosa para ver você nesta data me deixa menos apavorada com o aniversário do que eu ficava antes. Então, obrigada por isso.

Inspiro em silêncio, mas antes que eu sequer consiga responder, ela se aproxima e pressiona firmemente a boca na minha.

Fallon

— Tem certeza disso?

Ele assente, mas sua atitude diz que não.

Meia hora atrás, estávamos nos beijando na praia. Cinco minutos depois do nosso beijo, ele se sentou reto e anunciou que queria fazer uma tatuagem.

— *Hoje à noite* — disse ele. — *Agora mesmo.*

Então, aqui estamos. Ele está sentado na cadeira, esperando o tatuador, e eu estou encostada na parede, esperando que ele se acovarde.

Ele não quer me dizer o que a tatuagem significa. Está fazendo a palavra *poética* no pulso esquerdo, escrita dentro de uma pauta de música. Não sei por que ele não quer me dizer o significado por trás, mas pelo menos não é o meu nome. Quer dizer, eu gosto do cara. Muito. Mas gravar permanentemente o nome de uma garota na pele é uma coisa muito macho alfa de se fazer no início de um relacionamento. Ainda mais no pulso. E por que chamei isto de relacionamento?

Ai, meu Deus. E se for por isso que ele está fazendo uma tatuagem? E se estiver tentando passar a impressão de que é um cara durão? Eu provavelmente deveria avisá-lo de que está fazendo isso errado.

Pigarreio para chamar a atenção dele.

— Hum. Odeio ter que dizer isso, Ben, mas a palavra *poética* tatuada no pulso não é algo muito macho alfa. Na verdade, é bem o contrário. Tem certeza de que não quer fazer uma caveira? Um arame farpado? Alguma coisa sangrenta, talvez?

Seus lábios se curvam formando um sorriso torto.

— Não se preocupe, Fallon. Não estou fazendo isso para impressionar as garotas.

Não sei por que amo tanto a resposta dele. O tatuador volta para a sala e aponta para o pulso de Ben, onde traçou o contorno da tatuagem alguns minutos antes.

— Se você gosta da posição, vamos começar.

O esboço da tatuagem vai de um lado a outro do pulso. Ben concorda com a cabeça e diz ao cara que está pronto. Depois gesticula para mim.

— Ela pode ficar sentada no meu colo e me distrair?

O cara dá de ombros, puxando o braço de Ben na sua frente, e não diz nada. Assim que passa pela minha cabeça que esse homem provavelmente está se perguntando o que Ben está fazendo com alguém com a minha aparência, Ben interrompe minha crise de insegurança.

— Venha aqui — diz, dando um tapinha na perna. — Venha me distrair.

Obedeço, mas o único jeito de me sentar em seu colo é montando nele. Pelo menos estou de calça jeans, mas ainda me sinto esquisita sentada daquele jeito no meio de um estúdio de tatuagem. A mão de Ben toca minha cintura e ele aperta. Ouço o zumbido da agulha e a leve diferença no som depois que encontra a pele dele. Ben não faz careta, apenas abre um sorriso mínimo para mim. Faço o que posso para distraí-lo, então continuo a conversa que estávamos tendo na praia.

— Qual é sua cor preferida?

— Verde malaquita.

Faço uma careta.

— É um verde muito específico, mas, tudo bem.

— É a cor dos seus olhos. Por acaso, também é meu mineral preferido.

— Você tem um *mineral* preferido?

— Agora tenho.

Olho para baixo para que ele não note meu sorriso constrangido. Sinto a mão dele apertar minha cintura outra vez. Estou achando que a agulha o distrai mais do que eu, então faço outra pergunta.

— Qual é sua comida preferida?

— Pad Thai. E a sua?

— Sushi. São quase a mesma coisa.

— Nem de longe — retruca ele.

— As duas são comidas asiáticas. E seu filme preferido?

— Essas perguntas são chatas. Se esforce mais.

Jogo a cabeça para trás e olho para o teto enquanto penso.

— Tudo bem, quem foi sua primeira namorada? — pergunto, encontrando de novo os olhos dele.

— Brynn Fellows. Eu tinha 15 anos.

— Achei que o nome dela fosse Abitha.

Ele sorri.

— Você tem boa memória.

Ergo uma sobrancelha séria.

— Não é que eu tenha boa memória, Ben. Sou loucamente ciumenta e instável quando se trata do seu passado amoroso.

Ele ri.

— Abitha foi a primeira garota que beijei. Não minha primeira namorada. Eu tinha 15 anos, nós namoramos por um ano.

— Por que terminaram?

— Tínhamos 16.

Ben diz isso como se fosse um motivo válido. Ele vê minha expressão de dúvida, então acrescenta:

— É o que você faz quando namora aos 16 anos. Termina. E você? Quem foi seu primeiro namorado?

— Verdadeiro ou falso?

— Tanto faz — diz ele.

— Você.

Observo atentamente seus olhos para saber se há piedade neles, porém, aparentam mais orgulho.

— Com quantas pessoas você dormiu?

Ele contrai a boca.

— Não vou responder a isso.

— Mais de dez?

— Não.

— Menos de uma?

— Não.

— Mais de cinco?

— Não sou de me gabar.

Rio.

— Sim, você é. Em cinco anos, você estará contando a todo mundo sobre nós dois em seu livro.

— Quatro anos — corrige ele.

— Quando é seu aniversário? — pergunto.

— Quando é o *seu*?

— Perguntei primeiro.

— Mas e se você for mais velha do que eu? Isso não é brochante para as mulheres? Namorar caras mais novos?

— Não é brochante para os homens namorar mulheres com cicatrizes em metade do rosto?

Sua mão aperta minha cintura e ele me olha duramente.

— Fallon. — Ben diz meu nome como se houvesse todo um sermão nele.

— Eu estava tentando ser engraçada — digo.

Ele não sorri.

— Não acho graça na autodepreciação.

— Só porque não é você quem está depreciando.

O canto de sua boca se contorce enquanto ele tenta reprimir um sorriso.

— Dia 4 de julho — diz ele. — O país inteiro comemora meu aniversário todo ano. É épico.

— Dia 25 de julho, o que significa que você é oficialmente mais velho do que eu. Agora posso te perseguir e não ser considerada papa anjo.

Ele sobe a mão alguns centímetros por minha cintura e seu polegar se move lentamente de um lado para outro.

— Não dá para perseguir quem consente, Fallon.

Ah, droga. Ele merece um beijo por esse comentário, mas tem um cara com um aparelho de tatuagem a meio metro de distância e não sou do tipo que fica se agarrando com um garoto em público. Pelo que parece, já estabeleci um limite ao montar nele.

— Tem uma coisa que preciso saber sobre você — diz ele com um olhar penetrante. — E quando eu fizer esta pergunta, quero que você pense bem na resposta, porque vai fortalecer ou romper a ligação que temos.

Engulo em seco.

— Tudo bem. O que você precisa saber?

Ele estremece, só um pouco, e não tenho certeza se é por causa da tatuagem ou porque está nervoso com a pergunta que está prestes a fazer.

— OK. Se você pudesse ouvir uma banda só pelo resto da vida, qual escolheria e por quê?

Relaxo no mesmo instante. Essa é fácil. Achei que ele fosse muito mais além do que minha banda preferida.

— X Ambassadors.

— Nunca ouvi falar — diz ele.

— Assisti a dois shows deles — diz o tatuador.

Ben e eu olhamos para ele, mas o cara está concentrado no seu trabalho.

Eu me volto para Ben e ergo a sobrancelha.

— Por que minha banda preferida pode fortalecer ou romper a gente?

— O gosto musical de uma pessoa pode dizer muito sobre ela. Tenho certeza de que li isso em um dos livros que você me deu. Se você tivesse escolhido uma banda que eu detesto, teria sido um tremendo banho de água fria.

— Bom, você pode detestar depois de ouvir, então não temos problemas ainda.

— Neste caso, nunca vou ouvir a banda — diz ele com confiança.

— Não se eu puder interferir.

— Qual é sua música preferida deles? — pergunta.

— Varia de acordo com meu humor.

— Bom, então, qual é sua música preferida deles agora?

Fecho os olhos por um instante e cantarolo mentalmente uma das músicas até descobrir a parte da letra que combina com este momento. Abro os olhos e sorrio.

— "You're so gorgeous, 'cause you make me feel gorgeous."

Um sorriso discreto se forma nos lábios de Ben.

— Gosto dessa — diz ele, passando o polegar sobre a pele da minha cintura.

Ficamos nos entreolhando por um tempo. Vejo seu peito subir mais acentuadamente, e saber que ele está ficando excitado apesar de ter uma agulha furando sua pele me faz sentir um pouco triunfante.

Considero me inclinar um pouco e dar um selinho na sua boca, mas, antes que eu possa fazer isso, o tatuador fala:

— Pronto!

Saio do colo dele e observamos o desenho finalizado antes que seja tapado por um curativo. Acabou ficando ótimo, mas ainda não sei o que provocou isso ou por que ele precisava fazer esta noite. De qualquer modo, fico feliz por estar aqui com ele.

Ele se levanta e tira a carteira do bolso para pagar o cara. Quando segura minha mão para me conduzir até o carro, cada passo que dou fica cada vez mais pesado, porque sei que cada passo nos aproxima mais de outra despedida.

Fico tensa durante todo o percurso até o aeroporto. Fico me perguntando se este novo impulso de não querer entrar no avião para voltar a Nova York é consequência dos meus sentimentos por Ben ou por Nova York.

Sei que na praia eu disse a ele que estou feliz em Nova York, mas ainda estou quase tão infeliz lá quanto estava aqui. Só não quero que ele saiba disso. Tenho esperanças de que meu envolvimento com o teatro comunitário me ajude a fazer mais alguns amigos. Afinal, só se passou um ano. Mas foi um ano difícil. E, por mais que eu tente fazer o dever de casa que ele me passou, ir num teste de elenco após o outro é cansativo quando tudo o que consigo são rejeições. Isso me faz considerar se meu pai tem razão. Talvez eu esteja sonhando alto demais. E, apesar de Ben ter me feito recuperar grande parte da minha confiança, isso não torna uma indústria baseada na aparência menos superficial do que é.

E a Broadway está tão fora do meu alcance que chega a ser ridículo. A quantidade de gente que aparece me faz sentir uma pequena formiga em uma colônia imensa. A única chance que talvez eu tenha de me destacar é se o papel exigir alguém que tenha realmente cicatrizes faciais. E, até o momento, não tive essa sorte.

— Você precisa de outra cena dramática no aeroporto? — pergunta ele quando nos aproximamos do terminal.

Rio e digo que não, de jeito nenhum, então desta vez ele para no estacionamento. Antes de entrarmos no aeroporto, Ben me puxa para ele. Noto a tristeza em seus olhos e sei, sem nenhuma dúvida, que ele consegue ver em minha expressão o quanto não quero me despedir. Ele passa a parte de trás dos dedos pela minha bochecha e eu estremeço.

— Vou a Nova York ano que vem. Onde quer me encontrar?

— No Brooklyn — respondo. — É onde moro. Quero mostrar meu bairro e tem um restaurante ótimo de comida mexicana que você precisa conhecer.

Digito o endereço de um dos meus restaurantes preferidos no celular dele. Também digito a data e a hora, mas isso não dá para esquecer. Devolvo o aparelho a Ben.

Ele coloca o telefone no bolso de trás e me puxa para outro abraço. Ficamos abraçados por pelo menos dois minutos inteiros, nenhum de nós querendo soltar. A mão dele está aninhada em minha nuca e tento memorizar esta sensação. Tento decorar o cheiro dele na praia, onde passamos mais de três horas juntos esta noite. Tento memorizar como minha boca toca o topo do seu pescoço, como se os ombros dele fossem feitos para que minha cabeça descanse.

Eu me inclino na direção dele e beijo seu pescoço. Um beijo suave e nada mais. Ele ergue minha cabeça do seu ombro, virando meu rosto na sua direção, observando meu semblante.

— Achei que eu fosse mais durão — diz ele. — Mas acabei de descobrir que ter que me despedir de você é uma das coisas mais difíceis que já tive de fazer.

Quero dizer: "*Então me peça para ficar*", mas a boca de Ben está na minha e ele me beija com força. Está se despedindo mexendo os lábios nos meus, as mãos acariciando meu rosto, depois leva a boca à minha testa e dá um único beijo suave bem no meio antes de me soltar. Ele praticamente me empurra, como se ficasse mais fácil impor uma distância entre nós. Ele recua um passo até ficar na beira do meio-fio e todas as palavras que quero dizer ficam presas na minha garganta, então comprimo bem os lábios e me esforço para que não saia nada. Passamos vários segundos nos olhando, a dor desta despedida fica evidente no ar entre nós. Depois ele se vira e corre para o estacionamento.

E tento não chorar, porque seria idiotice.

Certo?

• • •

Nunca gostei de me sentar perto da janela, então, quando ouço a mulher no corredor dar a entender que detesta assentos no corredor, ofereço meu lugar a ela.

Se eu não estiver olhando pela janela, não tenho medo de voar. E se eu estiver em um lugar perto da janela, sinto que fico segura se *não* olhar pela janela. Depois passo a viagem inteira observando o mundo abaixo de nós e isso me dá mais pânico do que se eu simplesmente não me colocasse nessa posição.

Coloco minha bolsa embaixo do banco à frente e tento ficar à vontade. Fico aliviada por Ben ir a Nova York ano que vem, porque o voo de Los Angeles a Nova York é uma das coisas de que menos gosto.

Fecho os olhos na esperança de conseguir dormir por algumas horas. Não terei tempo para dormir antes dos ensaios amanhã, e eu teria dormido em Los Angeles, mas amanhã é a estreia e preciso estar lá para o último ensaio.

— Ei.

Ouço a voz de Ben e sorrio, porque isto significa que, sem dúvida, vou dormir bem, se já estou confundindo a realidade com os sonhos.

— Fallon.

Meus olhos se abrem depressa. Ergo a cabeça e vejo Ben de pé ao meu lado. *Mas o que é isso, meu Deus?*

Olho para sua mão e ele está segurando uma passagem de avião.

Eu me sento reta.

— O que você está fazendo?

Alguém está tentando passar espremido por ele, então Ben se move para ficar o mais perto possível de mim. Depois que o homem passa, Ben se ajoelha.

— Eu me esqueci de te dar o dever de casa deste ano. — Ele me entrega um papel dobrado. — Tive que comprar uma passagem para poder entrar e falar com você antes da decolagem, então isto quer dizer que você precisa cumprir, ou então joguei muito dinheiro ao léu. E quem é que diz ao léu? Enfim. É só isso. Não é nenhuma atitude de alfa, mas tanto faz.

Olho para o papel em minhas mãos, depois de volta para ele. *É sério que ele comprou uma passagem de avião só para me dar meu dever de casa?*

— Você é louco.

Ele dá um sorriso largo, mas tem que ficar de pé novamente para que outra pessoa passe. Uma comissária de bordo diz que ele precisa liberar o corredor e se sentar. Ele me dá uma piscadela.

— É melhor eu ir antes de ficar preso no avião.

Ele se inclina e me dá um selinho.

Tento disfarçar a faísca de tristeza que sei que está evidente em meus olhos. Forço um sorriso logo antes de ele se virar e seguir para a saída. Uma comissária de bordo o intercepta e pergunta por que ele não está em sua poltrona. Ele murmura alguma coisa sobre uma emergência familiar, portanto ela o deixa passar, mas pouco antes de sair do meu campo de visão, ele se vira e pisca.

Depois some.

Isso realmente acabou de acontecer?

Olho para o papel em minhas mãos e fico nervosa até para abrir, me perguntando que dever de casa poderia valer a compra de uma passagem aérea.

Fallon,

Eu menti. Mais ou menos. Não tenho muito dever de casa para você porque acho que está fazendo um ótimo trabalho se tornando adulta. Eu queria te entregar esta carta principalmente porque queria agradecer por ter aparecido hoje. Eu me esqueci de agradecer antes. Que droga você ter que ir embora sem passar uma noite antes, mas significa muito que você tenha sacrificado seu sono para cumprir nosso acordo. Vou compensar ano que vem, prometo. Quanto a este ano, só há uma coisa que quero que você faça.

Procure seu pai.

Eu sei, eu sei. Ele é um babaca. Mas é o único pai que você tem e, quando você me contou que não fala com ele desde o ano passado, não tive como não me sentir culpado por isso. Eu me sinto culpado pela briga que vocês tiveram, porque minha intromissão não ajudou em nada. Eu devia ter ficado de fora, mas, se eu tivesse feito isso, não teria tido o privilégio de descobrir que calcinha você usava. Então, acho que estou dizendo que, na verdade, não me arrependo de ter me intrometido, mas me sinto mal porque talvez a relação com seu pai não ficasse tão tensa se eu tivesse cuidado da minha própria vida. Então, acho que talvez você deva dar outra chance a ele.

Quando me dei conta de que tinha me esquecido de te pedir para fazer esta coisinha, valeu a passagem de 400 dólares que tive de comprar. Então, não me deixe na mão, está bem? Ligue para ele amanhã. Por mim.

Ano que vem, quero passar todas as horas do dia 9 de novembro com você. Vamos nos encontrar uma hora mais cedo e vou ficar até meia-noite.

Nesse meio-tempo, espero que você ainda consiga ser motivo de riso.

Ben

Leio o bilhete novamente antes de dobrá-lo. Fico feliz por ele não estar mais no avião, porque meu sorriso é constrangedor.

Não acredito que ele fez isso. E não acredito que vou aceitar e ligar para o meu pai amanhã simplesmente porque Ben me pediu.

Porém, ainda mais do que isso, estou em choque por ele ter gastado tanto dinheiro com uma passagem só para me entregar esta carta. Parece mais um gesto grandioso do que um momento irrelevante. E estou adorando tanto isso, talvez até mais do que as coisas irrelevantes que ele faz.

Talvez eu não saiba nada sobre estar apaixonada, porque estive dizendo a mim mesma que não estou apaixonada por ele. Que é cedo demais.

Mas não é. O que está acontecendo com meu coração neste exato momento é relevante demais para ser negado. Acho que estive julgando mal todo o conceito de amor instantâneo. Eu queria muito saber como podemos terminar esses próximos anos com um final feliz.

Terceiro
9 de novembro

Ela "me amou" entre aspas
Ela me beijou em negrito
TENTEI SEGURÁ-LA em maiúsculas
Ela saiu com uma elipse...

— Benton James Kessler

Fallon

Trouxe um caderno para o restaurante.

É um pouco constrangedor, mas tanta coisa aconteceu esse ano que comecei a fazer anotações em janeiro. Também sou maníaca por organização, então, neste aspecto, Ben tem sorte. Não vai ter que pesquisar muito a meu respeito, porque está tudo aqui. Todos os quatro caras com quem saí, todos os testes de elenco dos quais participei, o fato de que voltei a falar com meu pai, os quatro retornos que recebi de produtores, o único papel (muito pequeno) que consegui em uma peça off-Broadway. E fiquei tão animada com isso que senti mais falta do teatro comunitário do que esperava. Talvez porque eu gostasse de todo mundo pedindo meus conselhos. Agora que consegui um papel pequeno em uma produção um pouco maior, parece diferente. Todos tentam escalar até o topo e atropelam qualquer um para chegar lá. Tem muita gente competitiva no mundo e descobri que não sou uma delas. Mas hoje não vou remoer o que está certo ou errado na minha vida, porque hoje é só sobre Ben e eu.

Tenho nosso dia todo planejado. Depois de tomarmos café da manhã, faremos coisas típicas de turistas. Já moro em Nova York há dois anos e nunca fui ao Empire State Building. Mas é depois do almoço a parte que mais me anima. Passei por um estúdio de arte algumas semanas atrás e notei um folheto para um evento chamado "Vida e morte de Dylan Thomas. Mas principalmente a morte". Ben mencionou Dylan Thomas algumas vezes, então sei que gosta da obra dele. E o fato de que o evento acontece nesse estúdio hoje, justamente hoje, não é tão fascinante quanto o que eu também fiquei sabendo pelo folheto.

Dylan Thomas morreu em Nova York em 1953.

No dia 9 de novembro.

Quais são as chances? Tive de procurar esta informação no Google só para ter certeza de que estava certa. E estava. Não faço ideia se Ben sabe isso sobre Dylan Thomas. Estou torcendo para que não saiba, assim posso ver a expressão dele quando eu contar.

— Você é Fallon?

Ergo a cabeça para a garçonete. É a mesma que me deu refil de Pepsi diet duas vezes. Só que desta vez ela parece prestes a pedir desculpas... e um telefone nas mãos.

Fico decepcionada.

Por favor, que ele esteja atrasado. Por favor, que ele não esteja ligando porque não vem hoje.

Assinto.

— Sou.

Ela empurra o telefone para mim.

— Ele está dizendo que é uma emergência. Pode devolver o telefone quando terminar.

Pego o aparelho das mãos dela e o apoio no meu peito com ambas as mãos. Mas depois rapidamente o afasto, porque tenho medo que ele, do outro lado da linha, consiga ouvir meu coração martelando. Baixo os olhos para o telefone e inspiro devagar.

Nem acredito que estou reagindo desse jeito. Eu nem imaginava o tamanho da minha expectativa para o dia de hoje até a ameaça de que talvez seja tirado de mim. Levo lentamente o telefone à orelha. Fecho os olhos e digo baixinho:

— Alô? — No mesmo instante reconheço o suspiro que vem do outro lado. É loucura que eu sequer precise ouvir a voz dele para reconhecê-lo. Ele está incrustado em minha mente nesse nível. Até o som da sua respiração é familiar para mim.

— Oi — diz ele.

Não é o cumprimento desesperado que eu queria ouvir. Preciso que ele passe a impressão de estar em pânico por causa do atraso. Como se ele estivesse acabando de sair do avião e morrendo de medo de que eu fosse embora antes de ele ter a oportunidade de chegar aqui. Em vez disso, é um oi preguiçoso. Como se ele estivesse sentado numa cama em algum lugar, relaxado. Não me transmite pânico nenhum.

— Onde você está? — Faço a tão temida pergunta, sabendo que ele está prestes a me responder que está a quase 5 mil quilômetros de Nova York.

— Los Angeles — diz ele.

Fecho os olhos e espero as próximas palavras, mas elas não vêm. Ele não consegue continuar com nenhuma explicação, o que só pode significar que se sente culpado.

Ele conheceu alguém.

— Ah. Tudo bem.

Procuro não transparecer, mas minha tristeza é perceptível.

— Desculpe — diz ele. Ouço a verdade em suas palavras, mas não me reconforta.

— Está tudo bem?

Ele não responde de imediato a minha pergunta. O silêncio aumenta entre nós até que ele respira fundo.

— Fallon — diz ele, a voz falhando ao pronunciar meu nome. — Nem mesmo sei como contar isso gentilmente, mas... Sabe meu irmão? Kyle? Ele... hum... sofreu um acidente dois dias atrás.

Tapo a boca com a mão enquanto as palavras dele chegam até mim.

— Ah, não. Ele está bem?

Mais silêncio, depois um "não" fraco.

A palavra sai tão baixa que é como se nem mesmo Ben acreditasse.

— Ele... hum... não resistiu, Fallon.

Sou incapaz de responder. Não sei o que dizer. Não tenho nada de útil para falar. Não conheço Ben o bastante para saber como consolá-lo por telefone e não conheci Kyle o suficiente para expressar minha tristeza por sua morte. Vários segundos se passam, até Ben voltar a falar:

— Eu teria ligado antes, mas... sabe como é. Não fazia ideia de como entrar em contato com você.

Balanço a cabeça como se ele pudesse me ver.

— Pare com isso. Está tudo bem. Sinto muito, Ben.

— É — diz ele, triste. — Eu também.

Quero perguntar se há algo que eu possa fazer, mas sei que ele deve estar cansado de ouvir isso. Mais silêncio toma a linha e sinto raiva de mim mesma por não saber reagir. É simplesmente tão inesperado, nunca vivi nada parecido com o que ele deve estar passando, então sequer tento fingir empatia.

— Isso está me matando — diz ele, sua voz saindo um sussurro apressado. — Mas vou ver você ano que vem. Prometo.

Fecho os olhos com força. Ouço a mágoa vindo do lado dele da conversa, o que me faz sofrer por ele.

— Mesma hora no ano que vem? — pergunta ele. — No mesmo lugar?

— Claro. — Tento falar antes de começar a chorar. Antes de dizer a ele que não posso esperar mais um ano.

— Tudo bem — diz ele. — Preciso ir. Desculpe mesmo.

— Vou ficar bem. Por favor, não se sinta mal... Eu entendo.

O silêncio se estende entre nós, até que, por fim, ele suspira.

— Tchau, Fallon.

A linha fica muda antes que eu possa falar outra vez. Olho para o telefone e as lágrimas borram minha visão.

Estou de coração partido. Esmagado.

E eu sou uma idiota, porque por mais que eu queira me convencer de que estou chorando pela perda do irmão de Ben, isso não é verdade. Estou chorando por motivos totalmente egoístas, e reconhecer que sou um ser humano tão ridículo me faz chorar ainda mais.

Ben

Estou agarrando o celular com a mão numa tentativa de não jogá-lo na porta do quarto. Eu tinha esperanças de que a garçonete me dissesse que ela não estava lá. Torcia para que ela não aparecesse, assim eu não teria que decepcioná-la. Preferia que ela tivesse conhecido outra pessoa, se apaixonado e se esquecido de mim em vez de ser responsável pela decepção que acabei de ouvir em sua voz.

Rolo com o ombro para ficar de costas e deixo a cabeça tombar na porta. Olho para o teto e contenho as lágrimas que venho tentando controlar desde que soube do acidente de Kyle.

Ainda não chorei. Nenhuma vez.

Que bem eu teria feito a Jordyn se estivesse acabado quando desse a notícia de que o marido dela morreu num acidente perto do aniversário de um ano de casado deles? Três meses antes do nascimento do primeiro filho dos dois? E que bem eu faria a Ian se estivesse acabado e balbuciasse ao telefone quando tive de contar a ele que seu irmão mais novo estava morto? Eu sabia que ele teria de tomar providências para vir diretamente para casa depois que desligasse o telefone, então era necessário que ele soubesse que eu estava bem. Eu tinha as coisas sob controle por aqui e ele não precisava correr.

O mais perto que cheguei de chorar foi exatamente agora, ao telefone com Fallon. Por algum motivo, foi mais difícil contar a notícia para ela do que para os outros. E acho que foi porque eu sabia que a morte de Kyle não era o tema central de nossa conversa. Era o fato não dito de que nós dois esperávamos por esse momento desde o dia que tivemos de nos separar um ano atrás.

E por mais que eu quisesse tranquilizá-la de que estarei lá ano que vem, agora só quero me ajoelhar e implorar para Fallon vir para cá. Hoje. Nunca precisei abraçar alguém mais do que neste momento, e eu daria qualquer coisa para que ela estivesse aqui comigo. Para poder aproximar o rosto de seu cabelo e sentir seus braços envolvendo minha cintura, suas mãos em minhas costas. Não existe uma única coisa neste mundo capaz de me reconfortar como Fallon, mas eu não disse isso a ela. Não consegui. Talvez devesse, mas pedir para ela vir me encontrar de última hora é mais do que eu poderia fazer.

A campainha toca e fico atento, controlando o remorso que sinto por causa do telefonema que tive de dar. Jogo o celular na cama e desço a escada.

Ian está abrindo a porta quando chego ao último degrau. Tate entra e seus braços tocam o pescoço dele. Não estou surpreso por vê-la com Miles aqui. Miles e Ian são melhores amigos desde que eu nasci, então fico feliz por meu irmão ter Miles. Isso me joga num poço um pouco mais fundo de autopiedade, ao saber que seus melhores amigos estão aqui com ele e a única pessoa que quero está a quase 5 mil quilômetros de distância de mim.

Tate solta Ian e me abraça. Miles entra e abraça Ian, mas não diz nada. Tate se vira e tenta pegar uma das bolsas na mão de Ian, mas ele puxa para longe dela.

— Não — diz ele, os olhos se fixando na barriga de Tate. — Vou levar todas as nossas coisas para o quarto. Vá à cozinha e prepare alguma coisa para você comer, porque ainda nem tomou café da manhã.

Ian fecha a porta e olha para Tate.

— Ele ainda não deixa você pegar nada pesado?

Ela revira os olhos.

— Nunca achei que eu ficaria cansada de ser tratada como uma princesa, mas estou *de saco cheio* disso. Estou louca para que a neném nasça e a atenção dele se concentre nela e não em mim.

Miles sorri para ela.

— Isso não vai acontecer. Terei atenção mais do que suficiente para as duas.

Miles me cumprimenta com um gesto de cabeça ao passar por mim, seguindo para o quarto de hóspedes.

Tate me encara.

— Há algo que eu possa fazer? Por favor, me coloque para trabalhar. Preciso me sentir útil, para variar.

Gesticulo para ela me acompanhar à cozinha. Tate para quando vê a bancada.

— Puta merda.

— Pois é — digo, olhando toda aquela comida.

Faz dois dias que as pessoas vêm deixando ensopados. Kyle trabalhava em uma empresa de software que tinha cerca de duzentos funcionários e o prédio fica a apenas 11 quilômetros da nossa casa. Tenho certeza de que mais da metade deles trouxe comida nos últimos dois dias.

— Já enchemos a geladeira, além da que fica na garagem. Mas me sinto mal de jogar essas coisas fora.

Tate arregaça as mangas e passa apressada por mim.

— Não tenho escrúpulos de jogar fora um ensopado em perfeito estado. — Ela abre um dos recipientes, cheira e faz uma careta. Logo em seguida o fecha. — Sem dúvida não é para guardar isto — diz ela, jogando toda a comida na lixeira.

Fico parado na cozinha observando, percebendo pela primeira vez que ela parece prestes a dar à luz junto com Jordyn. Talvez um pouco antes.

— Quando vai nascer?

— Daqui a nove semanas — responde ela. — Duas semanas antes de Jordyn. — Ela me olha, abrindo a tampa de outro pote. — Como ela está?

Pego um banco do balcão, suspirando enquanto me sento.

— Nada bem. Não consigo convencê-la a comer nada. Ela nem sai do quarto.

— Está dormindo?

— Espero que sim. A mãe dela veio de avião na noite passada, mas Jordyn não quer falar com ela também. Eu tinha esperança de que a mãe pudesse ajudar.

Tate assente, mas noto que ela enxuga uma lágrima quando se vira.

— Nem imagino o que ela está passando — sussurra.

Eu também não. E nem quero tentar. Muita coisa precisa ser feita antes do enterro de Kyle para que eu vá parar no inferno que espera por Jordyn e seu filho.

Vou até o quarto de Ian e bato na porta. Quando entro, ele está vestindo outra camiseta. Seus olhos estão vermelhos e ele os enxuga rapidamente, se abaixando para calçar os sapatos. Finjo que não notei que ele estava chorando.

— Está pronto? — pergunto.

Ele concorda com a cabeça e me acompanha porta afora. Ele está reagindo muito mal a tudo isso, como deve ser. Mas é só mais um motivo para que eu não deixe nada me afetar. Ainda não. Porque neste momento sou o único que está segurando a todos nós.

Alguns dias atrás, eu achava que estaria passando o dia de hoje com Fallon em Nova York. Nunca imaginei que o passaria em uma funerária, escolhendo o caixão para a única pessoa no mundo que me conhecia melhor do que qualquer outra.

• • •

— O que você planeja fazer com a casa? — pergunta meu tio.

Ele pega uma cerveja na geladeira. Assim que fecha a porta, abre de volta e pega um pote de comida. Abre a tampa e sente o cheiro, depois dá de ombros e pega um garfo em uma gaveta próxima.

— O que quer dizer? — questiono, justo quando ele coloca uma porção de macarrão apimentado na boca.

Ele gesticula para o cômodo com o garfo.

— A casa — diz de boca cheia. Ele engole e enfia o garfo na comida de novo. — Tenho certeza de que Jordyn vai voltar para Nevada com a mãe. Você vai ficar aqui sozinho?

Eu não tinha pensado sobre isso, mas ele tem razão. É uma casa grande e duvido que eu queira ficar aqui sozinho. Mas a ideia de vendê-la me apavora. Moro nesta casa desde os 14 anos. Sei que minha mãe morreu, mas ela nunca ia querer que vendêssemos a casa. Ela mesma dizia isso.

— Não sei. Não parei para pensar nisso.

Ele abre a cerveja.

— Bom, se pretende vender, me deixe anunciar. Posso conseguir um ótimo preço.

Minha tia fala às minhas costas.

— Sério, Anthony? Não acha que é um pouco cedo demais? — Ela olha para mim. — Desculpe, Ben. Seu tio é um idiota.

Agora que ela falou isso, acho que é de mau gosto discutir a questão comigo dez minutos depois de eles terem chegado aqui.

Perdi a conta de quem está na minha casa agora. São quase sete da noite e pelo menos cinco primos passaram por aqui. Dois casais de tios e tias nos trouxeram comida e Ian e Miles estão na varanda dos fundos. Tate continua limpando a casa, apesar das súplicas desesperadas de Miles para que ela descanse. E Jordyn... Bom, ela ainda não saiu do quarto.

— Ben, venha cá! — grita Ian do lado de fora.

Escapo feliz da conversa com meu tio e abro a porta de tela. Ian e Miles estão sentados na escada da varanda, observando o quintal.

— O que foi?

Ian se vira.

— Você entrou em contato com o antigo trabalho dele? Eu nem pensei nisso.

Confirmo com a cabeça.

— Sim, liguei para eles ontem.

— E aquele amigo ruivo dele?

— O que foi ao casamento?

— É.

— Ele sabe. Todo mundo sabe, Ian. O nome disso é Facebook.

Ele assente e vira as costas de novo. Quase nunca está aqui por causa do seu horário de trabalho, então acho que aparecer e não saber o que pode fazer para ajudar aumenta sua sensação de inutilidade. Mas ele não é inútil. O simples fato de que me permite ficar preocupado com todo o trabalho está realmente ajudando um pouco. Ainda mais depois que eu não consegui ver Fallon hoje, como pretendia.

Fecho a porta dos fundos e esbarro em Tate.

— Desculpe — diz ela, dando um passo para o lado. — Acho que convenci Jordyn a finalmente comer alguma coisa.

Ela vai depressa até a geladeira e lança a meu tio um olhar bravo ao vê-lo enfiar o garfo em cada um dos potes de comida.

— Pare de encher a pança e vamos — diz minha tia a ele. — Temos que jantar com Claudia e Bill.

Eles me dão um abraço de despedida e dizem que vão me encontrar no enterro. Quando minha tia não está olhando, o tio Anthony me entrega seu cartão de corretor de imóveis. Assim que fecho a porta depois que eles saem, me recosto nela e solto o ar.

Acho que ter de interagir com todas as visitas é a pior parte dessa história de parente morto. Não me lembro de as visitas terem sido tão frequentes quando minha mãe morreu sete anos atrás, mas Kyle estava vivo para fazer o papel que estou desempenhando agora. Fiquei enfiado no quarto, como Jordyn está agora, me escondendo de todo mundo. Imaginar Kyle cuidando das coisas quando ele era tão novo me enche de culpa. Ele deve ter sofrido com a morte dela tanto quanto eu, mas precisei que ele cuidasse das coisas porque não conseguia fazer nada a não ser desmoronar.

Passo as mãos pelo rosto, querendo que tudo termine logo. Quero que o dia chegue ao fim para que eu possa enfrentar o dia de amanhã e depois o enterro chegará e acabará. Só quero que as coisas se acalmem. Mas tenho medo de como vou me sentir quando a poeira finalmente tiver a chance de baixar.

Dou um pontapé na porta ao sair e sigo para a cozinha, então a campainha toca. *De novo.* Resmungo, enquanto Tate passa por mim com um prato de comida.

— Eu atenderia, mas...

Ela olha para o prato e a bebida nas mãos.

— Se for para conseguir fazer com que ela coma alguma coisa, posso entreter as 10 milhões de visitas.

Tate concorda com a cabeça, solidária, voltando para o quarto de Jordyn.

Abro a porta.

Pisco duas vezes para ter certeza de que realmente a estou vendo.

Fallon me olha e não digo nada de imediato. Tenho medo de que se eu falar, a miragem desapareça.

— Eu teria ligado antes — começa ela, parecendo nervosa. — Eu não sabia seu número. Mas eu só... — Ela solta o ar depressa. — Só queria saber se você estava bem.

Abro a boca para falar, mas ela ergue a mão e me impede.

— Acabei de mentir para você, desculpe. Não estou aqui para saber se você está bem. Sei que não está. Simplesmente não consegui fazer nada depois que você desligou. A ideia de não ver você hoje e ter que esperar mais um ano acabou comigo e...

Dou um passo à frente e uso minha boca para que ela se cale.

Ela suspira em meus lábios e me abraça, entrelaçando as mãos em minhas costas. Beijo-a intensamente, incapaz de acreditar que ela está mesmo comigo. Que seguiu direto para o aeroporto depois de falar comigo hoje e gastou dinheiro em uma passagem para vir de avião a Los Angeles só para me ver.

Continuo beijando Fallon enquanto a puxo para dentro de casa. Meu braço está em sua cintura, segurando-a perto de mim, com medo de que ela desapareça se eu soltar.

— Preciso...

Ela tenta falar, mas é impedida por minha boca que pressiona a sua. Ela abre a porta e tenta se afastar de mim. Eu a solto apenas o suficiente para que ela consiga dizer o que está tentando.

— Preciso dizer ao motorista que ele pode ir. Eu não sabia se você ia me querer aqui.

Dou a volta por ela e abro a porta completamente. Aceno para o motorista se afastar, fecho a porta e seguro sua mão.

Eu a puxo pela escada, para o meu quarto.

Para longe de todas as pessoas do mundo, que não quero ver agora.

Ela é a única que eu queria que estivesse comigo hoje e está aqui. Só por mim. Porque sentiu minha falta.

Se Fallon não tomar cuidado, posso me apaixonar por ela.

Esta noite.

Fallon

Ele fecha a porta do quarto depois que entramos e me puxa para um longo abraço.

Tive dúvidas sobre minha decisão de vir aqui hoje desde o minuto em que comprei a passagem. Quase dei meia-volta umas cem vezes. Achei que ele não fosse querer me ver com tudo o que está acontecendo em sua vida. Achei que talvez ele estivesse zangado por ter dito que me veria no ano que vem, mas, de qualquer modo, apareci sem avisar.

Jamais previ ver o alívio tomar seu rosto quando ele abrisse a porta. Jamais previ que ele me beijaria como se sentisse minha falta tanto quanto sinto a dele. Jamais pensei que ele ficaria parado e me abraçaria por todo aquele tempo. Ele ainda não me disse uma só palavra, mas seus atos exprimiram um milhão de agradecimentos.

Fecho os olhos e mantenho a cabeça encostada em seu peito. Uma das mãos dele envolve minha nuca e a outra está firme em minhas costas. Posso ficar de pé aqui a noite toda. Se só fizermos isso — se ele nunca mais falar uma só palavra — a viagem já terá valido a pena.

Fico me perguntando se ele sente o mesmo. Será que pensar em mim consome todo o seu dia, como sou consumida por pensamentos sobre ele? Será que tudo que ele faz e todo lugar para onde vai, ele queria estar dividindo comigo? Ele beija o topo da minha cabeça e toca minhas bochechas, virando meu rosto para o dele.

— Nem acredito que você está aqui.

Em sua expressão, vejo um sorriso surgir contrastando com a devastação que ele sente. Não falo nada, porque ainda não sei o que dizer. Só passo a mão na lateral do seu rosto e roço o polegar em seus lábios.

Eu não devia ficar surpresa por ele estar ainda mais atraente este ano do que no ano passado. Agora ele virou um homem de vez. Sumiram as características de menino que eu ainda consegui vislumbrar da última vez que o vi.

— Como está lidando com isso?

Continuo acariciando seu rosto, e ele, o meu, mas não me responde. Em vez disso, cola os lábios aos meus e me faz andar de costas, nos afastando da porta. Gentilmente, me coloca na cama, me ajeitando para que eu fique deitada em seu travesseiro. Interrompe nosso beijo e desliza por cima de mim. Ben não se deita ao meu lado. Em vez disso, coloca a cabeça em meu peito e ouve meu coração bater enquanto deixa os braços em volta de mim. Ergo a mão e acaricio seu cabelo, descrevendo movimentos longos e lentos.

Ficamos deitados em silêncio por tanto tempo que começo a me perguntar se ele dormiu. Porém, depois de alguns minutos, ele me aperta com mais desespero. Ele vira o rosto até estar totalmente enterrado na minha blusa e seus ombros se sacodem quando ele começa a chorar.

Tenho a impressão de que meu coração explode em milhões de lágrimas mínimas e quero me enroscar nele, enquanto chora. Mas seu choro é tão silencioso que não sei se ele quer que eu note. Ele só precisa que eu o deixe chorar e é exatamente o que faço.

• • •

Cinco minutos se passam até ele se recompor, mas leva meia hora até que finalmente se afasta de mim. Ele se ergue do meu peito, deitando-se ao meu lado no travesseiro. Rolo para ficar de frente para ele. Seus olhos ainda estão vermelhos, mas ele parou de chorar. Ben leva a mão ao meu rosto e afasta uma mecha de cabelo, me olhando com apreço.

— Como foi que aconteceu? — pergunto.

A tristeza retorna aos seus olhos no mesmo instante, mas ele não hesita ao responder.

— Ele estava voltando do trabalho quando o carro saiu da estrada — conta ele. — Um lapso de atenção. Três segundos e ele bateu na merda de uma árvore. Ele e Jordyn iam sair de férias naquela noite e sei que ele estava mandando uma mensagem quando aconteceu, pelo que a polícia me disse. Mas estou torcendo para que ela ainda não tenha deduzido isso. Espero que nunca deduza.

Em silêncio, passo os dedos por sua mão.

— Ela está grávida — acrescenta ele.

Meus dedos cessam os movimentos e eu suspiro.

— Eu sei — diz ele. — É um tremendo azar. Eles iam comemorar o aniversário de casamento neste fim de semana.

Eu não tinha pensado nisso, mas, assim que ele fala, penso em Jordyn no ano passado e no frenesi em que ela estava, se preparando para seu casamento com Kyle. E, agora, apenas um ano depois, ela tem que se preparar para o enterro do marido.

— Isso é muito triste. Para quando é o bebê?

— Deve nascer em fevereiro.

Tento me colocar no lugar dela. Tenho quase certeza de que ela tem 24 anos. Nem consigo vislumbrar ser tão nova assim e perder o marido meses antes do nascimento do primeiro filho. É inimaginável.

— Quando você volta para Nova York? — pergunta ele.

— Amanhã de manhã. Posso passar a noite na casa da minha mãe, se for necessário. Preciso acordar muito cedo.

Ele aproxima a boca da minha.

— Você não vai dormir em lugar nenhum que não seja esta cama.

Uma batida alta impede que seus lábios me toquem e sua atenção é desviada para a porta, que se abre e Ian entra, olha para mim e só depois se toca.

Ele aponta para mim, mas está olhando para Ben.

— Tem uma garota na sua cama.

Nós dois nos sentamos. Quando fazemos isso, Ian inclina a cabeça para o lado, estreitando os olhos na minha direção.

— Espere aí. Já conheci você. Fallon, né?

Não vou mentir: é bom saber que o irmão dele se lembra de mim. Não que meu rosto seja facilmente esquecido pelas pessoas. Mas ele não precisava se lembrar do meu nome e lembrou, então isto só pode significar que não aparecem garotas na cama de Ben com muita frequência.

— É uma gentileza sua ter vindo — diz Ian. — Está com fome? Vim avisar a Ben que o jantar está na mesa.

Ben geme ao sair da cama.

— Deixe-me adivinhar. Ensopado?

Ian nega com a cabeça.

— Tate estava com desejo de comer pizza, então pedimos uma.

— Graças a Deus. — Ben me puxa. — Vamos comer.

Ben

— Deixe ver se entendi direito — diz Miles, olhando para mim e para Fallon do outro lado da mesa. — Vocês bloquearam um ao outro nas redes sociais. Não têm o número do telefone do outro, então não têm contato nenhum. Mas se encontram uma vez por ano desde que tinham 18 anos?

— Muito doido, né? — diz Fallon, colocando o copo na mesa.

— Parece um pouco *Sintonia de amor* — comenta Tate.

Balanço a cabeça no mesmo instante.

— Não é nada assim. Eles só concordaram em se encontrar uma vez.

— É verdade. Então parece *Um dia*. Aquele filme com a Anne Hathaway.

Mais uma vez desprezo sua comparação.

— Esse filme se concentra só em um determinado dia todo ano, mas as duas pessoas ainda interagem normalmente durante o ano. Fallon e eu não temos contato nenhum.

Não sei por que estou tão na defensiva. Acho que os escritores naturalmente ficam na defensiva quando suas ideias são comparadas com as de outras pessoas, mesmo que façam isso com inocência. Mas minha história com Fallon é única e me sinto protetor com ela. Na verdade, *muito* protetor.

— Quando vocês vão parar? Ou pretendem fazer isso pelo resto da vida?

Fallon me olha e sorri.

— Vamos parar quando tivermos 23 anos.

— Por que 23? — pergunta Ian.

Fallon responde às próximas perguntas que são disparadas a nós, então aproveito a oportunidade para pedir licença da conversa e encher meu copo. Eu me apoio na bancada e, da cozinha, observo todo mundo interagindo.

Estou feliz que ela esteja aqui. Sinto que a presença dela atenua de algum modo a tristeza de todos. Ela não tinha nenhuma ligação com Kyle, então ninguém se sente na obrigação de pisar em ovos com ela. Fallon parece o sopro de ar fresco que todos nós precisávamos esta semana. Sei que já agradeci a ela por ter vindo hoje, mas um dia direi exatamente o quanto a presença dela significa para mim.

Sentada na cadeira, ela me olha, e ao notar meu sorriso discreto, pede licença da mesa e entra na cozinha.

Todo o meu corpo relaxa quando seus braços envolvem minha cintura. Ela beija meu braço, depois reprime um bocejo.

— Cansada?

Ela me olha e assente.

— Sim. Ainda estou no horário de Nova York e lá já passa da meia-noite. Posso usar seu chuveiro antes de irmos para a cama?

Levo meu dedo à sua boca.

— Tem uma coisa no seu dente.

Ela mostra os dentes e limpo o que parece ser um pedaço de pimenta.

— Saiu — digo, dando um selinho nela. — E, sim, pode usar meu chuveiro. Me diga se precisar de ajuda.

Dou uma piscadela, justo quando Ian se encosta na bancada ao nosso lado, estreitando os olhos para mim.

— Você acabou de tirar alguma coisa dos dentes dela?

Não digo nada porque não sei o que ele pretende fazer com a minha resposta.

— Estou falando sério — insiste ele, olhando agora para Fallon. — Ele acabou de tirar alguma coisa dos seus dentes?

Ela assente, hesitante.

Ian sorri com malícia.

— Uau. Meu irmão está apaixonado por você.

Sinto Fallon ficar paralisada perto de mim.

— Não tem nada de constrangedor nisso — digo com sarcasmo.

Ian balança a cabeça com um sorriso irônico.

— Não é constrangedor, Ben. É fofo. Você está apaixonado.

— Pare — peço a ele.

Ian dá uma gargalhada tranquila e, pela primeira vez, não me importo com as implicâncias dele. É o melhor clima desta casa em dois dias.

— As pessoas não fazem coisas nojentas assim quando não estão apaixonadas — diz Tate da mesa. — É um fato comprovado. Está na internet ou sei lá onde.

Agarro a mão de Fallon e a puxo para fora da cozinha, para longe da provocação.

— Boa noite, gente. Fallon tem outras questões de higiene urgentes em que preciso ajudar.

Escuto eles rirem enquanto saímos da cozinha e subimos a escada juntos.

Para o meu quarto.

Onde vamos passar a noite.

Juntos.

Na minha cama.

É complicado saber que não a verei por mais um ano, então não faço ideia de até que ponto ela está disposta a ir. Acho que tudo vai depender de até onde ela foi com os caras no passado.

É claro que não quero pensar nela com mais ninguém, mas este é o sentido de encontrá-la todo ano. Quero ter certeza de que ela está levando a vida como uma garota de sua idade deve fazer e isto significa ter vivência com pessoas diferentes. Mas toda noite fecho os olhos e, de forma egoísta, rezo para que ela esteja dormindo sozinha na cama.

Quero perguntar a ela sobre isso, mas não sei como abordar o assunto.

Abro a porta do quarto e entro depois dela. Desta vez, entrar em meu quarto com ela é diferente. Quase parece que existem expectativas que devem ser cumpridas antes de sairmos daqui de manhã. Conversas que precisam acontecer. Corpos que precisam se tocar. Mentes que precisam dormir. E não há tempo suficiente para tudo isso antes que ela me deixe mais uma vez por outro ano.

Tranco a porta. Ela está de frente para a cama enquanto faz um coque no cabelo, prendendo com um elástico que carregou no pulso o dia todo. Fico um tempo admirando a perfeição da curva entre seu pescoço e o ombro. Dou um passo à frente e deslizo os braços por sua cintura para encostar a boca naquele local exato. Dou-lhe um banho de beijos suaves do ombro à orelha, voltando para onde comecei. Afasto com beijos os arrepios pelos quais sou responsável. Ela faz um ruído baixo, algo entre um suspiro e um gemido.

— Vou deixar você tomar banho — digo a ela sem soltá-la. — As toalhas estão embaixo da pia.

Ela aperta minhas mãos, que envolvem sua cintura, depois se afasta de mim. Em vez de ir para o banheiro, ela segue para o meu closet.

— Posso dormir com uma camisa sua? — pergunta ela.

Olho para o closet, depois para ela. Meu manuscrito está ali, na prateleira. Pelo menos, o que eu escrevi. A essa altura, a última coisa que quero é que ela leia qualquer palavra que seja. Seguro as costas da camiseta que estou usando e a retiro pela cabeça.

— Tome — digo, entregando a ela. — Use esta.

Ela pega a camiseta das minhas mãos, mas assim que ergue os olhos, para a meio passo. Engole em seco, olhando fixamente para minha barriga.

— Ben?

— Oi?

Ela aponta para minha barriga.

— Você faz abdominal?

Rio e olho para o meu abdome. Ela disse isso como se fosse uma pergunta, então dou a resposta óbvia.

— Hmm... É? Acho que sim.

Ela tapa a boca com a minha camiseta, escondendo seu sorriso.

— Caramba — diz ela, as palavras abafadas pela camiseta. — Gostei.

Então ela corre para o banheiro e fecha a porta.

Fallon

Tive o cuidado de trancar a porta antes de entrar no banho. Não é que eu não queira tomar banho com ele, mas não ainda. Para mim, tomar banho com alguém tem o mais alto registro na minha escala para a potencial humilhação entre a maioria das coisas, inclusive o sexo. Pelo menos durante o sexo poderei me esconder debaixo das cobertas no escuro.

Sexo.

Penso nesta palavra. Até a enrolo na língua enquanto enxaguo o condicionador do cabelo.

— Sexo — digo baixinho. É uma palavra tão estranha...

Quanto mais velha, mais apreensiva fico ao pensar em perder a virgindade. Por um lado, estou pronta para entender do que se trata todo esse estardalhaço. Deve ser ótimo, ou não teria uma importância tão grande na vida de toda a humanidade. Mas isso também me assusta, porque se eu acabar *não* gostando, ficarei um pouco decepcionada com toda a humanidade. Porque isso parece estar na raiz de muitos males, então, se for medíocre e eu não quiser mais de imediato, vou me sentir enganada pelo mundo inteiro.

Talvez eu esteja sendo um pouco melodramática, mas tanto faz. Estou nervosa demais para sair do banho, por mais que já tenha enxaguado o condicionador vários minutos atrás. Não faço ideia de quais são as expectativas de Ben para esta noite. Se ele quiser dormir, eu entenderia perfeitamente. Ele foi ao inferno e voltou esta semana. Mas se quiser fazer alguma coisa *além* de dormir, eu estarei, sem a menor sombra de dúvida, disposta a participar.

Depois de me enxugar, visto a camiseta dele. Eu me olho no espelho e admiro como a roupa cai em meus ombros. Nunca usei uma camiseta de um homem e sempre me perguntei se ficaria tão bom quanto eu imaginava.

Fica.

Tiro a toalha da cabeça e passo os dedos pelo cabelo algumas vezes. Pego a pasta de dentes de Ben, passo no dedo e esfrego na minha boca por um minuto. Quando termino, respiro fundo, para me acalmar, depois apago luz e abro a porta.

O abajur dele está aceso e ele está deitado na cama, com o corpo virado para o meio e as mãos apoiadas na nuca. Ele chutou as cobertas para o chão e está usando apenas meias e uma cueca boxer. Fico ali parada e o admiro por um instante, porque ele está com os olhos fechados. Talvez esteja mesmo dormindo, mas isso não me decepciona nem um pouco. Esta noite é para ele e só para ele, porque sei que está sofrendo. Quero ajudá-lo enquanto estiver aqui e, portanto, se ele precisar dormir, farei o que puder para garantir que tenha a melhor noite de sono da vida.

Vou até o abajur e o apago, depois pego as cobertas do chão. Eu me sento delicadamente na cama e cubro a nós dois enquanto me deito a seu lado, com as costas em seu peito. Tento não acordá-lo ao ajeitar meu travesseiro.

— Merda.

Rolo ao ouvir sua voz. Está escuro no quarto, então não sei dizer se ele fala dormindo ou se está acordado.

— O que foi? — sussurro.

Sinto um braço envolver minha cintura e ele me puxa para mais perto.

— Deixei a luz acesa para poder ver você saindo do banheiro com a minha camiseta, mas você demora muito no banho. Acho que dormi.

Sorrio.

— Ainda estou vestindo. Quer que eu acenda o abajur?

— Porra, sim, por favor.

Rio e rolo até o abajur. Acendo e fico de frente para ele. Seus olhos se fixam, entretanto, de algum modo, englobam todo o meu corpo.

— Fique de pé — pede ele, se apoiando no cotovelo.

Eu me levanto e seus olhos nunca encontram os meus. Estão percorrendo minhas coxas, quadris, os seios. Não me importo que ele não esteja olhando para o meu rosto. Não me importo com nada.

A bainha da camiseta dele bate alguns centímetros acima dos meus joelhos. É comprida o bastante para que ele não saiba que estou sem calcinha. Também é curta o bastante para que ele provavelmente esteja *rezando* para que eu não esteja de calcinha.

Seus olhos se voltam para as minhas pernas e ele fala devagar, como se recitasse poesia.

— "O único mar que vi foi o mar que ia e vinha, cavalgado por você. Deite-se, deite-se tranquila. Quero em suas coxas naufragar." — Seus olhos sobem pelo meu corpo até encontrarem os meus. — Dylan Thomas — diz ele.

Solto o ar lentamente.

— Uau. Pornô poético. Quem diria?

Ben sorri para mim com indolência. Ergue um dedo e aponta para mim.

— Gostaria da minha camiseta de volta.

— Agora?

Ele assente.

— Agora mesmo. Antes que você apague a luz. Tire, é minha.

Rio de nervosismo e estendo a mão para o abajur. Antes que eu consiga apagar a luz, ele dá um pulo, passa pelo colchão e pula bem na minha frente. Seus olhos estão brincalhões, mas um pouco severos ao mesmo tempo. Ele segura a bainha da camiseta e a puxa para cima sem hesitar, arrancando-a por minha cabeça. Joga em algum lugar a suas costas e fico imóvel diante dele, totalmente exposta. Os olhos de Ben leem cada curva do meu corpo antes de ele soltar um suspiro trêmulo.

— Puta merda — murmura.

Não consigo me lembrar de nem uma só vez, mesmo antes do incêndio, em que me senti tão bonita assim. Ele está me absorvendo como se fosse um privilégio e não um favor. E quando ele se inclina para a frente e segura meu rosto nas mãos, abro os lábios e espero por seu beijo, porque nunca o desejei tanto quanto agora.

Os lábios dele estão úmidos, e Ben me beija com direito de posse. Sua língua é áspera e sem vergonha, e eu adoro. Adoro me sentir necessária desse jeito. Percebo, enquanto os dedos dele descem lentamente por minha coluna, que a angústia não precisa estar presente para um beijo valer nota 10, afinal. Porque não há angústia em lugar nenhum deste beijo e já é um 9.

Ele me puxa repentinamente para si, meu peito nu encostando no dele. *Tudo bem, agora é um 10.*

Ele nos vira e me coloca na cama, mas não se deita por cima de mim. Ajeita a nós dois e ficamos lado a lado, minha cabeça em um travesseiro e sua boca ainda na minha. Ruídos baixos e cheios de desejo começam a escapar da minha boca, cada um deles um resultado direto do que este beijo provoca dentro de mim.

Sequer me importo que a luz ainda esteja acesa. Se isto significa que ele vai ficar me olhando de novo como olhou antes desse beijo, vou deixar que acenda *todas* as luzes. Até permitiria que ele instalasse lâmpadas fluorescentes.

— Fallon — diz Ben depressa depois de afastar a boca da minha. Abro os olhos e me deparo com ele me olhando de cima. — Nós lemos os mesmos livros. Você conhece as regras. Se quiser que eu pare ou vá mais devagar, é só...

Balanço a cabeça.

— Está perfeito, Ben. Perfeito demais. Vou dizer a você se houver alguma coisa que eu não queira fazer, ou se ficar nervosa. Prometo.

Ele assente, mas ainda assim parece que quer dizer mais alguma coisa. Ou perguntar. Então me lembro de que na realidade nunca tivemos essa conversa.

— Nunca fiz isso, mas não quer dizer que eu não esteja pronta — digo a ele.

Sinto o corpo dele enrijecer um pouco.

— Você é virgem.

Ele diz isto mais como uma percepção do que como uma pergunta.

— Sou, mas só por mais alguns minutos.

Meu comentário lhe faz sorrir, mas depois a preocupação consome sua expressão. Seus olhos logo ficam sérios e seu sorriso se torna uma linha severa. Ele balança suavemente a cabeça.

— Não quero ser o primeiro da sua vida, Fallon. Quero ser o último.

Inspiro em silêncio enquanto absorvo suas palavras. Ele nem mesmo está me beijando e o que ele fala torna este momento nota 12. Toco seu rosto com a ponta dos dedos e sorrio para ele.

— Quero que você seja meu primeiro *e* meu último.

Os olhos de Ben ficam obscuros e ele desliza o corpo sobre o meu, me prendendo com os braços. Sinto que ele endurece e tento não gemer.

— Só pode dizer essas coisas se estiver falando sério, Fallon.

Falei realmente sério. Pela primeira vez, percebo que eu não me importo com os cinco anos. Não me importo que não tenho 23. Só me importo com Ben e como me sinto quando estou com ele, como quero muito mais disso.

— Quero que você seja meu *único* — digo, num tom mais baixo, porém mais decidido.

Ele estremece como se sentisse dor, mas a essa altura sei que isso é uma coisa boa. Muito boa.

Ele toca meus lábios com o polegar.

— Eu *quero* ser seu único, Fallon. Mais do que qualquer coisa. Mas não vai acontecer esta noite a menos que você me prometa que vou poder ouvir sua voz amanhã e a cada dia depois disso.

Concordo com a cabeça, surpresa por estarmos tendo esta conversa. Eu não previa nada disso quando entrei naquele avião esta manhã. Mas sei que está certo. Nunca vou conhecer alguém que me faça sentir como ele me faz. As pessoas não têm essa sorte mais de uma vez numa única vida.

— Prometo.

— É sério — insiste ele. — Quero o número do seu telefone antes de você ir embora de manhã.

Concordo de novo com a cabeça.

— Você vai ter. Eu *quero* que você tenha. E meu e-mail. Até vou comprar uma impressora multifuncional com fax para também poder te dar esse número.

— Amor — diz ele, os lábios formando um sorriso. — Você já tornou este o melhor sexo que já fiz e eu ainda nem penetrei você.

Mordo o lábio ao passar os dedos pelos braços dele, arrastando-os até o pescoço, até pegar seu rosto com as mãos em concha.

— O que você está esperando?

Ele respira asperamente.

— Acordar, acho. — Ele baixa a boca e beija meu pescoço. — Estou sonhando, não é?

Balanço a cabeça, enquanto ele move o quadril na minha direção. Um gemido escapa da minha boca e o beijo gentil em meu pescoço fica mais intenso.

— *Sem dúvida nenhuma* estou sonhando — murmura ele.

Sua boca encontra a base do meu pescoço e ele toca minha pele com a ponta da língua, arrastando-a por meu pescoço até me beijar de novo. É, de longe, a coisa mais sensual que já senti.

Segundos se transformam em minutos. Dedos se transformam em mãos. Provocações se transformam em tortura. Tortura se transforma em um prazer inimaginável.

A cueca de Ben encontrou seu destino no chão. Em uma demonstração insuperável de força de vontade, ele pressiona o corpo no meu, mas ainda não está dentro de mim.

— Fallon — sussurra ele, passando lentamente os lábios nos meus. — Obrigado por este lindo presente.

Assim que as palavras dele tocam minha boca, ele me beija com vontade. Meu corpo inteiro fica tenso com a onda de dor que me invade enquanto ele se empurra para dentro de mim, mas a perfeição de como nos encaixamos torna a dor uma mera inconveniência.

É lindo.

Ele é lindo.

E, de algum modo, com ele olhando desse jeito para mim, até acredito que *eu* sou linda.

Ele aproxima a boca da minha orelha e sussurra.

— Nenhuma combinação de palavras escritas poderia fazer justiça a este momento.

Abro um sorriso entre os gemidos.

— Então, como vai escrever sobre isto?

Ele me beija, com suavidade, no canto da boca.

— Acho que vou deixar a cena subentendida...

• • •

Não sei se o sexo pretende fazer você sentir que acabou de perder uma parte sua para a pessoa que está dentro de você, mas é exatamente o que parece. Parece que no segundo em que nos unimos, uma parte mínima de nossas almas se confundiu e parte da dele caiu em mim, e parte da minha caiu nele. É de longe o momento mais intenso que já compartilhei com alguém.

Sinto um calor subindo pelo meu rosto, como se eu estivesse com vontade de chorar, mas contenho as lágrimas. Simplesmente sei que de jeito nenhum posso dizer adeus a ele depois disso. Isso vai acabar comigo, vai ser muito pior do que no ano passado. Não vou viver mais nenhum dia sem que ele faça parte da minha rotina. Não depois disso.

Seu braço me envolve e, embora tenham se passado vários minutos e Ben já tenha ido ao banheiro e voltado para a cama, continua respirando como se estivesse dentro de mim segundos atrás. Acho que gosto desta parte do sexo. O depois. O silêncio. Ainda se sentir conectado depois da ligação física ter terminado há tempos.

Os lábios de Ben encontram meu ombro — o com a cicatriz — e ele dá o beijo mais suave de todos em minha pele. Tão suave e pensado que parece muito mais do que apenas um beijo. Parece uma promessa e eu daria tudo para ler seus pensamentos agora.

— Fallon — sussurra ele, me puxando mais para o seu lado. — Você sabe todos aqueles romances que me obrigou a ler para a pesquisa?

— Só fiz você ler cinco. Os outros foram por iniciativa sua.

Ele passa o nariz em meu maxilar até seus lábios irem parar na minha orelha.

— Bom — continua ele —, eu estava pensando em algumas das coisas que aqueles caras dizem quando estão com uma garota. As coisas que dissemos que nunca diríamos. Tipo, quando um cara diz para a garota que é dono dela. Sei que já rimos disso, mas... *puta merda.* — Ele se afasta e me mantém atraída com seu olhar intenso. — Nunca quis dizer algo como as coisas que eu queria dizer enquanto estava dentro de você. Precisei me esforçar muito para não falar.

Nunca pensei que uma frase pudesse me fazer gemer, mas esta faz.

— Se você tivesse dito... eu não teria lhe pedido para parar.

Ele roça os lábios por meu rosto até chegar à boca.

— Só vou dizer aquelas coisas quando você realmente *for* minha. — Ele me abraça, me aninhando nele, me implorando algo, mesmo sem dizer nada. Consigo sentir. O desespero. — Fallon. — Suas palavras saem forçadas pela garganta. — Não quero me despedir de você quando acordarmos.

Suas palavras abrem um buraco no meio do meu coração.

— Desta vez você vai ter o número do meu telefone. Pode ligar para mim.

— Todo dia? — pergunta ele, esperançoso.

— Vou ficar brava se não fizer isso.

— Duas vezes por dia?

Rio.

— Posso *ver* você todo dia?

Balanço a cabeça, porque isto não é possível.

— Assim vai ficar meio caro — digo a ele.

— Não se eu morar na mesma cidade que você.

Meu sorriso desaparece no mesmo instante. Não porque isto não seja atraente, mas porque não é um comentário inocente. As pessoas não podem ameaçar se mudar para o outro lado do país por alguém se realmente não pretendem fazer isso.

Engulo o nó na garganta.

— O que você está dizendo, Ben?

Ele rola de lado de novo e apoia a cabeça na mão.

— Estou pensando em vender a casa, se Ian concordar. Segundo a mãe de Jordyn, ela vai voltar para sua antiga casa. Kyle morreu. Ian nunca está aqui mesmo. A única pessoa que quero por perto mora em Nova York. Fico me perguntando o que ela pensaria se eu me mudasse para lá.

Nem acredito que estamos tendo esta conversa. Por mais que eu saiba que precisamos conversar sobre isso sem o tumulto do sexo interferindo em nosso raciocínio, não consigo pensar em nada que eu queira mais do que vê-lo todo dia. Que ele faça parte da minha vida.

A não ser por um pequeno detalhe.

— E o livro? — pergunto a ele. — Devíamos nos encontrar mais três vezes. Não quer terminar o livro?

Ele reflete sobre a minha pergunta por um breve instante e balança a cabeça devagar.

— Não — diz simplesmente. — Não se isto significar que não podemos ficar juntos. — Sua expressão não se altera.

Ele está falando sério. Ben realmente quer se mudar para Nova York. E quero que ele esteja lá mais do que já quis qualquer coisa.

— Você vai precisar de um casaco.

Seu sorriso transforma todo o seu rosto. Ele leva a mão a minha bochecha e acompanha meu maxilar, roçando o polegar em meus lábios.

— E eles viveram felizes para sempre.

• • •

Na noite passada, quando ele abriu a porta e eu o vi pela primeira vez em um ano, pude notar a dor em cada aspecto dele. Foi como se a morte do irmão o envelhecesse cinco anos.

Mas agora, de algum jeito, ele está parecendo aquele garoto da primeira vez que o vi. Desgrenhado e sujo. Lindo. Adorável. É a expressão mais pacífica que vejo nele desde que cheguei.

Dou um beijo suave na bochecha dele e saio da cama sem acordá-lo. Visto minha roupa e saio dali, descendo a escada para ver se tem alguma coisa que eu possa arrumar antes de acordá-lo para me despedir.

São quase quatro da manhã. A última coisa que espero é ver alguém na cozinha, mas Jordyn está sentada perto da bancada.

Ela ergue os olhos para mim assim que entro. Seus olhos estão vermelhos e inchados, mas ela não está chorando. Há uma caixa inteira de pizza diante dela, que está dando uma mordida enorme em uma fatia de pepperoni.

Eu me sinto mal por invadir o espaço dela. Com base na conversa que tive com Ben, ela não quis nada além de solidão nos últimos dois dias. Considero se devo voltar ao quarto de Ben para lhe dar privacidade. Ela deve ter percebido minha hesitação, porque empurra a caixa para mim.

— Está com fome? — pergunta.

Estou com um pouco. Sento ao lado dela e pego uma fatia de pizza. Ficamos ali em silêncio até ela terminar a segunda fatia. Ela se levanta e leva a caixa de pizza para a geladeira. E me entrega um refrigerante quando volta à bancada.

— Então, você é a garota do livro que Ben está escrevendo?

Seguro a lata perto dos meus lábios, chocada por ela saber disso. Ninguém mais à mesa de jantar parecia saber alguma coisa sobre o livro dele. Concordo com a cabeça de novo e tomo um gole.

Ela dá um sorriso forçado e olha para as próprias mãos entrelaçadas na bancada diante de si.

— Ele é um ótimo escritor — diz. — Acho que o livro vai ser muito importante para ele. É uma ideia esperta.

Pigarreio, na esperança de que ela não perceba o choque em minha voz.

— Você leu alguma parte?

— Uma ou outra — diz ela, sorrindo de novo. — Ben é muito seletivo com as partes que posso ler, mas eu me formei em literatura inglesa, então às vezes ele pede minha opinião.

Tomo outro gole, só para me impedir de falar por enquanto. Quero perguntar sobre o livro, mas não quero que ela saiba que ainda não li uma só palavra.

— Kyle ficou muito feliz quando ele assinou com o agente.

Seus olhos lacrimejam quando ela fala o nome de Kyle. Desvio os olhos dela.

Um agente?

Por que ele não me contou que assinou com um agente?

— Como ele está? — pergunta ela.

— Ben?

Jordyn assente.

— Ainda não interagi com ninguém. Sei que é egoísmo da minha parte, porque não sou a única que está sofrendo. Mas eu simplesmente...

Coloco a mão em cima da dela e aperto.

— Ele está bem. E ele entende, Jordyn. Todo mundo entende.

Ela enxuga uma lágrima com um guardanapo que estava ali perto. Vê-la tentar conter o choro me dá um aperto no peito. Sofro por ela, ainda mais sabendo o que está prestes a enfrentar.

— Eu me sinto muito mal. Fiquei tão envolvida em tudo o que perdi nos últimos dois dias que sequer pensei no quanto isto afeta Ian e Ben. Quer dizer, os dois moram aqui. E agora estão presos a uma garota que está prestes a ter um bebê. A última coisa que quero é que eles se sintam na obrigação de me ajudar, mas... não quero voltar para Nevada. Não posso voltar a morar com minha mãe, porque esta é minha casa. Eu só... — Ela aperta o rosto com as mãos. — Não sei o que fazer. Não quero ser um fardo para ninguém, mas tenho medo de não conseguir fazer isso sozinha.

Eu a abraço e ela começa a chorar na minha blusa. Eu não fazia ideia de que ela não queria voltar a morar com a mãe. Será que Ben sabe disso?

— Jordyn.

Nós duas erguemos os olhos quando Ben chama o nome dela. Ele está na soleira da porta da cozinha com uma expressão perturbada. Quando ela olha para ele, chora ainda mais. Ele se aproxima de Jordyn e a abraça, então me levanto e contorno o balcão, dando espaço aos dois.

— Você não vai a lugar nenhum, está bem? — diz ele. — Você é minha irmã. É irmã de Ian. E nosso sobrinho vai ser criado na casa em que você e Kyle planejaram criá-lo. — Ele se afasta e tira o cabelo dela do rosto. — Prometa para mim que vai deixar a gente te ajudar.

Ela concorda com a cabeça, enxugando mais lágrimas. Mal consegue pronunciar *obrigada* entre os soluços.

Não consigo mais vê-la chorar. Eu mesma estou quase aos prantos só de saber como ela está com medo. Subo a escada correndo e volto para o quarto de Ben, onde posso organizar meus pensamentos. Tem tanta coisa passando por minha cabeça, sendo que a maior parte é medo. Tenho medo de que ele tome uma decisão precipitada. Tenho medo de que se eu disser a ele o quanto quero que se mude para Nova York, ele realmente vá, sendo que está óbvio que a cunhada precisa dele aqui. Isso sem citar as possibilidades perdidas se ele desistir do livro. Sinto que quanto mais genuína for a história, mais chances ele vai ter de vender. Sim, eu adoraria começar um namoro de verdade agora, mas não foi com isso que concordamos no início. Se simplesmente nos precipitarmos e interrompermos nosso acordo no meio, sem continuar nos encontrando nos dias 9 de novembro, ele estará desistindo do que seu agente evidentemente pensou que daria um ótimo livro.

Não acredito que ele tem um agente.

Isso é grandioso e não sei por que ele não me contou. Por mais que eu queira acreditar que ele vai ficar bem mesmo sem terminar o livro, tenho medo de que esteja tomando esta decisão com base nas emoções exaltadas dos últimos dias. A última coisa que quero para ele é que tome uma decisão importante como uma mudança para o outro lado do país, e depois se arrependa. É claro que eu daria tudo para tê-lo comigo todo dia, porém, ainda mais do que isso, quero que ele seja feliz com qualquer decisão que tomar. Sei que três anos é muito tempo de espera, mas esses três anos poderiam fazer uma diferença enorme no sucesso dele como escritor. O fato de nossa história ser verídica tem apelo com os leitores e, embora eu ainda não tenha lido nada, tenho certeza de que ele precisa terminá-la.

Não quero ser o motivo para ele não terminar o que começou. Daqui a alguns anos, ele vai relembrar esta noite e vai questionar se tomou a decisão errada. Se talvez nossa vida ainda tivesse seguido o mesmo caminho e nós ainda ficássemos juntos, mas esperando três anos ele também teria atingido seu objetivo de escrever o livro que prometeu.

Ben fez uma diferença enorme na minha vida. Mais do que ele jamais saberá. Se não fosse por ele, acho que eu sequer teria recuperado minha confiança. Sei que eu não teria tido coragem de fazer teste de elenco em lugar nenhum. Bastou a presença dele na minha vida um dia por ano para ter um efeito muito positivo em mim, então eu me odiaria se fizesse o contrário por ele.

E nada disso incluía o que fiquei sabendo dez minutos atrás. De jeito nenhum ele pode se mudar para Nova York, quando sua família precisa dele mais do que nunca. Jordyn vai precisar dele aqui muito mais do que preciso dele em Nova York. Ben e Ian precisarão estar aqui por ela e me recuso a ser a pessoa que vai convencê-lo a abandoná-la num momento como esse.

Pego meu celular e peço um táxi antes de mudar de ideia.

Ben

Fecho a porta do quarto de Jordyn quando ouço os passos de Fallon descendo a escada. Viro no corredor para encontrá-la e ela arqueja, levando a mão ao coração.

— Você me assustou — diz ela, chegando ao último degrau. — Como Jordyn está?

Olho pelo corredor na direção do quarto de Jordyn.

— Melhor — digo. — Acho que a pizza ajudou.

Fallon sorri, feliz.

— Não foi a pizza que a fez se sentir melhor, Ben.

Ela dá mais dois passos, desta vez na direção da porta da frente. Finalmente noto a bolsa em seu ombro e os sapatos nos pés. Ela está preparada para ir embora.

Fallon se remexe, jogando o peso do corpo em um pé só. Dá de ombros, como se eu tivesse feito uma pergunta, e volta a olhar para mim.

— Mais cedo...

— Fallon — interrompo. — Por favor, não mude de ideia.

Ela estremece, olhando para cima e para a direita, como se estivesse tentando conter as lágrimas. *Ela não está mudando de ideia. Não consegue.* Corro até ela e seguro suas mãos.

— *Por favor.* Podemos fazer isso. Talvez eu não consiga me mudar agora, mas eu vou. Primeiro as coisas precisam se ajeitar por aqui.

Ela aperta minhas mãos e suspira.

— Jordyn me disse que você arranjou um agente. — Sua voz parece um tanto ofendida e ela tem esse direito.

Eu devia ter contado antes que ela descobrisse por outra pessoa, mas andei um pouco preocupado hoje.

Concordo com a cabeça.

— É, uns dois meses atrás. Apresentei a ideia do livro a alguns agentes e um realmente gostou. — Percebo aonde isso vai dar, então balanço a cabeça. — Não importa, Fallon. Posso escrever outra coisa.

Um raio de luz atinge as paredes e ela olha por cima do ombro. Seu táxi chegou.

— Por favor — imploro. — Pelo menos me dê o número do seu telefone. Ligo para você amanhã e vamos resolver tudo, está bem? — Estou tentando manter um tom de voz tranquilizador e esperançoso, mas é difícil esconder o pânico que cresce no meu peito.

Ela me olha com uma expressão de quem parece sentir pena.

— Foram dois dias de muita emoção, Ben. Não é justo eu deixar que você tome uma decisão como essa agora.

Ela me dá um beijo na bochecha e se vira para a porta. Eu a sigo para fora, determinado a não permitir que ela mude de ideia assim.

Quando ela alcança o táxi, se vira para mim com um olhar decidido.

— Eu nunca me perdoaria se não estimulasse você a ir atrás dos seus sonhos, como você me estimulou com os meus. Por favor, não me peça para ser o motivo da sua desistência. Isso não é justo.

Sinto o apelo desesperado em suas palavras e isto empurra tudo que tenho a dizer de volta pela minha garganta. Ela me abraça, apoiando o rosto em meu pescoço. Eu a abraço com força, torcendo para ela mudar de ideia, se sentir o quanto preciso que fique comigo. Mas isso não acontece. Ela me solta e abre a porta do táxi.

Nunca quis usar força física com uma garota, mas sinto vontade de empurrá-la no chão e prendê-la ali até que o táxi vá embora.

— Volto aqui ano que vem — diz ela. — Quero conhecer seu sobrinho. Vamos nos encontrar no restaurante de novo, está bem? Mesma hora, mesmo lugar?

O quê?

Será que tivemos a mesma experiência nas últimas oito horas? Ela caiu da escada e bateu a cabeça?

Não, não vou concordar com isso. Ela está louca se acha que vou cumprimentá-la animadamente e dizer que a verei daqui a um ano. Balanço a cabeça, inflexível, e fecho a porta do táxi, me recusando a permitir que ela entre.

— *Não*, Fallon. Você não pode concordar que me ama e depois voltar atrás porque acha que não é o melhor para mim. Não é assim que funciona.

Ela se assusta com as minhas palavras. Acho que estava esperando que eu a deixasse ir embora sem brigar, mas ela não é o tipo de garota por quem você escolhe lutar. É do tipo de garota por quem você luta até a morte.

Ela se recosta no táxi e cruza os braços. Seus olhos estão fixos no chão, mas os meus se concentram nela.

— Ben. — A voz dela mal passa de um sussurro. — Você não precisa ir para Nova York. Precisa ficar aqui. Vou ser só uma distração e você nunca vai terminar o livro. São só mais três anos. Se estamos destinados a ficar juntos, três anos não significam nada.

Rio, mas é uma risada breve e sem nenhum humor.

— Destinados a ficar juntos? Você ouviu o que acabou de dizer? Este não é um dos seus contos de fada, Fallon. É a *vida real*, e no mundo real você tem de dar duro para ter o felizes para sempre! — Ponho a mão na nuca e recuo um passo, tentando controlar minha frustração e reprimi-la, mas o sentimento transborda de mim sempre que penso na facilidade com que Fallon consegue entrar nesse táxi, sabendo que não vai me ver por um ano inteiro. — Quando encontrar o amor, deve agarrá-lo. Você o agarra com as mãos e faz o possível para não soltar. Não pode simplesmente se afastar dele e esperar que dure até que você esteja preparada.

Não sei de onde isso está vindo. Nunca tinha ficado bravo com ela, mas estou puto da vida, porque isso magoa. Dói saber que acabamos de compartilhar o que fizemos no meu quarto e depois de pensar um pouco, ela conclui que não significa porra nenhuma para ela. Que *eu* não significo porra nenhuma para ela.

Seus olhos se arregalaram e ela me observa sofrer com cada emoção que um cara pode sentir. Esta semana foi cheia delas. Começando pela morte de Kyle, por ter de telefonar para Fallon ontem de manhã, vê-la na minha porta, ter um colapso em cima dela na minha cama, fazer amor com ela ali mesmo. Se eu tivesse que colocar as emoções dessa semana em um gráfico, pareceria um maremoto.

Noto que ela olha para o táxi como se considerasse sua decisão. Dou um passo à frente e coloco as mãos em seus ombros, obrigando-a a voltar sua atenção para mim.

— Não fuja disto.

Seus ombros baixam com um suspiro. Ela balança de leve a cabeça.

— Ben, não estou fugindo disso. Não estou fazendo nada de diferente do que concordamos no dia em que nos conhecemos. Sou eu que estou me atendo às regras aqui. Concordamos com cinco anos. E, sim, tivemos um leve lapso lá em cima quando quase cedemos e...

Eu a interrompo.

— Um lapso? — Aponto para a casa. — Você está se referindo a nós dois concordando em começar a namorar como um... *lapso*?

No mesmo instante, ela faz uma expressão de quem pede desculpas, mas não quero ouvir um pedido de desculpas. É óbvio que estou errado aqui, porque quando fiz amor com ela eu sabia que o que estava acontecendo entre nós era algo que a maioria das pessoas nem mesmo sabe que existe. E se ela, ainda que remotamente, sentisse o mesmo, de jeito nenhum estaria dizendo essas coisas.

Meu estômago se revira e sinto vontade de me curvar de dor. Em vez disso, fico firme e lhe dou uma última chance de me provar que o dia inteiro que passou não foi completamente unilateral.

Seguro seu rosto até que meus dedos envolvam sua nuca. Passo os polegares em suas bochechas e a encorajo a olhar para mim. Eu a toco com suavidade... da forma mais gentil que meus dedos conseguem. Ela engole em seco e percebo que minha mudança de atitude a deixa nervosa.

— Fallon — digo, mantendo a voz calma e sincera. — Não me importo com o livro. Nem mesmo quero terminá-lo. Só me importo com você. Em ficar com você todo dia. Ver você todo dia. Ainda não terminei de me apaixonar por você. Mas se não quer terminar de se apaixonar por mim, então precisa me dizer agora. Você quer que eu faça parte da sua vida mais do que só no dia 9 de novembro? Se disser não, vou virar as costas e entrar em casa, e as coisas podem voltar a ser como eram antes de você ter aparecido aqui ontem. Vou continuar trabalhando no livro e nos encontramos ano que vem. Mas se você disser sim... Se disser que quer passar cada dia do calendário deste ano se apaixonando por mim, então vou te beijar. E prometo que será um beijo nota 11. E vou passar cada dia depois de hoje provando a você que tomou a decisão certa.

Minhas mãos permanecem firmes em seu rosto. Os olhos dela se fixam nos meus.

Até que uma lágrima começa lentamente a tomar forma e escorre por seu rosto. Ela balança a cabeça.

— Ben, você não pode...

— É sim ou não, Fallon. É só o que quero ouvir.

Por favor, diga sim. Por favor, me diga que ainda não terminou de se apaixonar por mim.

— Este ano, você precisa ficar aqui, por sua família. Sabe disso tão bem quanto eu, Ben. A última coisa de que precisamos é um namoro por telefone. E é exatamente o que vai acontecer, porque vamos passar cada segundo livre querendo falar um com o outro em vez de nos concentrar em nossos objetivos. Vamos alterar tudo ficando juntos, e não devia ser assim. Ainda não. Precisamos terminar o que começamos.

Deixo que tudo isso entre por um ouvido e saia pelo outro, porque não é a resposta que quero. Eu me abaixo até meus olhos ficarem na altura dos dela.

— Sim. Ou não.

Sua respiração sai trêmula. E, então, em um péssimo esforço para aparentar sinceridade, ela fala:

— Não. Não, Ben. Volte para dentro e termine seu livro.

Outra lágrima cai, mas desta vez é do *meu* olho.

Dou um passo para trás e a solto. Ela abre a janela ao se sentar no banco traseiro do táxi, mas não olho para seu rosto. Encaro o chão abaixo de meus pés, querendo ver se vai se dividir em dois e me engolir inteiro.

— O que quero mais do que tudo é que o mundo todo ria de você, Ben. — Ouço as lágrimas na voz dela. — E isto não vai acontecer se eu não fizer o que você fez por mim no dia em que nos conhecemos. Você me deixou livre. Você me *encorajou* a ser livre. E quero o mesmo para você. Quero que você siga sua paixão, e não seu coração.

O táxi começa a se afastar e por uma fração de segundo penso que talvez ela vá perceber que suas prioridades são estúpidas, porque minha paixão é *ela*. O livro é só uma desculpa.

Debato comigo mesmo se devo correr atrás dela, oferecendo uma performance digna de livro. Eu poderia ir atrás do táxi e quando o carro parar, posso abrir a porta, puxá-la para meus braços e dizer que estou apaixonado por ela. Que terminei de me apaixonar por ela quase no mesmo instante que comecei, porque foi um mergulho lá do alto até o fundo. Um sibilo. Um instante. Um amor instantâneo.

Mas ela detesta amor instantâneo. Ao que parece, ela detesta amor semi-instantâneo, amor lento, amor em ritmo de lesma, amor em geral e...

— Merda!

Xingo a rua vazia, porque, pela primeira vez, recebo exatamente o que mereço.

Quarto

9 de novembro

No escuro dela, ela fica em silêncio.
No meu escuro, ela grita.

— Benton James Kessler

Fallon

Nem na noite em que fui chamada para substituir uma atriz fiquei tão nervosa assim. Estou mais de uma hora adiantada, mas nossa mesa já estava ocupada quando cheguei aqui esta manhã, então escolho a mesa ao lado.

Tamborilo os dedos na mesa, meus olhos se voltando para a porta sempre que alguém entra ou sai.

Não faço ideia de como vou começar a conversa. Como digo a ele que assim que fui embora no ano passado, me dei conta de que tinha cometido o maior erro da minha vida? Como dizer que tomei aquela decisão de última hora pelo bem dele? Que achei que se eu dissesse que não queria me apaixonar por ele, eu o estaria ajudando de alguma forma? E, mais importante, como comentar que voltei para Los Angeles só por causa dele? Bom, não exatamente *só* por ele. Minha vida profissional sofreu uma enorme mudança alguns meses atrás.

Quando eu estava no teatro comunitário, me pediam bastante ajuda com as falas porque as pessoas confiavam no meu talento. Acho que posso dizer que eu ensinei a atuar, de certo modo. Não esqueci a alegria que senti com isso, e percebi que gostava de ajudar os atores com seus papéis mais do que gostava de *ser* atriz.

Demorei alguns meses para finalmente admitir que talvez meu objetivo não fosse mais ser atriz. As pessoas mudam. Elas crescem. As paixões evoluem e a minha evoluiu para querer ajudar os outros a desenvolver os próprios talentos.

Procurei escolas por todo o país, mas com minha mãe, Amber e, sim, Ben em Los Angeles, não é difícil deduzir qual cidade acabei escolhendo.

Por mais que eu questione minha decisão de não ter ficado com ele ano passado, sei que, a longo prazo, foi melhor assim. Nunca estive mais em paz com minha opção de carreira como agora e não tenho certeza se isso teria acontecido se Ben estivesse presente. Então, por mais que erros tenham sido cometidos, não tenho nenhum arrependimento. Acho que as coisas estão saindo exatamente como deveriam.

Porém, como Ben e eu provavelmente podemos provar, muita coisa pode mudar em um ano, por isso estou morrendo de medo de que ele tenha mudado de ideia. Talvez ele nem mesmo queira estar comigo como queria ano passado. Talvez ainda esteja tão bravo que nem mesmo apareça.

Mas não é exatamente por isso que estou nervosa.

Estou nervosa porque sei que ele *virá*. Ele sempre aparece. Mas, este ano, não sei em que pé estamos. Nós nos separamos de um jeito bem ruim no ano passado e assumo toda a culpa, mas ele precisa entender que teria feito o mesmo por mim, se estivesse no meu lugar. Se eu tivesse feito toda aquela declaração no meio de tanto sofrimento, ele teria reconhecido que talvez eu não estivesse em condições de tomar uma decisão que mudaria tanto a minha vida. E com certeza ele não pode me culpar por encorajá-lo a ficar e ajudar a família. Seu irmão tinha acabado de falecer. A cunhada precisava dele. O sobrinho precisaria dele. Era a coisa certa a fazer. Ele teria agido da mesma forma por mim. Ben só teve dificuldade para aceitar porque já estava passando por uma semana cheia de emoções.

Quase acho que foi uma má ideia aparecer sem avisar no ano passado. Sinto que o tempo que passei lá causou mais mal do que bem.

Meus pensamentos são interrompidos quando a mão de alguém toca meu ombro. Ergo a cabeça, esperando ver Ben de pé ali. E o vejo... mas não só ele. Ben e... *um bebê.*

O sobrinho dele.

Sei disso na mesma hora porque tem os olhos de Ben. Os olhos de *Kyle.*

Eu me dou conta de tudo isso rapidamente e tento processar cada coisa de uma vez. Primeiro, o fato de que Ben apareceu. E ele está sorrindo para mim enquanto me levanto para abraçá-lo, então isto basta para me fazer suspirar fundo de alívio.

Segundo, o braço dele está envolvendo este menino empoleirado em seu quadril, com a cabeça encostada no peito de Ben. Vê-lo com o sobrinho desse jeito confirma que nós dois tomamos a decisão certa ano passado, quer ele tenha concordado na época ou não.

Eu esperava conhecer o sobrinho dele em algum momento do dia de hoje, mas achei que teria a oportunidade de conversar com Ben primeiro, a sós, sobre como deixamos as coisas no ano passado. Mas posso me adaptar. Ainda mais por um bebê tão lindo como este.

Ele está sorrindo timidamente para mim e vejo muito de Jordyn nele. É quase tão parecido com Jordyn tanto com Kyle. Eu me pergunto como isto é para ela... Ver tanto de Kyle ao olhar para o filho.

Quando Ben me solta do abraço, sorri para o garotinho.

— Fallon, quero que conheça meu sobrinho, Oliver. — Ele segura o pequeno pulso de Oliver e o faz acenar para mim. — Oliver, esta é Fallon.

Levanto a mão e em seguida Oliver estende os braços para mim. Chocada, deixo que ele se aproxime de mim, puxando-o para perto e segurando-o da mesma forma que Ben. Já faz muito tempo que não seguro um bebê, mas ainda prefiro que o sobrinho de Ben queira que eu o segure, em vez de chorar se eu tentasse.

— Ele gosta de mulheres bonitas — diz Ben dando uma piscadela, soltando totalmente o bebê depois que eu o pego no colo. — Vou buscar uma cadeirinha alta.

Ben se afasta e eu me sento com Oliver, colocando-o na minha frente na mesa.

— Você é muito fofo — digo a ele.

E ele é. Parece um bebê muito feliz e fico contente por Jordyn. Ainda assim, me sinto triste ao pensar que Kyle jamais poderá conhecer o filho. Afasto esse pensamento quando Ben volta com uma cadeirinha.

Ele a empurra para a beira da mesa e coloca Oliver ali. Eu nem tinha notado a bolsa de fraldas que Ben carrega no ombro, só vi quando ele a retirou para se sentar. Ele vasculha a bolsa até encontrar um pote com lanche, depois coloca alguns Cheerios na frente de Oliver, mas, primeiro, limpa a mesa. O tempo todo, fala com Oliver de forma respeitosa, como se fossem iguais. Não fica falando feito criança e eu estaria mentindo se dissesse que não é lindo vê-lo interagir com um bebê como se os dois estivessem no mesmo nível.

Ben leva muito jeito com crianças. É impressionante. E... um pouco sexy.

— Que idade ele tem agora?

— Dez meses — diz Ben. — Ele nasceu no Ano-novo. Algumas semanas prematuro, mas ficou bem.

— Então, o mundo todo comemora o aniversário dele com fogos de artifício, como faz com o seu?

Ben sorri.

— Quer saber, eu nem tinha pensado nisso.

Oliver brinca com os Cheerios à sua frente, muito satisfeito por não ser o centro das atenções. O que é um alívio, porque talvez Ben e eu possamos ter uma conversa séria, apesar da companhia do seu sobrinho.

Ben estende o braço na mesa e aperta minha mão, e meu peito se aquece com esse pequeno gesto.

— É muito bom te ver, Fallon — diz ele, roçando o polegar no meu. — É muito bom de verdade.

A sinceridade em seus olhos me dá vontade de me jogar por cima da mesa e beijá-lo ali mesmo. Ele não me odeia. Não está bravo comigo. Tenho a sensação de estar respirando ar puro pela primeira vez em um ano.

Viro a mão em cima da dele, mas assim que faço isso, Ben a retira para empurrar o lanche de Oliver para mais perto dele.

— Desculpe por ter tido que trazê-lo. Jordyn precisou trabalhar hoje e a babá cancelou em cima da hora.

— Tudo bem — digo. E, sinceramente, está. Adoro observá-lo interagir com Oliver. Representa outro aspecto dele que eu ainda não havia testemunhado. — Como está Jordyn?

— Bem — responde ele, assentindo como se tentasse convencer a si mesmo também. — Muito bem. Ela é ótima mãe. Kyle ficaria orgulhoso. — Ele diz esta última frase num tom mais baixo. — E você? Como está Nova York?

Não sei como responder a isso. Não sinto que agora seja o momento certo para tocar no assunto, então evito a pergunta.

— É sempre muito esquisito — digo. — Ver você pela primeira vez em um ano. Nunca sei o que dizer, nem o que fazer.

Estou mentindo. Nunca foi esquisito, mas, graças ao ano passado, hoje está muito estranho.

Ele estende o braço pela mesa e coloca a mão em meu pulso, apertando de leve.

— Também estou nervoso — diz ele num tom tranquilizador. Seus olhos se fixam em nossas mãos, depois retira a dele e pigarreia. É fofo como ele tenta ser respeitoso na frente de Oliver. — Você já fez o pedido?

Ele pega o cardápio e fica um tempo olhando-o em silêncio, mas sei que não está lendo.

Está mais nervoso do que deveria, mas ano passado deixamos as coisas de um jeito estranho. Fico preocupada que ele não esteja afetado pelo nervosismo, mas talvez por um pouco de amargura. Sei que o magoei no ano passado, mas certamente ele teve tempo para compreender por que fiz aquilo. E, com sorte, ele sabia que me afastar enquanto ele sofria tanto deve ter sido mais difícil para mim do que foi para ele. Passei todo este ano com o coração pesado, porque isso não saía da minha cabeça.

Nós dois pedimos algo para comer e ele não se esquece de pedir uma porção de purê de batatas para Oliver, e acho isso fofo. Tento aliviar nosso nervosismo com uma conversa descontraída. Conto que decidi que meu novo objetivo na vida é abrir uma empresa de caça talentos. Ele sorriu e disse que eu não era mais "*Fallon, a Transitória*". Perguntei a ele qual era meu novo nome, ele me olhou pensativamente e disse: "*Fallon, a Mestra*". E adorei como soou.

Ele disse que se formou na faculdade em maio passado e fiquei triste por não ter estado lá, mas sei que haverá muitos marcos no futuro. Irei a sua cerimônia de formatura da pós-graduação quando ele concluir o curso, porque contou que é para isso que está se esforçando agora. Ele trabalha como freelancer para uma revista on-line e decidiu ampliar o currículo com um mestrado em redação técnica.

Durante um intervalo em nossa conversa, Ben serve uma porção de purê de batatas na boca de Oliver. O bebê esfrega os olhos e parece prestes a cochilar em cima da tigela.

— Ele ainda não fala nenhuma palavra?

Ben sorri para Oliver, passando a mão em sua pequena cabeça.

— Fala algumas. Mas tenho certeza de que ele fala por acaso, na maior parte do tempo só balbucia. — Ben ri e depois acrescenta: — Mas ele falou seu primeiro palavrão. Ouvimos pela babá eletrônica certa noite e na semana passada ele disse *merda* com muita clareza. Esse garotinho está começando cedo — diz ele, beliscando de brincadeira a bochecha de Oliver.

O bebê sorri para ele e, ao fazer isso, todas as fichas caem de uma vez só em mim.

Ben trata Oliver como um pai trata um filho.

Oliver olha para Ben como se fosse pai dele.

Ben se referiu a si mesmo e Jordyn com "*nós*".

E ele fica com a babá eletrônica de Oliver à noite... O que significa que... *eles dormem no mesmo quarto?*

Inspiro no momento em que sinto todo o meu mundo virar em seu eixo. Agarro a mesa quando tudo fica claro.

Eu me sinto idiota.

No mesmo instante, Ben percebe minha mudança de atitude e quando meus olhos se fixam nos dele, ele começa a balançar lentamente a cabeça, percebendo que deu mole.

— Fallon — diz ele em voz baixa.

Mas não fala mais nada além do meu nome. Está claro que sei e ele não faz nada para me desmentir. Todo seu rosto assume a expressão de quem pede desculpas.

Ciúme instantâneo.

Um ciúme crescente, extremo, *louco*. Sou obrigada a me levantar e correr para o banheiro, porque me recuso a deixar que ele veja como isto me abalou completamente em questão de segundos. Ele chama meu nome, mas não paro. Fico agradecida por Ben ter trazido Oliver, porque agora ele não pode correr atrás de mim.

Sigo direto para a pia e seguro suas bordas, olhando fixamente para o espelho.

Calma, Fallon. Não chore. Guarde a mágoa para quando chegar em casa.

Não estou preparada para isso. Não faço ideia de como lidar com isso. Sinto como se meu coração estivesse literalmente se partindo. Rachando bem no meio, sangrando no meu peito, enchendo meus pulmões de sangue, me impossibilitando de respirar.

Conter as lágrimas se mostra ainda mais complicado quando a porta do banheiro se abre e se fecha. Ergo a cabeça e vejo Ben parado ali, segurando Oliver, me olhando com profundo remorso.

Fecho os olhos para não ter de ver seu reflexo no espelho. Baixo a cabeça entre os ombros e simplesmente começo a chorar.

Ben

Não era assim que eu queria que ela descobrisse. Eu ia contar a ela logo, mas queria ir devagar. Não esperava que ela ficasse magoada por eu estar namorando Jordyn. Na verdade, achei que as chances de ela ficar feliz por mim eram maiores do que as de ficar chateada com isso. Nunca esperei essa reação dela. Por que está agindo como se ela se importasse com isso, sendo que ano passado deixou claro que não estava interessada em nada além do acordo que fizemos?

Mas é óbvio, pelo modo como reagiu, que ela se importa. Que ela se importava. Mas, por alguma razão, ela se recusou a ficar comigo quando eu mais precisei dela.

Tento me controlar, considerando que estou segurando Oliver, mas cada parte de mim quer se ajoelhar e gritar.

Dou alguns passos hesitantes até ficar bem atrás dela. Gentilmente, seguro seu cotovelo, querendo fazê-la se virar, mas ela afasta minha mão e vai para o outro lado do banheiro. Pega uma toalha de papel e enxuga os olhos, ainda de costas para mim.

— Eu não pretendia que isso acontecesse. — As palavras escapam da minha boca, como se de algum modo fossem reconfortá-la. Mas quero recuperá-las imediatamente.

Não importa que Fallon tenha deixado um buraco enorme no meu coração, não pude evitar que outra pessoa encontrasse o caminho até ele. Não importa que tanto Jordyn quanto eu estivéssemos destruídos depois da morte de Kyle. Não importa que as coisas só tenham evoluído entre nós bem depois do nascimento de Oliver. Não importa que eu nunca vou ter a mesma ligação com Jordyn que sinto com Fallon, mas Oliver compensa tudo o que falta em nosso relacionamento.

Só o que importa para Fallon é a guinada inesperada em nossa história. Nenhum dos dois previu que isso aconteceria. Nenhum dos dois nem mesmo queria isso. E ela é parcialmente responsável. Tenho de me lembrar deste detalhe. Por mais que esteja magoada agora, ela me magoou da mesma forma — se não mais — quando escolheu Nova York e não a mim.

Olho para Oliver, que está de olhos fechados e com a cabeça apoiada em meu peito. Já passou muito tempo da hora da sua soneca, então o ajeito para que fique deitado em meus braços. Toda vez que olho para ele, meu coração se enche de alegria. É muito diferente de qualquer sentimento que Fallon ou Jordyn possam provocar. E preciso lembrar a mim mesmo disso. Isso não é sobre alguma das duas. É sobre este garotinho em meus braços e do que é melhor para ele. Ele é a única coisa que deve importar e venho dizendo isso a mim mesmo há meses. Achei que esse pequeno lembrete bastaria para me fazer passar por este momento com Fallon, mas agora não tenho tanta certeza.

Fallon respira fundo e solta o ar antes de se virar. Quando olha em meus olhos, é evidente como acabei de destruí-la. Minha reação automática é melhorar isso, dizer como realmente me sinto. Como — desde o momento em que beijei Jordyn pela primeira vez — não passo de uma confusão.

Na verdade, tenho sido uma confusão desde o segundo em que Fallon entrou naquele táxi no ano passado.

— Você está apaixonado por ela? — Fallon tapa a boca com a mão logo em seguida, balançando a cabeça, arrependida de ter feito a pergunta. — Por favor, não responda. — Ela se aproxima de mim e olha para o chão. — Preciso ir embora — diz ao passar por mim.

Recuo de costas até encostar na porta, mantendo-a fechada.

— Não desse jeito. Por favor, não vá embora ainda. Me dê uma chance de explicar.

Não posso deixar que ela vá embora sem compreender toda a situação. Mesmo assim, tenho esperanças de que ela explique que diabo aconteceu ano passado e por que está agindo como se essa notícia realmente a afetasse desse jeito.

— Explicar o quê? — pergunta ela em voz baixa. — Quer que eu fique aqui e ouça você explicar que não pretendia se apaixonar pela esposa do seu irmão morto? Espera que eu discuta com você quando me disser que não importa mais só o que *você* quer, mas sim o que é melhor para o seu sobrinho? Espera que eu peça desculpas por ter mentido para você ano passado quando disse que não queria te amar?

Cada palavra da última frase sai de sua boca como pesos caindo em cima de mim, me afundando no leito de um lago. *Ela mentiu para mim?*

— Entendi, Ben. A culpa é minha. Fui eu que fugi ano passado quando você tentou me amar.

Ela tenta dar a volta por mim e alcançar a maçaneta, mas me desloco para bloquear seu caminho. Puxo Fallon para o meu lado, passando minha mão livre por sua nuca e pressionando seu rosto em meu ombro. Encosto os lábios na lateral da sua cabeça, tentando não ser afetado pelo modo que Fallon se sente em meus braços. Ela agarra minha camisa e sinto que recomeça a chorar. Puxo-a para mais perto, abraço-a com mais força, mas Oliver me impede de fazer isso de outro jeito.

Quero dizer algo que a reconforte, mas ao mesmo tempo estou muito bravo com ela. Pela forma negligente com que brincou com meu coração no ano passado, quando o entreguei a ela. E como está fazendo isso de novo quando já é tarde demais.

É tarde demais.

Oliver se contorce em meus braços, então sou obrigado a soltá-la para que ele não acorde. Fallon aproveita a oportunidade para escapulir de mim e sair pela porta do banheiro.

Vou atrás dela e a observo pegar sua bolsa em nossa mesa e seguir diretamente para a porta. Vou até a mesa e pego a bolsa de fraldas. Nossa comida continua ali, mas acho que posso dizer que não vamos comer. Largo o dinheiro na mesa e saio.

Ela está ao lado de um carro, mexendo na bolsa. Quando pega a chave, já estou ao seu lado. Arranco a chave de suas mãos e sigo para o meu carro, estacionado bem ao lado.

— Ben! — grita ela. — Devolva minha chave!

Destranco o carro e abro. Abro as janelas e vou para o banco de trás para prender Oliver na cadeirinha. Quando tenho certeza de que ele continua dormindo, volto ao carro dela.

— Você não pode ir embora me odiando — digo, colocando a chave em sua mão. — Não depois de tudo o que nós...

— Não *odeio* você, Ben — interrompe ela. Sua voz sai ofendida e as lágrimas ainda escorrem por seu rosto. — Isto fazia parte do acordo, não é? — Ela enxuga os olhos, quase com raiva, e continua: — Nós vivemos nossa vida.

Namoramos outras pessoas. Nos apaixonamos pela mulher do nosso irmão morto. E, no fim, vemos o que acontece. Bom, chegamos ao fim, Ben. Um pouco cedo, mas é *definitivamente* o fim.

Olho para além dela, envergonhado demais para fixar os olhos nos seus.

— Ainda temos mais dois anos, Fallon. Não precisamos terminar isso hoje.

Ela balança a cabeça.

— Sei que prometi, mas... não posso. De jeito nenhum vou passar por isso de novo. Você não faz ideia de como está sendo isso — diz ela, com a mão no peito.

— Na verdade, Fallon, sei *exatamente.*

Prendo-a com meu olhar, querendo que perceba que não estou assumindo toda a culpa por isso. Se ela não tivesse ido embora ano passado e me destruído completamente, eu não teria ficado a maior parte do ano ressentido. Nunca teria me comprometido com ninguém — muito menos com Jordyn — para arriscar o que podia ter com Fallon. Mas achei que ela só sentia uma fração do que eu sentia por ela.

Ela não sabe como partiu meu coração. Não sabe que Jordyn estava lá para mim quando ela não estava. Eu estava lá para Jordyn quando Kyle não estava. E depois de perder duas pessoas que nós amávamos, só depois da chegada de Oliver... Não foi algo que tivéssemos planejado. Nem mesmo sei se queria. Mas aconteceu e agora sou o único pai que Oliver conhece. E por que tudo isso parece tão errado agora? Por que parece que de algum modo fodi ainda mais com minha vida?

Fallon me empurra para tentar abrir a porta do carro. E nesse instante parece que levei um soco no estômago.

Não consigo respirar.

Não sei por que levei tanto tempo para perceber. Seguro sua mão e aperto antes que ela abra a porta. A súplica silenciosa a obriga a parar e olhar para mim.

Observo o carro dela por um segundo, depois olho para ela.

— Por que você veio de carro hoje?

Ela assume uma expressão confusa. Depois balança a cabeça.

— Era o nosso acordo. Era 9 de novembro.

Aperto ainda mais sua mão.

— Exatamente. Em geral, você vem direto do aeroporto quando nos encontramos. Por que você está de carro e não em um táxi?

Ela me encara, com um olhar de derrota. Solta o ar rapidamente e olha para o chão.

— Eu me mudei de volta para cá — diz ela, dando de ombros. — Surpresa.

Suas palavras cravam no meu peito e eu estremeço.

— Quando?

— Mês passado.

Eu me encosto no carro dela e tapo o rosto com as mãos, tentando manter a calma. Vim aqui hoje na esperança de resolver as coisas. Na esperança de que ver Fallon acabaria com a guerra que vem sendo travada dentro de mim desde que tudo começou com Jordyn.

E o que consigo é exatamente um esclarecimento. No segundo em que entrei no restaurante e pus os olhos nela, o sentimento voltou ao meu peito. Aquele que nunca tive por nenhuma garota. O sentimento que me deixa tão apavorado a ponto de achar que meu coração está prestes a explodir para fora de mim.

Nunca senti isso por ninguém, só por Fallon, mas ainda não sei se é o bastante para fazer diferença. Porque Fallon estava certa quando disse que não se trata do que *eu* quero. Trata-se do que é melhor para Oliver. Mas até mesmo isso não parece tão lógico quando estou bem diante da única mulher que já me fez sentir desse jeito.

Agora que Oliver está dormindo profundamente no carro ao nosso lado e não mais em meus braços, puxo Fallon para mim. Abraço-a com desespero, precisando senti-la junto de mim. Fecho os olhos e tento pensar nas palavras que consertariam isso, mas as únicas que me vêm são todas as coisas que eu não deveria dizer.

— Como nós deixamos isto acontecer?

Assim que as palavras saem da minha boca sei que estou sendo injusto com Jordyn. Mas Jordyn também está sendo injusta comigo, porque ela nunca vai me amar como amou Kyle. E ela precisa saber que nunca sentirei por ela o que sinto por Fallon.

Fallon tenta se afastar, mas eu a abraço com força.

— Espere. Por favor, responda só a uma pergunta.

Ela cede e permanece em meus braços.

— Você voltou a Los Angeles por minha causa? Por nós?

Assim que faço a pergunta, sinto que ela murcha. Sinto meu coração despencar no peito. O fato de ela não negar me obriga a apertá-la ainda mais.

— Fallon — sussurro. — *Meu Deus*, Fallon. — Ergo seu queixo e a obrigo a olhar para mim. — Você me ama?

Seus olhos se arregalam de medo, como se ela não soubesse responder a essa pergunta. Ou talvez a pergunta a assuste porque ela sabe exatamente o que sente por mim, mas prefere não se sentir assim. Pergunto novamente. Desta vez, suplico a ela.

— *Por favor.* Não posso tomar essa decisão sem saber se só eu me sinto assim.

Ela me olha incisivamente nos olhos, negando de forma inflexível com a cabeça.

— Não vou competir com uma mulher que está criando um filho sozinha, Ben. Não vou tirar você dela, quando ela já passou por tanta coisa. Então, não se preocupe, você não precisa tomar decisão nenhuma. Acabei de tomar por você.

Ela tenta passar por mim, me empurrando, mas seguro seu rosto e começo a implorar a ela. Vejo a determinação em seus olhos antes mesmo que eu fale algo.

— Por favor — sussurro. — De novo, não. Não vamos resolver isso se você for embora de novo.

Ela me olha contrariada.

– Desta vez você não me deu alternativa, Ben. Você apareceu apaixonado por outra. Você divide a cama com outra mulher. Suas mãos tocam alguém que não sou eu. Seus lábios fazem promessas numa pele que não é a minha. E não importa de quem seja a culpa por isso, se é minha por ter ido embora ano passado, ou sua por não saber que agi daquele jeito para seu próprio bem, nada disso muda as coisas. Elas são o que são. — Ela escapa de mim e abre a porta do carro, me olhando através dos seus cílios úmidos. — Eles têm sorte por ter você. Você é um ótimo pai para ele, Ben.

Ela entra no carro, sem saber que está prestes a arrancar com meu coração junto. Fico ali parado, paralisado, incapaz de impedi-la. Incapaz de falar. Incapaz de suplicar. Porque sei que não há nada que eu possa dizer para mudar as coisas. Não hoje, de qualquer jeito. Não até que eu ajeite tudo nas outras áreas da minha vida.

Ela abre a janela, enxugando outra lágrima do rosto.

— Não vou voltar ano que vem. Desculpe se isto estragou seu livro, era a última coisa que eu queria. Mas simplesmente não posso mais fazer isso.

Ela não pode desistir para sempre. Agarro a porta do seu carro e me inclino na janela aberta.

— *Foda-se* o livro, Fallon. Nunca foi pelo livro. Foi por você, sempre foi.

Ela me encara em silêncio. Depois fecha a janela e arranca, sem reduzir nem uma vez enquanto eu soco a traseira do seu carro, perseguindo-a até não poder mais.

— Merda! — grito, chutando o cascalho do chão. Chuto de novo, levantando poeira. — Merda!

Como posso voltar para Jordyn agora que não tenho mais um coração para dar a ela?

Quinto

9 de novembro

Meus defeitos estão dispostos à sua mercê
Honrado por sua falsa percepção
E com seus lábios em minha pele
Ela despe minha decepção.

— Benton James Kessler

Fallon

No passado, quando eu pensava nos acontecimentos da minha vida, organizava-os mentalmente em ordem cronológica por *antes do incêndio* e *depois do incêndio*.

Não faço mais isso. Não porque eu tenha amadurecido como pessoa. Na verdade, é bem o contrário, porque agora penso na minha vida como *antes de Benton James Kessler* e *depois de Benton James Kessler*.

É ridículo, eu sei. E ainda mais porque fez justamente um ano desde que seguimos caminhos separados e eu ainda penso nele como pensava antes do *depois de Benton James Kessler*. Mas não é fácil deixar de pensar em alguém que teve tanto impacto na minha vida.

Não desejo mal a ele. Nunca desejei. Ainda mais depois de ver como ele ficou acabado com sua decisão quando nos separamos ano passado. Tenho certeza de que se eu chorasse e implorasse para ele me escolher, ele teria feito isso. Mas eu nunca ia querer ficar com alguém por quem precisei implorar. Também não quero ficar com alguém se houver a mais remota possibilidade de uma terceira pessoa em jogo. O amor deve ser entre duas pessoas e, se não for assim, prefiro dar o fora em vez de participar da disputa.

Não sou de acreditar que as coisas acontecem por algum motivo, então me recuso a crer que nosso destino era não terminarmos juntos. Se eu acreditasse nisso, teria de acreditar que era o destino de Kyle morrer tão jovem. Prefiro muito mais acreditar que simplesmente merdas acontecem.

Ferida em um incêndio? *Merdas acontecem.*

Perdeu sua carreira? *Merdas acontecem.*

Perdeu o amor da sua vida para uma viúva com um bebê? *Merdas acontecem.*

A última coisa em que quero acreditar é que meu destino já foi traçado para mim e não tenho como escolher onde ou com quem vou terminar. Se for assim e, por acaso, minha vida tornar a ser a mesma no fim, não importa que decisões eu tome. Então, que diferença faz se eu sair de casa esta noite?

Não faz. Mas Amber parece achar que é uma grande coisa.

— Não pode ficar aqui sofrendo — diz ela, jogando-se no sofá ao meu lado.

— Não estou sofrendo.

— Está, sim.

— Não estou, não.

— Então, por que você não sai com a gente?

— Não quero segurar vela.

— Ligue para o Teddy, então.

— Theodore — corrijo.

— Você sabe que não consigo chamá-lo de Theodore na cara dura. Esse nome deveria ser reservado para membros da família real.

Eu queria que ela deixasse o nome dele para lá. Já saí com eles várias vezes e ela continua fazendo esse comentário toda vez. Percebe a irritação em meu rosto e prossegue se defendendo:

— Ele usa calça com bordado de *baleias* miudinhas, Fallon. E nas duas vezes em que saí com vocês, só o que ele fez foi contar suas histórias sobre ter sido criado em Nantucket. Mas ninguém em Nantucket fala como um surfista, isso eu posso garantir.

Ela tem razão. Ele fala de Nantucket como se todo mundo devesse ter inveja por ele ser de lá. Mas com exceção dessa pequena peculiaridade e de sua escolha pretensiosa de calça, ele é um dos únicos caras que estiveram perto de mim e conseguiram desviar minha mente de Ben por mais de uma hora.

— Se você o detesta tanto quanto parece, porque está insistindo que eu o convide para sair com a gente hoje à noite?

— Não detesto ele — diz Amber. — Só não gosto dele. E prefiro que você saia com ele em vez de ficar sentada aqui, deprimida porque é dia 9 de novembro e você não está passando a data com Ben.

— Não é por isso que estou deprimida — minto.

— Talvez não, mas pelo menos nós duas podemos concordar que você *está* deprimida. — Ela pega meu celular. — Vou mandar uma mensagem para Teddy e dizer para ele nos encontrar na boate.

— Isso vai ser constrangedor para você e Glenn, considerando que eu não vou estar lá.

— Besteira. Vá se vestir. Coloque alguma coisa bonita.

• • •

Ela sempre vence. Estou aqui... na boate. Não em casa, deprimida no meu sofá, onde eu gostaria de estar.

E por que Theodore teve que colocar a calça com baleias de novo? Isso faz de Amber a vencedora *e* com razão.

— Theodore — diz ela, passando o dedo pela borda do seu copo quase vazio. — Você tem algum apelido, ou todo mundo chama você só de Theodore?

— Só de Theodore — responde ele. — Meu pai é chamado de Teddy, então o apelido criaria confusão se nós dois usássemos. Principalmente quando estamos em Nantucket com a família.

— Que interessante — diz ela, desviando os olhos para mim. — Quer ir ao bar comigo?

Concordo com a cabeça e saio da mesa. Enquanto seguimos para o bar, Amber entrelaça os dedos nos meus e aperta.

— Por favor, me diga que você não transou com ele.

— Nós só saímos quatro vezes — comento. — Não sou tão fácil assim.

— Você transou com Ben no terceiro encontro — retruca Amber.

Odeio quando ela cita Ben, mas acho que quando você está discutindo sua vida sexual, o único cara com quem dormiu certamente fará parte da conversa.

— Talvez sim, mas foi diferente. Nós nos conhecíamos há muito mais tempo do que isso.

— Vocês se conheceram por três dias. Não pode contar anos inteiros se só interagiram uma vez por ano.

Chegamos ao bar.

— Mudando de assunto — digo. — O que quer beber?

— Depende. Estamos bebendo porque queremos lembrar desta noite para sempre? Ou porque queremos esquecer o passado?

— Definitivamente esquecer.

Amber se vira para o barman e perde quatro shots. Quando ele os coloca diante de nós, erguemos o primeiro e batendo os copos para brindar.

— Para acordar em 10 de novembro sem lembranças do dia 9 — diz ela.

— Um brinde a isso!

Viramos os shots e no mesmo instante partimos para os outros dois. Não costumo beber muito, mas vou fazer o que for preciso para acelerar a noite, assim posso acabar logo com isso.

• • •

Meia hora se passa e os shots realmente fizeram seu trabalho. Estou me sentindo bem e bêbada, e nem me importo que Theodore esteja um pouco abusado com as mãos esta noite. Amber e Glenn saíram da mesa alguns minutos atrás e foram para a pista de dança. Theodore está me falando tudo sobre... *merda*. Não sei sobre o que ele está falando. Acho que não estive prestando atenção em nada do que ele disse.

Glenn volta à mesa, senta-se a nossa frente e tento me continuar concentrada no rosto de Theodore para que ele ache que estou prestando atenção na sua chatice sobre uma viagem de pesca que ele fez com um primo durante o solstício de verão. Aliás, quando é mesmo o solstício de verão?

— Posso ajudar em alguma coisa? — pergunta Theodore a Glenn, o que é estranho, considerando que ele falou isso num tom antipático.

Eu me viro para Glenn. Só que... não é Glenn.

Olhos castanhos me encaram e, de repente, quero afastar as mãos de Theodore de mim e me rastejar pela mesa.

Vá se foder, destino. Vá para o inferno.

Um sorriso surge lentamente no rosto de Ben enquanto ele volta sua atenção a Theodore.

— Desculpe interromper, mas estou indo de mesa em mesa para fazer algumas perguntas aos casais para o artigo em que estou trabalhando no mestrado. Por acaso se importam se eu fizer algumas a vocês dois?

Theodore relaxa ao perceber que Ben não está ali para marcar território. Ou pelo menos é o que ele pensa.

— Está bem, claro. — Theodore estende braço pela mesa para apertar a mão de Ben. — Meu nome é Theodore e esta é Fallon — diz ele, me apresentando ao único homem que já esteve dentro de mim.

— É um prazer conhecer você, Fallon.

Ben segura minha mão nas dele. Passa rapidamente os polegares em meu pulso e o contato de sua pele na minha é ardente. Quando solta minha mão, olho para o meu pulso, tendo certeza de que ficou uma marca.

— Meu nome é Ben.

Ergo o que torço que pareça uma sobrancelha desinteressada e indolente. *Mas o que ele está fazendo aqui?*

O olhar de Ben desvia dos meus olhos para a minha boca, mas depois ele se concentra em Theodore.

— Então, há quanto tempo você mora em Los Angeles, Theodore?

Há tantas coisas para processar em minha mente alcoolizada.

Ben está aqui.

Aqui.

E está arrancando informações do meu acompanhante.

— A maior parte da minha vida. Acho que vai fazer vinte anos.

Olho para Theodore.

— Achei que você tinha sido criado em Nantucket.

Ele se remexe na cadeira, apertando minha mão, que está em cima da mesa.

— Nasci lá, mas não fui criado. Nós nos mudamos para cá quando eu tinha quatro anos.

Ele volta sua atenção para Ben e, *que droga,* Amber vence de novo.

— Então — diz Ben, apontando o dedo de Theodore para mim e vice-versa. — Vocês estão namorando?

Theodore passa o braço por mim e me puxa na sua direção.

— Estou trabalhando nisso — diz ele, sorrindo para mim. Mas depois volta a olhar para Ben. — Essas perguntas são estranhamente pessoais. Que tipo de artigo você está escrevendo?

Ben apoia a cabeça na mão.

— Estou estudando a probabilidade de existirem almas gêmeas.

Theodore ri.

— Almas gêmeas? Isso é trabalho de mestrado? Deus nos proteja.

Ben ergue uma sobrancelha.

— Você não acredita em almas gêmeas?

Theodore passa o braço em volta de mim e se recosta no banco.

— Está dizendo que acredita? Você conheceu sua alma gêmea? — Theodore olha em volta, ironizando. — Ela está aqui com você? Qual é o nome da menina? Cinderela?

Meus olhos lentamente se dirigem para os de Ben. Não sei se quero ouvir o nome dela. Ele me olha com firmeza, alternando para os dedos que sobem e descem por meu braço.

— Ela não está aqui comigo — diz Ben. — Na verdade, ela me deu um bolo hoje. Esperei por mais de quatro horas, mas ela não apareceu.

As palavras dele parecem pingentes de gelo. Lindas e afiadas como uma faca. Engulo o nó na garganta.

Ele realmente apareceu? Mesmo depois de eu ter dito a ele ano passado que não iria? Agora as palavras dele estão provocando coisas demais em mim e parece que está tudo errado, porque estou sentada ao lado de um cara que quero que pare de tocar em mim.

— Que garota vale esperar quatro horas? — pergunta Theodore, rindo.

Ben se recosta na cadeira, mas observo cada movimento dele.

— Só essa — responde baixinho, a ninguém em particular. Ou talvez suas palavras fossem dirigidas só a mim.

E por falar em Amber... ou talvez eu *não estivesse* falando em Amber. Não consigo me lembrar agora que Ben está aqui e meu cérebro não funciona direito. Mas ela voltou.

Arregalo os olhos ao me virar para minha amiga. Amber está olhando de mim para Ben como se um de nós fosse uma miragem. Entendo totalmente, porque estou sentindo a mesma coisa. Mas deve ser só o álcool. Balanço a cabeça e arregalo os olhos para que ela saiba que não deve reconhecer Ben. Por sorte, ela entende minhas instruções silenciosas.

Glenn surge logo atrás dela e tento fazer o mesmo com ele, mas assim que chega à mesa, sorri e grita : "Ben!" Ele se senta ao lado de Ben e passa o braço por ele como se tivesse encontrado seu melhor amigo.

É, Glenn está bêbado.

— Você conhece esse cara? — pergunta Theodore, apontando para Ben.

Glenn começa a apontar para mim e nesse instante percebe minha expressão. Ainda bem que ele não está bêbado demais para decifrá-la.

— Hum... — balbucia ele. — A gente... Hum. Nos conhecemos antes. No banheiro.

Theodore engasga com a bebida.

— Vocês se conheceram no *banheiro*?

Aproveito a oportunidade para sair da mesa, precisando desesperadamente de um tempo. Isso tudo é demais.

— Quer que eu vá com você? — pergunta Amber, me segurando pelo cotovelo.

Nego com a cabeça. Acho que nós duas sabemos que estou torcendo para Ben vir atrás de mim e me explicar que diabo está fazendo aqui.

Ando depressa para o banheiro, um pouco constrangida com a velocidade com que saio. Engraçado como uma pessoa adulta pode se esquecer de como agir de forma adequada na presença de outra pessoa. Mas parece que por dentro estou tão quente que minhas entranhas começam a queimar os ossos. Minhas bochechas estão quentes. Meu pescoço está quente. Tudo está quente. Preciso jogar água no rosto.

Entro no banheiro e, embora não precise fazer xixi, faço mesmo assim. Estou com uma saia que Amber me obrigou a vestir, e como é fácil usar o banheiro quando você está de saia, é burrice não aproveitar a oportunidade. Além disso, tenho certeza absoluta de que vou pegar um táxi para casa logo depois de dar um soco na cara de Ben, então posso muito bem usar o banheiro enquanto estou aqui.

Por que estou justificando o fato de estar fazendo xixi?

Talvez porque na realidade eu saiba que só estou enrolando. Não sei se já quero sair do banheiro.

Ao lavar as mãos, noto que estão tremendo. Respiro várias vezes para me acalmar enquanto olho meu reflexo no espelho. Olhar para mim mesma no espelho é muito diferente agora do que antes de ter conhecido Ben. Não fico obcecada com meus defeitos, como eu costumava ficar. As inseguranças ocasionais ainda existem, mas, graças a Ben, aprendi a me aceitar como sou e ficar agradecida por estar viva. Parte de mim odeia que ele ganhe algum crédito por minha confiança, porque quero odiá-lo. Minha vida seria muito mais fácil se eu pudesse odiar Ben, mas é difícil odiar esse cara quando ele tem um impacto tão positivo na minha vida. É o impacto negativo que ele teve na minha vida no ano passado que me faz valorizar Amber por ter me obrigado a fazer um esforço esta noite com minha aparência. Estou usando uma camiseta justa roxa que realça o verde de meus olhos e meu cabelo cresceu alguns centímetros desde o ano passado. Pelo menos Ben está vendo esta versão de mim, em vez da que estava deprimida no sofá duas horas atrás. Não quero me vingar do cara, mas seria legal se ele, quando me olhasse, sentisse que perdeu algo. Eu me sentiria um pouco vingada por ele ter se apaixonado por outra, se soubesse que sentiu certo arrependimento.

Muitas perguntas passam por minha cabeça enquanto termino de fazer as coisas na pia. Por que ele não está aqui com Jordyn? Eles terminaram? Por que ele está aqui? Como ele sabia que *eu* estaria aqui? Ou ele simplesmente apareceu por acaso? E o que estava esperando quando foi ao restaurante hoje, acreditando que eu estaria lá?

Meu reflexo não traz nenhuma resposta, então faço a corajosa jornada até a saída do banheiro, sabendo que é provável que ele esteja em algum lugar lá fora. Esperando.

Assim que abro porta do banheiro, a mão de alguém segura meu braço e me puxa pelo corredor, para longe da multidão. Nem mesmo preciso olhar para saber que é ele. Meu corpo inteiro sente o zumbido familiar de eletricidade que nos percorre sempre que estamos juntos.

Minhas costas estão encostadas em uma parede, as mãos dele estão ao lado da minha cabeça e os olhos cravados nos meus.

— Até que ponto o lance com o *calça de baleia* ali é sério?

Ele não vai me fazer rir logo de cara. Resmungo.

— Detesto aquela calça.

Ele dá um sorriso presunçoso e torto, que logo em seguida some, substituído por um lampejo de decepção.

— Por que você não apareceu hoje? — pergunta ele.

Não sei mais a diferença entre a batida do meu coração e a batida da música. Estão em perfeita sincronia, e um não é mais alto do que o outro, graças à proximidade de Ben.

— Eu avisei ano passado que não ia aparecer hoje. — Olho para o corredor, para a boate. Está escuro aqui, depois dos banheiros, longe das pessoas. De algum modo, em um local cheio de corpos quentes, conseguimos total privacidade. — Como você sabia que eu estaria aqui esta noite?

Ele balança a cabeça com desdém.

— A resposta a esta pergunta não tem nem de longe a mesma importância da resposta à minha. Até que ponto o lance com aquele cara é sério?

A voz dele sai baixa, o rosto perto do meu. Sinto o calor irradiando da sua pele. É difícil me concentrar neste lugar cheio de distrações.

— Esqueci a pergunta que você acabou de fazer.

Eu oscilo um pouco, mas os dedos dele se firmam no meu quadril e ele me segura.

Ben estreita os olhos.

— Você está bêbada?

— Só um pouco alta. Tem uma grande diferença. Como está *Jordyn*?

Não sei por que digo o nome dela com raiva. Não guardo nenhum ressentimento dela. Tudo bem, talvez só um pouco. Mas não muito, porque Oliver é uma criança muito fofa e é difícil ficar brava com alguém que tem um filho tão lindo.

Ben suspira, desviando os olhos por uma fração de segundo.

— Jordyn está ótima. Eles estão bem.

Ótimo. Que bom para eles. Que bom para Ben, Oliver e sua linda familiazinha de merda.

— Que legal, Ben. Preciso voltar para o meu encontro.

Tento empurrar para passar por ele, mas Ben se inclina para mais perto, me espremendo na parede. Sua testa toca a lateral da minha cabeça. Ele suspira e sentir o hálito sair de seus lábios e soprar meu cabelo me obriga a fechar bem os olhos.

— Não aja assim — sussurra ele em meu ouvido. — Foi um inferno tentar encontrar você hoje.

Eu me retraio porque as palavras dele embrulham meu estômago. Ele desliza os braços por mim e me puxa para perto. Ben parece mais forte. Mais definido. Mais homem ainda do que no ano passado. Fico tensa perto dele ao fazer minha próxima pergunta:

— Você ainda está com ela?

Ele parece desanimado ao responder:

— Você me conhece muito bem, Fallon. Se eu tivesse uma namorada, com certeza não estaria aqui tentando convencer você a ir para a minha casa.

Ele observa meu rosto em busca de uma reação, notando cada traço meu com os olhos cheios de desejo. Tento não reparar, mas ele pressiona o corpo no meu, minha coxa está firme entre suas pernas. É evidente, pela rigidez ardente com que aperta minha coxa, que a expressão em seus olhos é verdadeira.

Senti-lo desse jeito outra vez — sua boca perigosamente perto da minha — me faz lembrar da noite que passei com ele. A única noite em que permiti que um homem me consumisse completamente, coração, corpo e alma... E só de pensar no que ele foi capaz de fazer comigo naquela noite quase me força a gemer.

Porém, sou mais forte que os meus hormônios. Preciso ser. Não posso passar por outro sofrimento como o do qual ainda estou me curando. As feridas ainda são muito recentes, é como se ele as estivesse abrindo com as próprias mãos.

— Venha para casa comigo — sussurra ele.

Não. Não, não, não, Fallon.

Balanço a cabeça com um esforço imenso para garantir que eu não concorde por acidente.

— Não, Ben. *Não.* O ano passado foi o mais difícil da minha vida. Não pode esperar que eu simplesmente volte com você só porque apareceu aqui hoje.

Ele passa as costas dos dedos pela maçã do meu rosto.

— Não espero por isso, Fallon. Mas rezo por isso. Toda noite, de joelhos, a qualquer Deus que queira ouvir.

As palavras dele parecem penetrar as paredes do meu peito e todo o ar é arrancado dos meus pulmões. Fecho os olhos quando o hálito dele atinge meu queixo. Ele está se aproveitando da privacidade e da minha fraqueza e quero dar um soco nele por isso, mas primeiro só preciso saber se o gosto dele ainda é o mesmo. Se sua língua continua se mexendo do mesmo jeito. Se ele ainda me toca como se fosse um privilégio.

Estou sendo escorada por uma parede atrás de mim e por Ben na minha frente, mas, ainda assim, quando sua mão toca minha coxa e seus dedos começam lentamente a levantar a saia, sinto como se estivesse prestes a desabar no chão. Tanta coisa precisa ser discutida entre nós, mas, por algum motivo, meu corpo quer que minha boca fique fechada para que a mão dele continue se mexendo. Senti tanta falta desse toque, e por mais que eu tenha feito o esforço de sair e tentar esquecer Ben, não sei se um dia poderia encontrar essa conexão física com outra pessoa. Ninguém me faz sentir tão desejável quanto Ben. Senti falta disso. De como ele me olha, toca em mim, faz parecer que minhas cicatrizes são um aperfeiçoamento e não um defeito. É difícil dizer não a essa sensação, por maior que seja minha mágoa pelo que aconteceu ano passado.

— Ben — sussurro, não tanto em protesto, mas com o intuito de ouvir o som do nome dele.

Ele enfia o rosto no meu pescoço e respira em mim, e me esqueço de tudo que estava prestes a protestar. Minha cabeça tomba na parede e sua mão desliza atrás da minha coxa. Seus dedos roçam a beirada da minha calcinha e quando sinto que passam por baixo, todo o meu corpo estremece. Sou obrigada a apoiar a cabeça em seu ombro e me agarrar às costas de sua camisa para simplesmente continuar de pé. Tudo o que ele fez foi tocar minha bunda e parece que nem mesmo consigo mais me manter de pé. Eu devia ficar constrangida.

Ele se afasta, só um pouquinho, para olhar por cima do ombro. Não sei quem ou o que ele está procurando, mas quando não vê ninguém atrás de nós, estende a mão à minha direita... para uma porta. Puxa a maçaneta, que cede. Ben não desperdiça um segundo. Ele me agarra pela cintura e me empurra para a porta, para a sala escura, depois a porta se fecha, abafando a música.

Agora consigo escutar minha respiração árdua. Na verdade, ofegante. Mas a dele também. Ouço-o bem a minha frente, mas não consigo enxergar. Escuto ele tatear a sala. Está um breu e a ausência da parede atrás de mim e dele na minha frente me faz sentir vazia.

Mas então suas mãos voltam para a minha cintura.

— Depósito — diz ele, me empurrando até apoiar minhas costas na porta. — Perfeito.

Depois sinto sua respiração em meus lábios, seguida de perto pela boca roçando na minha. Assim que sinto isso

— a explosão de eletricidade que dispara de sua boca para cada nervo do meu corpo —, empurro seu peito.

— Pare — digo a ele, minha voz saindo mais alta do que durante toda a noite, graças a distância da música.

A mão dele voltou para onde estava antes... roçando a beirada da calcinha... forçando meus olhos a se fecharem, como se isto fizesse alguma diferença aqui.

— Estou tentando — sussurra ele, entrelaçando nas mechas do meu cabelo a mão que não levantou minha saia. Ele me segura pela nuca. — Peça de novo.

Abro a boca para repetir, mas sou tomada pelo calor, pela língua e pelos lábios dele que sabem como trabalhar juntos. No lugar da palavra *pare*, só o que ele recebe é um gemido e minha mão em seu cabelo, puxando, empurrando, hesitante.

Ele pressiona o corpo no meu, com a perna entre as minhas. Está me beijando com tanta intensidade que minha mente ainda tenta entender como sua língua pode se mexer de tantas formas até perceber que a mão dele foi para a parte da frente da minha coxa. E sei que devia impedi-lo. Devia empurrá-lo e fazer com que se explique, mas suas mãos estão boas demais para isso. Minhas pernas ficam tensas e seguro a manga de sua camisa com uma das mãos enquanto puxo seu cabelo com a outra, afastando minha boca para poder respirar. Respiro fundo uma vez antes que ele volte para a minha boca, ainda mais ávido do que antes.

E a mão dele... Ah, meu Deus, seus dedos estão acompanhando lentamente parte da frente da minha calcinha. Solto outro gemido. Duas vezes. Ele abre espaço suficiente entre nossas bocas para me ouvir ofegar enquanto desliza a mão pela frente da minha calcinha.

Meus joelhos ficam bambos. Acho que eu não sabia que meu corpo era capaz de sentir esse tipo de coisa. Acho que acabei de me apaixonar um pouco mais por meu corpo.

— Meu Deus, Fallon — diz Ben, me acariciando, respirando pesadamente em minha boca. — Você está tão molhada.

Por mais que seja delicioso ouvir isso, não consigo conter uma gargalhada. Quando faço isso, rapidamente tapo a boca, mas já é tarde demais. Ele ouviu meu riso no meio do ato de sedução mais magnífico de que já participei.

Ele baixa a testa para a lateral da minha cabeça e ouço-o rir baixinho. Sua boca encosta na minha orelha e juro que consigo ouvir o sorriso em sua voz quando ele fala:

— Meu Deus, senti tanto a sua falta.

Essa única frase me afeta mais do que qualquer coisa que ele tenha dito a noite toda, e não sei se é porque, por um segundo, parecem os antigos Fallon e Ben, ou se é porque ele afasta a mão e passa os braços por mim, me puxando em um de seus abraços de esmagar a alma. A testa dele está encostada na minha e quase quero que continue com o lance físico, porque é muito mais fácil do que o emocional.

Por melhor que seja a sensação de estar de volta aos braços dele, tenho medo de estar estragando tudo. Não sei o que fazer. Não sei se devo deixar que ele volte para a minha vida tão facilmente assim, porque a parte de ficarmos juntos deve ser tão difícil quanto a de deixá-lo ir, e isto está sendo muito fácil para ele. Preciso de tempo, penso. Não sei. Não me sinto capaz de tomar uma decisão dessas agora.

— Fallon? — chama ele em voz baixa.

— Oi? — sussurro.

— Venha para casa comigo. Quero conversar com você, mas não quero fazer isso aqui.

Voltamos a isso de novo. Isso me faz perguntar se ele está sendo tão insistente porque só restam algumas horas do dia 9 de novembro e ele quer usar a maior parte desse tempo, ou se ele me quer em todos os outros dias também.

Apalpo atrás de mim tentando encontrar a maçaneta. Quando acho, empurro o peito de Ben e abro a porta. Quando consigo sair, a mão dele está em meu cotovelo direito e outra pessoa segura o cotovelo esquerdo. Eu me sobressalto e meus olhos encontram os de Amber.

— Eu estava procurando por você — diz ela. — O que está fazendo no... — Sua pergunta é interrompida quando ela vê Ben saindo atrás de mim. E então acrescenta: — Desculpe por interromper este reencontro, mas Teddy está preocupado com você.

Ela me olha como se estivesse decepcionada com a minha decisão de me agarrar com Ben em um armário escuro enquanto meu acompanhante está no mesmo local e, *ai, meu Deus*, agora que penso nisso, é mesmo uma atitude de merda.

— Droga! — exclamo. — Preciso voltar para a mesa.

Ben faz uma careta, como se essa fosse a última coisa que ele esperasse ouvir da minha boca.

— Boa escolha — diz Amber, olhando feio para Ben.

Ele pode me encontrar mais tarde. Preciso voltar à mesa antes que Theodore perceba como sou ridícula. Sigo Amber de volta à mesa, mas, por sorte, está tão barulhento que não consigo entender nada do que ela diz. Mas sei que está me dando uma bronca. Assim que retornamos ao nosso lugar à mesa, Ben puxa uma cadeira e a coloca à cabeceira. Senta-se e cruza os braços à frente.

Theodore põe o braço em meus ombros e se inclina na minha direção.

— Você está bem?

Dou um breve sorriso forçado e faço que sim com a cabeça, mas não dou mais nada a ele, considerando que Ben parece estar prestes a se arrastar pela mesa e arrancar o braço de Theodore de mim.

Eu me ajeito para que Theodore não pense que estou retribuindo seu carinho. Inclino meu corpo para a frente, me afastando do seu braço, como se tivesse algo para dizer a Amber. Assim que abro a boca, a mão de Ben acaricia meu joelho por baixo da mesa. Meus olhos se voltam para os de Ben e ele me olha com inocência.

Por sorte, Glenn rouba a atenção de Theodore, então ele não nota quando todo o meu corpo fica tenso. Ben começa a subir os dedos por minha coxa, portanto, coloco a mão por baixo da mesa e afasto a dele. Ben sorri e se recosta.

— Então — começa Amber, voltando a atenção para Ben. — Como todos nós só conhecemos você há 15 minutos, não sabemos absolutamente nada sobre você, nunca estivemos com você, afinal somos completos estranhos, por que não nos conta sobre você? O que faz da vida? Theodore disse que você é escritor, é isso? Está escrevendo sobre alguma coisa interessante? Quem sabe uma história de amor? E como está indo?

Dou um chute em Amber por baixo da mesa. Será que ela poderia ser mais óbvia?

Ben ri, e agora que Amber já soltou a pergunta mais aleatória do mundo, Theodore e Glenn estão olhando para Ben, esperando que ele responda.

— Bom — começa Ben, se endireitando em seu lugar. — Na realidade, sim. Sou escritor. Mas tive um problema muito sério de bloqueio criativo este ano. Foi horrível. Não escrevi uma só palavra em 365 dias. Mas, estranhamente, acho que consegui avançar alguns minutos atrás.

— Imagine só — diz Amber, revirando os olhos.

Eu me inclino para a frente, decidindo me juntar a esta conversa enigmática.

— Sabe de uma coisa, Ben? Bloqueio criativo pode ser uma coisa complicada. Só porque você conseguiu avançar alguns minutos atrás, não quer dizer que seja permanente.

Ele finge refletir por um momento sobre o meu comentário, depois balança a cabeça.

— Não. Não, reconheço um avanço quando tenho um. E tenho certeza de que o que passei minutos atrás foi um dos avanços revolucionários mais alucinantes já vivenciados pela humanidade.

Ergo uma sobrancelha.

— Há uma linha muito tênue entre confiança e presunção.

Ben faz a mesma expressão que eu enquanto sua mão volta para a minha perna embaixo da mesa, me fazendo enrijecer.

— Então, estou apoiado nessa linha assim como na coxa de uma garota de perna comprida.

Ai, meu Deus, essas palavras.

Glenn ri, mas Theodore se curva para a frente para ter a atenção de Ben.

— Tenho um tio em Nantucket que publicou um livro. É uma coisa bem difícil de...

— Theodore — diz Ben, interrompendo-o. — Você parece um... cara legal.

— Obrigado — fala ele, sorrindo.

— Deixe-me terminar. — Ben ergue um dedo, alertando. — Porque daqui a pouco você vai me odiar. Eu menti. Não estou escrevendo um artigo. — Ele aponta para Glenn. — Esse cara me disse mais cedo onde eu devia ir esta noite para encontrar a garota com quem eu devia passar o resto da minha vida. Desculpe, mas essa garota por acaso é sua acompanhante. E estou apaixonado por ela. Tipo, *realmente* apaixonado por ela. Um amor incapacitante, debilitante, paralisante. Então, por favor, aceite minhas sinceras desculpas, porque hoje ela vai voltar para casa comigo. Eu espero. Estou rezando por isso. — Ben me lança um olhar afetuoso. — Por favor? Ou esse discurso vai me fazer parecer um idiota completo e não seria legal quando contássemos essa história para os nossos netos.

Ele estende a mão para mim, mas fico tão petrificada quanto o coitado do Theodore.

Glenn tapa a boca, tentando disfarçar seu riso de bêbado. Pela primeira vez, Amber fica realmente sem palavras.

— Mas que *porra é essa*? — diz Theodore.

Antes que eu consiga me desvencilhar dele, Theodore estende o braço para além de mim, agarrando a gola da camisa de Ben, puxando-o para mais perto com o intuito de estrangulá-lo, dar um soco nele ou... Não sei o que ele está fazendo, mas me abaixo e fujo da mesa, para não ficar no meio disso. Quando me viro, Theodore está de joelhos com Ben, dando uma chave de braço por cima da mesa. Ben está ofegante no braço de Theodore, tentando afastá-lo de seu pescoço. Seus olhos estão arregalados e ele olha diretamente para mim.

— Seu babaca de merda! — grita Theodore.

Ben solta o braço de Theodore com uma das mãos e aponta para mim, querendo que eu me aproxime. Dou um passo hesitante à frente, sem saber o que fazer para livrá-lo desta confusão. Quando estou a meio metro deles, Ben se esforça para falar:

— Fallon — diz ele, ainda agarrado ao braço que envolve seu pescoço. — Você... vai para casa comigo ou não?

Ah, meu Deus. Ele é implacável. E está sendo arrancado da chave de braço de Theodore por dois seguranças que vieram interferir. Agora Ben e Theodore estão sendo levados para fora, e Amber, Glenn e eu vamos atrás deles. Antes de chegarmos à porta, Amber dá um soco no ombro de Glenn.

— Você contou para Ben aonde íamos esta noite? — sibila ela.

O garoto esfrega o braço.

— Ele apareceu na nossa casa hoje procurando Fallon.

Amber bufa.

— E então você simplesmente contou para ele onde ela estaria? Por que você faria isso?

— Ele é *divertido*! — responde Glenn, como se fosse uma defesa legítima.

Amber olha por sobre o ombro para mim, como se pedisse desculpa. Não digo a ela que não há motivo para se sentir mal. Até o momento, estou feliz por Glenn ter contado a Ben onde eu estaria esta noite. Eu me sinto bem em saber que ele ficou quatro horas esperando no restaurante, depois foi me procurar em meu antigo apartamento, na esperança de que Amber e Glenn ainda morassem lá. É um pouco lisonjeiro, embora ainda não compense o que ele me fez passar.

Assim que saímos, vou logo até Theodore, que anda de um lado para outro, irritado. Para quando me vê diante dele e aponta para Ben.

— Isso é verdade? — pergunta. — Vocês dois são tipo... Porra, sei lá. O que vocês são? Namorados? Ex? Eu me encaixo de algum jeito nesse quadro ou estou perdendo a droga do meu tempo?

Balanço a cabeça, completamente perdida. Não sei como responder, porque, sinceramente, não sei o que sou de Ben. Mas sei como estou com Theodore, então acho que vou começar por aí.

— Desculpe — digo. — Juro que não falava com ele há um ano. Não quero que você ache que estou saindo com os dois ao mesmo tempo, mas... Desculpe. Talvez eu só precise de algum tempo para me resolver.

Theodore inclina a cabeça, como se estivesse chocado com o que acabou de ouvir.

— Se resolver? — Ele balança a cabeça. — Não tenho tempo para essa merda. — Ele começa a andar na direção contrária, mas ainda o escuto quando resmunga: — Você nem é tão bonita assim.

Ainda estou processando a ofensa quando noto Ben passar correndo por mim. Antes mesmo que meus olhos consigam se ajustar, o punho dele voa. Glenn corre para interferir, mas... espere aí. Não. Glenn *também* dá um soco em Theodore.

Por sorte, os seguranças não tinham entrado e os três são separados antes que alguém fique gravemente ferido. Theodore luta para se soltar de um dos seguranças e fica o tempo todo gritando obscenidades para Ben. Enquanto isso, Amber surge do meu lado, se equilibrando em um parquímetro enquanto tira um dos sapatos.

— Quero que cada um de vocês saia deste lugar agora mesmo antes que a gente chame a polícia! — grita um dos seguranças.

— Espere aí — diz Amber, levantando um dedo enquanto tira o sapato. — Eu não terminei. — Ela segura o sapato e olha para Theodore com raiva, depois afasta o braço e joga o sapato pela calçada, acertando-o em cheio entre as pernas dele. — Odeio sua calça idiota, seu babaca! — grita ela. — Fallon merece coisa melhor do que você, e NANTUCKET TAMBÉM!

Nossa. Boa, Amber.

O segurança que detém Theodore pergunta onde o carro dele está estacionado. Ele acompanha o garoto naquela direção enquanto Amber pega seu sapato de volta. Ben e Glenn só são soltos depois que o segurança volta sem Theodore.

— Vocês quatro. Vão embora. Agora.

Assim que o segurança solta o braço de Ben, ele vem correndo na minha direção, segura meu rosto nas mãos, me observando para descobrir se estou magoada. Ou talvez esteja checando minhas emoções, não sei. De qualquer forma, ele parece preocupado.

— Você está bem?

Sei, pelo tom tranquilizador de sua voz, que ele está com medo de que Theodore tenha ferido meus sentimentos.

— Estou ótima, Ben. A ofensa daquele cara sobre minha aparência não têm muita importância ao considerar que ele usa aquela calça por vontade própria.

Vejo o alívio no sorriso de Ben enquanto ele beija minha testa.

— Você veio de carro? — pergunta Glenn a Ben, que assente.

— Vim — responde. — Vou dar uma carona para vocês dois.

— Para vocês *três* — digo a Ben, insinuando que só porque ele agiu em minha defesa, não quer dizer que automaticamente vou para a casa dele. — Preciso que você me deixe na minha casa.

Amber resmunga e passa por mim, roçando em meu ombro.

— Ele já está perdoado — diz ela. — Glenn encontrou um ser do sexo masculino de quem realmente gosta e se você não perdoar Ben, vai magoar Glenn.

Os dois garotos ficam em silêncio olhando para mim. Glenn faz uma expressão fofa com a de um filhote de cachorro e Ben faz beicinho.

Não posso com isso. Dou de ombros, derrotada.

— Então, tudo bem. Acho que se *Glenn* gosta de você, está resolvido. Tenho que ir para casa com você.

Ben continua me olhando nos olhos quando estende o braço para Glenn, com o punho cerrado. Glenn o cumprimenta e eles baixam os braços, sem dizer nada.

Enquanto passo por Ben e sigo para o estacionamento, estreito os olhos para ele e digo:

— Mas você tem muito que explicar. *Muito.* E também se humilhar.

— Sou muito capaz de fazer as duas coisas — diz Ben, vindo atrás de mim.

— E vai ter que preparar café da manhã para mim — acrescento. — Gosto de bacon bem passado e ovos fritos dos dois lados.

— Entendi — diz Ben. — Me explicar, depois me humilhar, depois ficar peladão e preparar ovos e bacon.

Ele passa o braço por meu ombro e me redireciona até seu carro. Abre a porta do carona para mim, mas, antes de entrar, pega meu rosto com as mãos em concha e encosta os lábios nos meus. Quando se afasta, fico chocada com quanta emoção há em sua expressão depois do ridículo dos últimos quinze minutos.

— Não vai se arrepender disto, Fallon. Prometo.

Espero que não.

Ele me dá um beijo na bochecha e me espera entrar no carro.

As mãos de alguém agarram meus ombros por trás e o rosto de Glenn surge ao meu lado, no banco traseiro.

— Também prometo — diz ele, me dando um beijo estalado na bochecha.

Enquanto arrancamos do estacionamento, olho pela janela porque não quero que os três vejam as lágrimas em meus olhos.

Porque, sim, ouvir Theodore me insultar não só me magoou, como foi de longe um dos momentos mais constrangedores da minha vida. Mas saber que esses três me defenderam sem pensar quase fez a ofensa valer a pena.

Ben

Por pelo menos um quilômetro e meio, fica o maior silêncio depois que deixamos Glenn e Amber. Ela ficou olhando pela janela durante todo o percurso e eu queria que olhasse para mim. Sei que o que a fiz passar ano passado a magoou mais do que posso imaginar e espero que ela perceba que vou fazer o que é certo. Nem que leve o resto da minha vida, vou fazer isso certo. Estendo o braço e seguro a mão dela.

— Preciso pedir desculpas — digo a ela. — Eu não devia ter dito aquelas coisas...

Ela balança a cabeça, me interrompendo em silêncio.

— Não retire o que disse. Achei admirável você ter sido sincero com Theodore. A maioria dos homens seria covarde demais para dizer qualquer coisa e simplesmente roubaria a garota pelas costas do outro.

Ela não faz ideia do porquê eu me estava me sentindo mal.

— Eu não estava pedindo desculpas por isso. Estou me desculpando porque eu nunca devia ter dito que estava apaixonado por você daquele jeito, quando não estava falando diretamente com você. Merece mais do que um eu te amo de segunda mão.

Ela me olha sem dizer nada e vira o rosto para a janela. Volto a olhar para a rua, depois dou outra olhada na direção dela. Percebo sua bochecha se erguer em um sorriso enquanto ela aperta minha mão

— Talvez, se a explicação e a humilhação forem boas esta noite, você possa tentar um *eu te amo* outra vez, antes de preparar meu café da manhã.

Sorrio, porque sei, sem dúvida nenhuma, que a humilhação e o café serão moleza.

É da explicação que tenho medo. Ainda temos pelo menos 15 minutos dentro do carro, então decido começar já.

— Eu me mudei logo depois do Natal do ano passado. Ian e eu deixamos Jordyn e Oliver ficar com a casa.

Sinto a tensão da mão dela na minha só à menção do nome de Jordyn. Detesto isso. Detesto ter provocado isso e detesto que isso sempre vá estar no fundo da mente de Fallon, pelo resto da nossa vida. Porque, quer ela queira ou não, Jordyn é mãe de Oliver, que é como um filho para mim. Eles sempre estarão presentes na minha vida, independentemente de qualquer coisa.

— Você acreditaria em mim, se eu dissesse que as coisas estão ótimas entre nós? Entre mim e Jordyn?

Ela me olha de soslaio.

— Ótimas em que sentido?

Afasto a mão da dela e seguro o volante para apertar meu queixo com a outra mão, com o intuito de me livrar da tensão.

— Quero que você me escute antes de falar, está bem? Porque pode ser que eu diga algumas coisas que você não quer ouvir, mas preciso que ouça.

Ela concorda suavemente com a cabeça, eu então puxo ar, procurando coragem.

— Dois anos atrás... quando fiz amor com você... dei tudo a você. Coração e alma. Mas, naquela noite, quando você decidiu passar um ano inteiro sem me ver de novo, não consegui entender o que tinha acontecido. Eu não entendia como eu podia ter sentido tudo aquilo e você não ter sentido nada. Doeu pra cacete, Fallon. Você foi embora, fiquei zangado, e nem sei dizer como aqueles meses foram difíceis. Eu não estava só sofrendo pela morte de Kyle, estava de luto por sua perda também.

Olho fixo para a frente, porque não quero ver o que minhas palavras provocam nela.

— Quando Oliver nasceu, foi a primeira vez que me senti feliz desde o momento em que você apareceu de surpresa na minha porta. Foi a primeira vez que Jordyn sorriu desde a morte de Kyle. Então, nos meses seguintes, passamos cada minuto juntos com Oliver, porque ele era o único ponto luminoso em nossa vida. E quando duas pessoas amam tanto alguém como nós amamos ele, surge um vínculo que eu não consigo explicar. Nos meses seguintes, ela e Oliver foram capazes de preencher os imensos vazios que você e Kyle deixaram em meu coração. E acho que, de certo modo, preenchi o vazio que Kyle deixou no coração *dela*. Quando as coisas evoluíram entre nós, eu nem mesmo sei se alguém pensou sobre isso antes que acontecesse. Mas aconteceu e ninguém estava lá para me dizer que um dia eu poderia me arrepender.

"Quer dizer... Até havia uma parte de mim que acreditava que você ficaria feliz por mim quando nos encontrássemos no próximo mês de novembro. Achei que talvez fosse o que você quisesse, que eu tocasse minha vida e parasse de me prender ao que você via como uma relação fictícia que criamos quando tínhamos 18 anos.

"Mas quando apareci naquele dia... a última coisa que eu esperava era que você ficasse tão magoada daquele jeito. E assim que você descobriu que eu estava com Jordyn, vi em seus olhos o quanto você realmente me ama e foi um dos piores momentos da minha vida, Fallon. Um dos piores momentos, porra, e ainda sinto as feridas que suas lágrimas deixaram em meu peito sempre que eu respiro."

Agarro o volante e solto o ar com firmeza.

— Assim que Jordyn chegou em casa naquela noite, viu a mágoa em meu rosto. E ela sabia que não era a garota que havia causado isso. Surpreendentemente, ela nem ficou chateada. Conversamos sobre o assunto por cerca de duas horas sem parar. Sobre o que eu sentia por você e o que ela sentia por Kyle, e que nós sabíamos que estávamos nos magoando mantendo um relacionamento que jamais seria igual àquele que tivemos com outra pessoa no passado. Então, terminamos. Naquele dia. Tirei minhas coisas do quarto dela naquela noite e voltei para o meu até encontrar uma casa nova.

Arrisco olhar na direção dela, mas Fallon continua olhando fixamente pela janela. Vejo que ela enxuga uma lágrima e estou torcendo para não ter deixado ela aborrecida.

— Não estou colocando a culpa de nada disso em você, Fallon. Está bem? Só falei sobre aquele ano em que você foi embora porque preciso que saiba que a dona do meu coração sempre foi você. E eu nunca teria deixado que outra pessoa o pegasse emprestado se soubesse que havia uma chance em um milhão de você querer de volta.

Vejo seus ombros se sacudindo e detesto que estou fazendo ela chorar. Odeio isso. Não quero que ela fique triste. Fallon me encara com os olhos cheios d'água.

— E Oliver? — pergunta ela. — Você não mora mais com ele? — Ela enxuga outra lágrima. — Eu me sinto *péssima*, Ben. Parece que afastei você do seu filho.

Ela tapa o rosto com as mãos e começa a soluçar. Não suporto nem mais um segundo disso. Paro o carro no acostamento e ligo o pisca-alerta. Solto o cinto de segurança e estendo o braço pelo banco para puxá-la para mim.

— Não, amor — sussurro. — Por favor, não chore por isso. Eu e Oliver... Está tudo perfeito. Eu o vejo sempre que quero, quase todo dia. Não preciso morar com a mãe dele para amá-lo do mesmo jeito.

Passo as mãos por seu cabelo e beijo a lateral da sua cabeça.

— É bom. As coisas estão ótimas, Fallon. A única coisa que não está certa na minha vida é o fato de você não fazer parte dela todos os dias.

Ela se afasta do meu ombro e funga.

— Essa é única coisa que não está certa na *minha* vida, Ben. Todo o resto está perfeito. Tenho dois dos melhores amigos do mundo. Adoro o que estudo. Adoro meu trabalho. Tenho uma ótima mãe e um ótimo meio pai. — Ela ri ao dizer esta última frase. — Mas a única coisa que me deixa triste... a maior delas... é que penso em você todo segundo de cada dia e não sei como te esquecer.

— Não esqueça — imploro. — Por favor, não me esqueça.

Ela dá de ombros com um sorriso indiferente.

— Não consigo. Tentei, mas acho que preciso de um AA ou coisa assim. Agora você já faz parte da minha composição química.

Rio, aliviado porque ela... simplesmente *existe.* E porque temos sorte suficiente de existir na mesma época, na mesma região do mundo, no mesmo estado. E depois de todos esses anos, surpreendentemente eu não mudaria nada do que, no fim das contas, nos uniu.

— Ben? Parece que você vai vomitar de novo.

Rio e balanço a cabeça.

— Não vou. Só preciso dizer que eu te amo, mas acho que devo te avisar antes de fazer isso.

— Tudo bem. Me avisar o quê?

— Que concordando em retribuir meu amor, você está assumindo uma responsabilidade enorme. Porque Oliver vai fazer parte da minha vida para sempre. E não estou falando como tio e sobrinho, mas como se ele fosse meu. Festas de aniversário, jogos de beisebol e...

Ela tapa minha boca com a mão para me calar.

— Amar alguém não inclui só a pessoa, Ben. Amar alguém significa aceitar todas as coisas e pessoas que esse alguém também ama. E vou aceitar. Prometo.

Eu *realmente* não a mereço. Mas a puxo para perto e a coloco entre mim e o volante. Puxo sua boca para a minha e falo:

— Eu te amo, Fallon. Mais do que poesia, mais do que palavras, mais do que música, mais do que seus peitos. Os dois. Faz ideia do quanto isto significa?

Ela ri e chora ao mesmo tempo e encosto meus lábios nos dela, querendo me lembrar deste beijo mais do que de qualquer outro que dei nela, por mais que só dure dois segundos, porque ela logo se afasta para dizer:

— Também te amo. E acho que foi uma explicação estelar. Uma explicação que sequer precisa de muita humilhação, então eu gostaria de ir para sua casa agora e fazer amor com você.

Dou-lhe um beijo rápido, depois a empurro para seu lado do carro enquanto me preparo para seguir pela rua. Ela coloca o cinto de segurança e fala:

— Mas ainda estou esperando o café amanhã.

• • •

— Então, tecnicamente, só passamos, no total, 28 horas juntos desde que nos conhecemos — diz ela.

Estamos na minha cama. Ela está jogada por cima de mim, passando os dedos em meu peito. Assim que voltamos para o apartamento, fiz amor com ela. Duas vezes. E se ela não parar de me tocar desse jeito, estamos prestes a ter uma terceira.

— Isso é tempo mais do que suficiente para saber se você ama alguém — digo.

Andamos contando quanto tempo no total realmente passamos juntos ao longo de quatro anos. Para ser sincero, achei que seria mais do que isso, porque parece mais, mas Fallon tinha razão quando disse que sequer daria um total de dois dias.

— Veja por este ângulo — começo, esmiuçando ainda mais. — Se tivéssemos um relacionamento tradicional, teríamos saído algumas vezes, talvez uma ou duas vezes por semana, por cerca de algumas horas. Isto dá uma média de apenas 12 horas no primeiro mês. Digamos que tivéssemos dois encontros que duraram a noite toda no segundo mês. Os casais podem muito bem começar o terceiro mês de namoro na época em que eles passaram por 28 horas juntos no total. E o terceiro mês é quintessencial para o "eu te amo". Então, tecnicamente, estamos no caminho certo.

Ela morde o lábio para conter o sorriso.

— Gosto da sua lógica. Você sabe como detesto amor instantâneo.

— Ah, mas ainda é amor instantâneo — digo a ela. — Só que o nosso é legítimo.

Ela se apoia no cotovelo, me olhando de cima.

— Quando você soube? Tipo, em que segundo teve certeza de que estava apaixonado por mim?

Eu nem hesito.

— Lembra quando nos beijamos na praia e eu me sentei e disse que queria fazer uma tatuagem?

Ela sorri.

— Foi uma coisa tão aleatória, como eu poderia esquecer?

— Foi por isso que fiz a tatuagem. Porque naquele instante eu soube que tinha me apaixonado por uma garota pela primeira vez. Tipo, amor *verdadeiro*. Amor *altruísta*. E minha mãe me disse uma vez que eu saberia no segundo em que encontrasse o amor altruísta, e que eu deveria fazer alguma coisa para me lembrar desse momento, porque não acontece com todo mundo. Então... é isso.

Ela segura meu pulso e dá uma olhada na minha tatuagem. Acompanha o desenho com o indicador.

— Você fez isso por minha causa? — pergunta ela, olhando outra vez para mim. — Mas o que quer dizer? Por que você escolheu a palavra *poética*? E a pauta musical?

Observo minha tatuagem e me pergunto se realmente devo entrar em detalhes com ela sobre a escolha que fiz. Mas esse momento do passado atrapalharia o atual e não quero isso.

— Motivos pessoais — respondo, com um sorriso forçado. — Um dia vou te contar, mas agora quero que você me beije de novo.

Não leva nem dez segundos para que eu a coloque de costas e esteja totalmente dentro dela. Desta vez, faço amor lentamente, não na pressa louca, como fizemos nas duas vezes anteriores. Eu a beijo, da boca até os seios, voltando a subir, encostando suavemente meus lábios em cada centímetro de pele que tenho o privilégio de tocar.

E, desta vez, quando terminamos, não falamos nada depois. Nós dois fechamos os olhos e sei que quando eu acordar ao lado dela amanhã de manhã, vou fazer com que seja minha missão perdoar a mim mesmo por todas as vezes em que escondi a verdade dela no passado.

Depois de preparar o café da manhã para ela.

Fallon

Meu estômago ronca, me lembrando de que não jantei na noite passada. Saio em silêncio da cama e procuro minhas roupas, mas depois de encontrar a saia, fico de mãos abanando. Não quero acender a luz para achar a blusa, então vou até o closet de Ben procurar por uma camiseta ou coisa assim, para ir assaltar a geladeira dele vestida.

Eu me sinto uma idiota procurando às cegas e com um sorriso no rosto por uma camisa no closet dele. Mas, quando acordei esta manhã, jamais esperava que o dia fosse terminar daquele jeito. *Absolutamente perfeito.*

Decido fechar a porta e acender a luz para não incomodá-lo. Encontro uma camiseta fina e macia e a retiro do cabide. Depois de vesti-la, vou apagar a luz, mas algo chama minha atenção.

Na prateleira de cima, ao lado de uma caixa de sapato, há um maço grosso de papéis. Parecem um manuscrito.

Será que é...

Minha curiosidade é despertada. Fico na ponta dos pés até conseguir alcançá-lo, mas puxo apenas a primeira página para ver o que é.

9 de novembro
por
Benton James Kessler

Passo vários segundos olhando para o papel. Tempo suficiente para travar uma guerra inteira com a minha consciência.

Eu não devia ler isto. Devia colocar de volta no lugar.

Mas tenho o direito de ler. *Eu acho.* Quer dizer, é sobre meu relacionamento com Ben. E sei que ele disse que não queria que eu lesse antes que estivesse pronto, mas agora que ele não está mais escrevendo, certamente isso anula a única regra que ele criou.

Ainda não decidi o que fazer quando retiro todo o manuscrito da prateleira. Vou levar para a cozinha. Vou arrumar alguma coisa para comer. E *depois* decido o que fazer com isso.

Apago a luz e abro lentamente a porta do closet. Ben está na mesma posição, com a respiração pesada, prestes a soltar o que pode ser considerado um ronco.

Saio do quarto dele e vou para a cozinha.

Coloco cuidadosamente o manuscrito na mesa diante de mim. Não sei por que minhas mãos estão tremendo. Talvez porque os verdadeiros pensamentos dele sobre mim, sobre nós e tudo pelo que passamos estejam bem aqui, na minha frente. E se eu não gostar da verdade dele? As pessoas têm direito à privacidade e o que estou prestes a fazer é violar cada parte da sua privacidade. Não é um bom jeito de começar um relacionamento.

E se eu só ler uma cena? Só algumas páginas, depois coloco de volta no lugar e ele nunca vai saber.

Já sei sobre o que quero ler. Desde que aconteceu, está me consumindo por dentro.

Quero saber por que Kyle deu um soco nele no corredor durante nosso segundo ano juntos. Não teve nada a ver comigo, então esta deve ser uma cena segura para ler sem depois me sentir culpada demais por isso.

Faço o melhor possível para folhear o manuscrito sem assimilar frase nenhuma. Ben facilitou a procura, considerando que dividiu os capítulos pela idade dele. A briga aconteceu em nosso segundo ano juntos, então acho o capítulo intitulado "Aos 18 Anos" e o coloco na minha frente. Pulo seu diálogo interior, enquanto ele esperava por mim no restaurante. Com sorte, um dia, ele vai me deixar ler isto, porque estou morrendo de vontade de saber quais são seus verdadeiros pensamentos. Mas me recuso a ler tudo. Comprometida com a minha culpa, por mais que eu leia apenas algumas páginas, ainda me sinto uma merda. Nem imagino como eu me sentiria se lesse tudo.

Meus olhos percorrem a página até que encontro o nome de Kyle. Puxo a página diante de mim e começo a ler pelo meio de um parágrafo.

— Vai ficar tudo bem, Jordyn. Prometo.

A porta da frente se abre e ela ergue os olhos. Pela animação em seus olhos, percebo que provavelmente é Kyle.

Meu estômago se revira por causa dos nervos que agora ficaram mais pesados do que pedras. *Merda*. Ele disse que só voltaria para casa depois das sete da noite.

— É o Kyle? — pergunto a Jordyn.

Ela assente e esbarra em mim ao passar.

— Ele saiu mais cedo para me ajudar — diz ela, andando até a pia. Ela pega um guardanapo e passa nos olhos. — Diga a ele que eu já vou. Não quero que ele saiba como andei chorando hoje. Pareço uma doida.

Merda.

Talvez ele não se lembre. Já faz muito tempo e nunca conversamos sobre isso. Respiro fundo e volto para a sala de estar, tentando esconder meu pânico. Ele não pode estragar isto para mim.

— Está tudo bem com Jordyn — digo ao voltar à sala, na esperança de acalmar meus nervos.

Paro quando o vejo, porque a expressão dele me diz que, sem dúvida, ele se lembra. E está irritado.

O maxilar de Kyle enrijece. Ele joga a chave na mesa perto da entrada e aponta para mim.

— Precisamos conversar.

Pelo menos ele está me afastando de Fallon para discutir. É um alívio. Parece que ele não vai dizer nada na frente dela. Posso lidar com ele em particular, isso não é problema. Posso sair da merda em que me meti, mas a última coisa que quero é levar Fallon junto.

Sorrio para Fallon porque percebo por sua expressão que ela percebe que tem algo errado com Kyle. Quero tranquilizá-la de que está tudo bem, embora esteja bem longe disso.

— Volto logo.

Ela assente, então eu sigo Kyle pelo corredor. Ele para na frente de seu quarto e aponta para a sala de estar.

— Pode me explicar que porra está acontecendo, por favor?

Olho para a sala, me perguntando como posso sair dessa só com base na conversa. Mas sei que ele não vai acreditar em nada além da verdade.

Coloco as mãos no quadril e olho para o chão. É difícil ver a decepção nos olhos do meu irmão.

— Somos amigos — digo a ele. — Eu a conheci ano passado. Em um restaurante.

Kyle dá uma gargalhada incrédula.

— Amigos? Ian acabou de apresentá-la como a porra da sua *namorada*, Ben.

Merda.

Faço o que posso para dissipar a raiva dele. Nunca o vi tão irritado.

— Juro que não é nada disso. Eu só... — Droga, isso está tão fodido... Levanto as mãos, derrotado. — Eu gosto dela, está bem? Não consigo evitar. Até parece que armei para gostar dela.

Kyle desvia o olhar, passando as mãos no rosto, frustrado. Quando se volta para mim, não estou preparado para o que acontece. Ele me empurra, com força, e bato na parede às minhas costas. Suas mãos apertam meus ombros e ele me pressiona na parede.

— Ela sabe, Ben? Faz alguma ideia de foi você que começou aquele incêndio? De que você é o motivo para ela quase ter *morrido*?

Sinto meu maxilar enrijecer. *Ele não pode fazer isso. Hoje, não. Não com ela.*

— Cale *a boca* — digo entre dentes. — *Por favor*. Ela está no cômodo ao lado, pelo amor de Deus!

Tento empurrá-lo, mas ele coloca o braço em meu pescoço.

— Em que situação fodida você se meteu, Ben? É algum idiota?

Assim que a pergunta sai de sua boca, eu a vejo virar no canto. Ela para assim que vê a cena e o choque que aparece em seu rosto confirma que ela não ouviu nada além disso.

Fallon

Jogo essas páginas em cima das outras.

Ele é um doente.

Ben é um escritor pervertido e doente. Como ele se atreve a pegar uma coisa real... algo que eu sofri... e transformar em ficção com uma trama ridícula?

Estou irritada. *Como ele pôde fazer isso?* Mas ele ainda não terminou, então, será que posso ficar com raiva?

Mas *por que* ele faria isso? Não sabia como essa história é pessoal para mim? Não acredito que ele tentaria tirar proveito de uma tragédia tão horrível.

Eu quase preferia que ele *estivesse* dizendo a verdade e que realmente ele *tivesse* começado o incêndio. Pelo menos assim eu não sentiria que ele está se aproveitando da minha história.

Por que ele inventaria parte da briga quando todo o resto que cercou o desentendimento entre ele e Kyle realmente aconteceu? Ou será que ele não inventou nada?

Rio de mim mesma. Não é verdade. Ele só me conheceu dois anos depois do incêndio. De jeito nenhum poderia ter estado lá. Além disso, quais são as possibilidades de ele me encontrar no aniversário do incêndio, exatamente dois anos depois? Ele teria que estar me seguindo.

Ben não estava me seguindo.

Estava?

Preciso de água.

Pego água.

Preciso me sentar de novo.

Eu me sento.

Rodando, rodando, rodando. A teia de possíveis mentiras está rodando, minha mente está rodando, meu estômago está rodando. Parece que até o sangue em minhas veias está rodando. Arrumo as folhas do manuscrito em uma pilha organizada, como as encontrei.

Por que você escreveria isso, Ben?

Olho para a capa e passo os dedos pelo título. *9 de novembro.*

Ele precisava de uma boa trama. Foi isso o que ele fez? Apenas criou um enredo?

De jeito nenhum ele poderia ter sido responsável pelo incêndio. Isso não faz sentido algum. A culpa é do meu pai. Ele sabe, a polícia sabe e eu sei disso.

Eu me dou conta de que estou erguendo a capa da pilha de papéis. Olho para a primeira página do manuscrito e faço a única coisa que posso para encontrar mais respostas.

Eu leio.

9 de novembro
por
Benton James Kessler

"*Para começar, ao início.*"
— Dylan Thomas

Prólogo

Toda vida começa com uma mãe. A minha não é diferente.

Ela era escritora. Me disseram que meu pai era psiquiatra, mas eu não poderia saber ao certo, porque nunca tive a oportunidade de perguntar a ele, que morreu quando eu tinha três anos. Não tenho lembrança nenhuma dele, mas acho que é melhor assim. É difícil sofrer pelas pessoas de quem você não se lembra.

Minha mãe fez mestrado em poesia e fez uma tese sobre o poeta galês Dylan Thomas. Ela o citava com frequência, embora suas citações preferidas não fossem da sua poesia mundialmente famosa, e sim do diálogo cotidiano dele. Eu nunca soube se ela respeitava Dylan Thomas como poeta ou como pessoa. Porque, pelo que descobri sobre ele em minha pesquisa, seu caráter não era muito digno de respeito. Ou talvez fosse justamente o que merecia respeito: o fato de que Dylan Thomas pouco fez para conquistar popularidade como pessoa e tudo para ganhá-la como poeta.

Acho que eu devia continuar contando como minha mãe morreu. Provavelmente eu também devia falar sobre como uma garota que me inspirou a escrever este livro tem relação com uma história que começa com minha mãe. E acho que se eu comentar sobre as duas coisas, também devo contar como Dylan Thomas está relacionado com a vida da minha mãe e, mais importante ainda, com sua morte, e como as duas coisas me levaram a Fallon.

Parece muito complicado, mas, na realidade, é muito simples.

Tudo está relacionado.

Tudo está conectado.

E tudo começa em 9 de novembro. Dois anos atrás, fiquei frente a frente com Fallon O'Neil pela primeira vez.

Em 9 de novembro.

A primeira e última vez que minha mãe morreria.

Em 9 de novembro.

A noite em que eu propositalmente iniciei o incêndio que quase tirou a vida da garota que um dia salvaria a minha.

Fallon

Olho fixamente para o papel diante de mim, em completa incredulidade. A bile sobe depressa pela minha garganta.

O que foi que eu fiz?

Engulo em seco para forçar a bile a descer e isso arde.

A que monstro dei meu coração?

Minhas mãos estão tremendo. Sou incapaz de me mexer. Não consigo decidir se preciso ler mais... chegar à página seguinte, onde obviamente vai estar claro que tudo ali é obra da imaginação magnífica, porém pervertida de Ben. Que ele encontrou um jeito de tornar nossa história mais comercial misturando realidade e ficção. Será que leio mais?

Ou fujo?

Como posso fugir de um alguém a quem me doei aos poucos durante quatro anos?

Ou serão seis?

Ele me conhecia desde que eu tinha 16 anos?

Já me conhecia no dia em que nos encontramos no restaurante?

Ele estava lá *por minha causa*?

Tanto sangue, todo ele, cada gota corre por minha cabeça, até que meus ouvidos começam a doer com a pressão. O medo se apodera do meu corpo, como se eu estivesse na beirada de um penhasco. O medo agarra cada parte de mim.

Preciso sair daqui. Pego meu celular e, em voz baixa, peço um táxi.

Dizem que há um carro na rua e que vai chegar em alguns minutos.

Estou tomada por um grande medo. Medo dessas páginas em minhas mãos. Medo da decepção. Medo do homem que está dormindo no cômodo ao lado, a quem acabei de prometer todos os meus amanhãs.

Empurro a cadeira para trás com o intuito de pegar minhas coisas, mas, antes de me levantar, ouço a porta do quarto dele se abrir. Em alerta máximo, giro a cabeça por cima do ombro. Ele parou na soleira da porta, esfregando os olhos para afastar o sono.

Se eu pudesse congelar este momento, aproveitaria ao máximo para observá-lo. Passaria os dedos pelos lábios dele para descobrir se realmente são tão suaves quanto as palavras que saem dali. Seguraria suas mãos e roçaria os polegares nas suas palmas para descobrir se realmente seriam capazes de acariciar as cicatrizes pelas quais foram responsáveis. Passaria os braços em volta dele e ficaria na ponta dos pés para sussurrar em seu ouvido: *"Por que você não me contou que a base na qual me ensinou a ficar de pé é de areia movediça?"*

Noto o olhar dele se voltar para as páginas do manuscrito, agarradas com força em minha mão. Em questão de segundos, cada pensamento que ele tem reflete em seu rosto.

Ele está se perguntando como eu o encontrei.

Está se perguntando o quanto li.

Ben, o Escritor.

Quero rir, porque Benton James Kessler não é um escritor. Ele é um *ator.* Um mestre da fraude que acabou de concluir uma apresentação de quatro anos de duração.

Pela primeira vez, não o vejo como o Ben por quem me apaixonei. O Ben que, sozinho, mudou minha vida.

Neste momento, só o vejo como um estranho.

Alguém de quem não sei absolutamente nada.

— O que está fazendo, Fallon?

A voz dele me faz estremecer. É idêntica à voz que disse "eu te amo" há apenas uma hora.

Só que agora a voz dele me enche de pânico. O terror me consome e um acesso de inquietação me domina.

Não faço ideia de quem ele é.

Não faço ideia de qual era sua motivação nos últimos anos.

Não faço ideia do que ele é capaz.

Ele começa a avançar em minha direção, portanto faço a única coisa em que consigo pensar. Corro para o outro lado da mesa, esperando impor uma distância segura entre mim e este homem.

A mágoa toma seu rosto quando ele vê minha reação, mas não sei se é autêntica ou ensaiada. Não faço ideia se devo acreditar em tudo que acabei de ler... ou se ele inventou todas aquelas coisas para ter um enredo.

Já chorei por muitos motivos na vida. Principalmente de tristeza, mas às vezes de frustração ou raiva. Mas esta é a primeira vez que uma lágrima de medo escorre dos meus olhos.

Ben vê a lágrima rolar por meu rosto e levanta a mão, tentando me tranquilizar.

— Fallon.

Seus olhos estão arregalados e exibem quase tanto medo quanto os meus. Mas não sei mais se o que vejo em seu rosto é real.

— Fallon, por favor. Me deixe explicar.

Ele parece muito preocupado. Muito verdadeiro. Talvez seja ficção. Talvez ele tenha transformado nossa história em ficção. Com certeza ele não fez isso comigo. Aponto para o manuscrito, torcendo para ele não notar o tremor em minha mão.

— Isso é verdade, Ben?

Ele olha para o manuscrito, depois volta a me encarar, como se não tivesse estômago para ver as páginas na mesa. *Negue com a cabeça, Ben. Negue. Por favor.*

Ele não faz nada.

A ausência de uma negação da parte dele me atinge com força e eu arquejo.

— Me deixe explicar. Por favor. Era só...

Ele começa a andar na minha direção, então cambaleio para trás até encontrar a parede.

Preciso sair daqui. Preciso ficar longe dele.

Ele segue para a direita, em vez de para a esquerda, o que o deixa mais distante da porta da frente do que de mim. Consigo fazer isso. Se for bem rápida, consigo chegar à porta antes dele.

Mas por que ele está permitindo que isto aconteça? Por que está me dando a chance de fugir?

— Quero ir embora — digo a ele. — Por favor.

Ele assente, mas ainda está com a mão erguida, a palma virada para mim. Seu aceno de cabeça me diz uma coisa, mas sua mão me pede para ficar onde estou. Sei que ele quer me dar uma explicação... mas a não ser que vá me dizer que o que acabei de ler não é verdade, não quero ficar e ouvir mais nada que ele tenha a dizer.

Só preciso que ele me fale que não é verdade.

— Ben — sussurro, as mãos na parede às minhas costas. — Por favor, me diga que o que li não é verdade. Por favor, diga que não sou a merda do seu enredo *pervertido.*

Minhas palavras provocam a única expressão que eu torcia para não ver. *Arrependimento.*

Sinto o gosto da bile de novo.

Agarro minha barriga com força.

— Ai, meu Deus.

Quero sair. Preciso sair daqui antes que fique enjoada e fraca demais para ir embora. Os próximos segundos não passam de um borrão enquanto murmuro "ai, meu Deus" de novo e corro para o sofá. Preciso da minha bolsa. Dos meus sapatos. Quero sair, quero sair, quero sair. Chego à porta e puxo a tranca para a esquerda, mas a mão dele encontra a minha e seu peito toca minhas costas, me pressionando na porta.

Fecho os olhos com força quando sinto sua respiração em minha nuca.

— Desculpe. Desculpe, desculpe, desculpe.

Suas palavras são tão desesperadas quanto o aperto que ele me dá ao girar meu corpo e me colocar de frente para ele. Ben está enxugando minhas lágrimas e as dele começam a brotar em seus olhos. — Sinto muito. Por favor, não vá.

Não vou cair nessa. Não vou deixar que ele me engane de novo. Eu o empurro, mas ele agarra meus pulsos, segurando-os em seu peito enquanto encosta a testa na minha.

— Eu te amo, Fallon. Meu Deus, eu te amo tanto. Por favor, não vá embora. Por favor.

Nesse instante, tudo dentro de mim sofre uma metamorfose de um extremo a outro. Não sinto mais medo.

Sinto raiva.

Estou furiosa.

Porque ouvir essas palavras saindo da boca de Ben me faz refletir sobre a diferença que sinto ao ouvi-las agora e uma hora atrás. Como ele se atreve a mentir para mim?

A me usar para o propósito de um livro? A me fazer acreditar que viu quem realmente sou, e não as cicatrizes em meu rosto?

As cicatrizes pelas quais ele é responsável.

— Benton James Kessler. Você *não* me ama. Nunca mais diga isso. Nem para mim... nem para ninguém. Essas três palavras são uma desgraça quando saem da sua boca.

Seus olhos se arregalam e ele cambaleia para trás quando empurro seu peito com as mãos. Não lhe dou tempo para dizer mais mentiras e dar falsas desculpas.

Bato a porta e me atrapalho com a alça da bolsa, colocando-a no ombro. Meus pés descalços tocam a calçada e saio correndo até o táxi que vejo encostando perto do prédio dele. Ouço-o chamar meu nome.

Não.

Não vou ouvir. Não devo nada a ele.

Abro a porta do táxi e entro. Dou meu endereço ao motorista, mas enquanto o taxista o coloca no GPS, Ben alcança o carro. Antes que eu perceba que a janela está aberta, ele enfia a mão para dentro e tapa o botão que a fecha. Seus olhos estão suplicantes.

— Tome — diz ele, empurrando as páginas para mim, que caem no meu colo, sendo que algumas escorregam para o chão. — Se não vai me deixar explicar, então leia. Leia tudo. Por favor, só...

Pego várias páginas do meu colo e largo ao meu lado no banco. Agarro as que restam e tento jogar pela janela, mas ele pega e enfia de volta dentro do carro.

Estou fechando a janela quando o ouço murmurar:

— Por favor, não me odeie.

Mas tenho medo de que já seja tarde demais.

Digo ao motorista para irmos e quando estou a uma distância segura no estacionamento, o táxi para antes de pegar a rua. Olho para trás. Ele está parado na frente do prédio, as mãos na nuca. Ele me vê partir. Seguro o maior número possível de páginas do manuscrito e jogo-as pela janela. Antes que o táxi arranque, me viro a tempo de ver que ele se ajoelha na calçada, derrotado.

Levei quatro anos para me apaixonar por ele.

Levei só quatro páginas para me desapaixonar.

Sexto

9 de novembro

Fado.
Uma palavra que significa destino.
Fado.
Uma palavra que significa fatalidade.

— Benton James Kessler

Fallon

Acabei de passar pelo minuto mais longo da minha vida.

Sentada no sofá, observando o segundo ponteiro do meu relógio andar a um ritmo de lesma, como se processasse a mudança da data de 8 para 9 de novembro.

Embora não tenha havido nenhum som quando o segundo ponteiro chega à meia-noite, todo o meu corpo estremece, como se o badalar de cada relógio na parede de cada casa batesse dentro da minha cabeça.

Meu celular se ilumina dez segundos depois da meia-noite. É uma mensagem de texto de Amber.

É só uma data no calendário, como qualquer outra. Eu te amo, mas minha proposta continua de pé. Se quiser que eu passe o dia com você, é só mandar mensagem.

Também noto uma mensagem de texto da minha mãe, que chegou duas horas atrás.

Amanhã vou te levar para tomar café da manhã. Entrarei sozinha no seu apartamento, não precisa colocar o despertador.

Droga.

Realmente não quero companhia quando acordar. Nem de Amber, nem da minha mãe, nem de ninguém. Pelo menos sei que meu pai não vai se lembrar do aniversário. Esta é uma vantagem da nossa relação esporádica.

Aperto o botão na lateral do celular para travá-lo e envolvo os joelhos com os braços. Estou sentada no meu sofá, usando o pijama que não pretendo tirar até o dia 10 de novembro. Não vou sair desta casa nas próximas 24 horas. Não vou falar com ninguém. Bom, exceto minha mãe, quando ela trouxer meu café da manhã, mas, depois disso, vou tirar um dia de folga do mundo

Depois do que vivi no ano passado com Ben, concluí que esta data é amaldiçoada. De agora em diante, não importa a idade que eu tenha, nem que esteja casada, nunca vou sair de casa no dia 9 de novembro.

Também reservei esse dia como o único em que me permito pensar no incêndio. Pensar em Ben. Pensar em todas as coisas que desperdicei com ele. Porque ninguém vale tanta mágoa. Nenhuma desculpa é boa o bastante para justificar o que ele fez comigo.

E foi por isso que, quando saí do apartamento de Ben no ano passado, fui diretamente à delegacia e pedi uma ordem de restrição contra ele.

Faz exatamente um ano e não tenho notícias dele desde a noite em que parti.

Nunca contei a ninguém o que aconteceu. Nem a meu pai, nem a Amber, nem a minha mãe. Não porque não quero que ele se dê mal, afinal, acredito que ele merece pagar pelo que fez comigo.

Mas porque fiquei constrangida.

Confiei nesse homem. O amei. Acreditei do fundo do coração que a ligação entre nós era rara e verdadeira e que éramos umas das poucas pessoas de sorte que encontraram um amor como o nosso.

Descobrir que ele mentiu durante todo o nosso relacionamento é algo que ainda tento processar. Todo dia acordo e me obrigo a tirar esse cara da cabeça. Levo minha vida como se Benton James Kessler jamais tivesse feito parte dela. Às vezes, funciona, outras vezes, não. Na maior parte do tempo, não.

Pensei em consultar um terapeuta. Pensei em contar a minha mãe sobre ele e a responsabilidade que teve no incêndio. Até cogitei conversar com meu pai sobre ele. Mas é difícil falar nele quando na maior parte do tempo tento fingir que nunca existiu.

Insisto em dizer a mim mesma que vai ficar mais fácil. Que um dia vou conhecer alguém capaz de bloquear meus pensamentos em Ben, mas até agora nem mesmo consigo me convencer a confiar em alguém o suficiente para flertar.

Uma coisa é ter problemas de confiança com os homens devido à infidelidade. Mas Ben mentiu para mim numa escala tão grande que não sei o que era verdade, o que era mentira e o que foi inventado para o livro dele. A única coisa que sei com certeza é que ele, de algum modo, foi o responsável pelo incêndio que quase tirou minha vida. E não me importo se foi intencional ou por acidente, não é essa parte que mais me enfurece.

Fico mais arrasada quando penso em todas as vezes que ele fez minhas cicatrizes parecerem bonitas, sem nunca ter admitido que, na realidade, foi ele quem as colocou ali.

Nenhuma desculpa jamais vai justificar essas mentiras. Então, não faz sentido dar ouvido a elas.

Na verdade, nem mesmo faz sentido me permitir pensar nisso mais do que já pensei. Eu devia simplesmente ir para a cama. Talvez, por algum milagre, eu consiga dormir pela maior parte do dia de amanhã.

Estico o braço e apago o abajur ao lado do sofá. Enquanto ando até o banheiro, ouço uma batida na porta de entrada.

Amber.

Ela conseguiu não comentar sobre a data de hoje, até ontem. Do nada, algumas horas atrás, fingiu que queria fazer uma festa do pijama, mas eu rejeitei. Sei que ela não quer que eu fique sozinha esta noite, mas é muito mais fácil ficar deprimida quando não tem ninguém para criticar você.

Destranco a porta e abro.

Não tem ninguém ali.

Um arrepio percorre meus braços. Amber não faria uma coisa dessas. Ela não acharia graça em pregar uma peça a essa hora da noite em uma garota que mora sozinha.

Volto no mesmo instante para dentro com o intuito de bater a porta, mas quando estou prestes a fechá-la, olho para o chão e encontro uma caixa de papelão. Não está embrulhada, mas tem um envelope com meu nome em cima.

Olho em volta, mas não há ninguém perto da minha porta. Um carro arranca na rua, e queria que não estivesse tão escuro para que talvez eu reconhecesse o veículo.

Observo mais uma vez o pacote, pego-o rapidamente e corro para dentro, trancando a porta.

Parece uma daquelas caixas de presente que as lojas de departamento usam para embalar camisas, mas o conteúdo é muito mais pesado. Coloco-a na bancada da cozinha e tiro o envelope de cima.

Não está lacrado. A aba está enfiada para dentro, então retiro o papel e desdobro.

Fallon,

Passei a maior parte da minha vida me preparando para escrever algo tão importante quanto esta carta. Mas, pela primeira vez, sinto como se meu idioma não tivesse desenvolvido letras suficientes no alfabeto para expressar bem as palavras que quero lhe dizer.

Quando você foi embora no ano passado, levou junto minha alma em suas mãos e meu coração nos dentes, e eu sabia que nunca conseguiria recuperar nenhum dos dois. Pode ficar com eles, não preciso mais.

Não estou escrevendo esta carta na esperança de que você me perdoe. Você merece coisa melhor. Sempre mereceu. Nada que eu diga jamais deixará meus pés dignos de pisar no mesmo chão em que você anda. Nada que eu faça jamais deixará meu coração digno de partilhar um amor com o seu.

Não estou pedindo para você me procurar. Só peço que leia as páginas que estão nesta caixa, pois espero que permitam que você, e talvez até eu, saia dessa menos machucada possível.

Você pode não acreditar em mim, mas só quero que você seja feliz. Foi tudo que eu sempre quis. E farei qualquer coisa para que isto aconteça a você, mesmo que signifique ajudá-la a me esquecer.

O que você está prestes a ler nunca foi lido por ninguém além de você, nem será lido por ninguém além de você. Esta é a única cópia. Pode fazer o que quiser com a carta quando terminar. E sei que você não me deve nada, mas não estou pedindo para ler este manuscrito por mim. Quero que leia por você mesma. Porque quando você ama uma pessoa, tem o dever de ajudá-la a ser a melhor versão de si mesma. E, por mais que eu fique arrasado ao admitir isto, a melhor versão de você não me inclui.

Ben

Coloco cuidadosamente os papéis na mesa ao lado da caixa.

Levo a mão à bochecha, procurando as lágrimas, porque não consigo acreditar que não estejam ali. Eu tinha certeza de que se recebesse notícias dele de novo, ficaria destruída emocionalmente.

Mas não estou. Minhas mãos não tremem. Meu coração não dói.

Levo os dedos ao pescoço para conferir minha pulsação. Porque certamente não passei tanto tempo do ano passado construindo uma muralha emocional tão alta a ponto de ser impenetrável até por estas palavras escritas por ele.

Mas tenho medo de que seja exatamente isso o que aconteceu. Não só Ben nunca vai conseguir romper essa muralha, como temo que ele tenha me obrigado a construir uma tão grossa e alta que vou ficar escondida atrás dela para sempre.

Mas numa coisa ele tem razão. Não devo nada a ele.

Volto para o meu quarto e me enfio na cama, deixando cada página não lida na bancada da cozinha.

• • •

São 11h15.

Meus olhos estão semicerrados, o que significa que está sol. O que quer dizer que são 11h15 da manhã.

Levo a mão ao rosto e tapo os olhos. Espero alguns segundos e pego o celular.

É dia 9 de novembro.

Merda.

Quer dizer, não é surpresa nenhuma que eu não tenha dormido 24 horas seguidas, então não sei por que fico chateada. Ainda mais considerando as onze horas de sono que *consegui.* Não sei se já dormi tanto assim desde que era adolescente. E especialmente não tanto no aniversário de hoje. Costumo não dormir nada.

Fico no meio do meu quarto debatendo como agir no dia de hoje. Atrás da porta número um fica meu banheiro, onde estão minha escova de dentes e meu chuveiro.

Atrás da porta número dois tem um sofá, uma televisão e uma geladeira.

Escolho a porta número dois.

Quando a abro, de repente desejo ter escolhido a número um.

Minha mãe está sentada no meu sofá.

Merda. Esqueci que ela ia trazer meu café da manhã. Agora ela vai pensar que não faço nada além de dormir o dia inteiro, todos os dias.

— Oi — digo ao sair do quarto.

Ela ergue os olhos e no mesmo instante sua expressão me confunde.

Ela está chorando.

A primeira coisa que penso é: o que aconteceu e quem fez isso? Meu pai? Minha avó? Primos? Tios? Tias? Boddle, o cachorro da minha mãe?

— O que aconteceu? — pergunto a ela.

Mas então baixo os olhos para o seu colo e percebo que está *tudo* errado. Ela está lendo o manuscrito.

O manuscrito de Ben.

Nossa história.

Desde quando ela começou a invadir minha privacidade? Aponto para os papéis e olho para ela, ofendida.

— O que está fazendo?

Ela pega um lenço de papel descartado e enxuga os olhos.

— Desculpe — diz ela, fungando. — Vi a carta. E eu nunca leria suas coisas pessoais, mas estava aberta quando eu trouxe o café esta manhã e eu só... me desculpe. Mas então — ela pega algumas páginas do manuscrito e folheia —, li a primeira página e fiquei sentada aqui por quatro horas, sem conseguir parar.

Faz quatro horas que ela está lendo isso?

Eu me aproximo da minha mãe e pego a pilha de papéis em seu colo.

— Quanto você leu? — Levo o manuscrito de volta à cozinha. — E por quê? Não é da sua conta ler isso, mãe. Meu Deus, nem acredito que você fez isso.

Fecho a tampa da caixa de papelão e a levo à lixeira. Piso na alavanca para abri-la e minha mãe se move com mais rapidez do que já vi na vida.

— Fallon, não se atreva a jogar isso fora! — Ela pega a caixa das minhas mãos e a abraça. — Por que você faria isso?

Ela coloca a caixa na bancada, alisando a tampa como se fosse um objeto precioso que eu quase quebrei.

Fico confusa por ela estar reagindo desse jeito a algo que deveria deixá-la furiosa.

Ela solta o ar rapidamente, depois me olha com firmeza nos olhos.

— Querida. Alguma dessas coisas é verdade? Elas realmente aconteceram?

Nem mesmo sei o que dizer a ela, porque não faço ideia de a que "coisas" ela está se referindo. Dou de ombros.

— Não sei. Ainda não li. — Passo por ela e sigo para o sofá. — Mas se você está se referindo a Benton James Kessler e ao fato de que ele permitiu que eu me apaixonasse completamente por uma versão fictícia dele, então, sim. Isto aconteceu. — Levanto uma das almofadas do sofá, procurando o controle remoto. — E se está se referindo ao fato de que descobri que ele, de algum modo, foi responsável por um incêndio que quase me matou, mas deixou de revelar esse pequeno detalhe enquanto eu me apaixonava por ele, então, sim, isso também aconteceu.

Acho o controle. Sento no sofá e cruzo as pernas, me preparando para uma farra de 12 horas de reality shows. Agora seria a hora perfeita para minha mãe ir embora, mas, em vez disso, ela se aproxima do sofá e se senta ao meu lado.

— Você não leu nada disso? — pergunta ela, colocando a caixa na mesa de centro à nossa frente.

— Li o prólogo ano passado. Isso bastou para mim.

Sinto o calor da sua mão envolver a minha. Viro lentamente a cabeça e descubro que ela está me olhando com um sorriso carinhoso.

— Meu amor...

Minha cabeça tomba no encosto do sofá.

— Será que seu conselho pode esperar até amanhã, *por favor*?

Ela suspira.

— Fallon, olhe para mim.

Faço isso, porque ela é minha mãe, eu a amo e, por algum motivo, embora eu tenha 23 anos, ainda faço o que ela manda.

Ela aproxima a mão do meu rosto e coloca meu cabelo atrás da orelha esquerda. Seu polegar roça as cicatrizes da minha bochecha e me retraio, porque é a primeira vez que ela as toca de propósito. Além de Ben, nunca permiti que ninguém tocasse nelas.

— Você amava ele? — pergunta ela.

Não faço nada por alguns segundos. Minha garganta parece queimar, então, em vez de dizer sim, simplesmente assinto.

A boca da minha mãe se retorce e ela pisca depressa, duas vezes, como estivesse tentando não chorar. Ainda está passando o polegar na minha bochecha. Seus olhos desviam dos meus e ela percorre as cicatrizes em meu rosto e no pescoço.

— Não vou fingir que sei o que você passou. Mas depois de ler essas páginas, posso lhe garantir que você não foi a única que ficou marcada naquele incêndio. Só porque ele decidiu não mostrar a você as cicatrizes que tem, não quer dizer que não existam. — Ela pega a caixa e a coloca em meu colo. — Aqui estão elas. Ben colocou as cicatrizes dele expostas para você, e você precisa mostrar o respeito que ele lhe mostrou, sem desviar delas.

A primeira lágrima do dia escorre dos meus olhos. Eu devia saber que não me livraria do choro hoje.

Ela se levanta e pega suas coisas. Então sai do meu apartamento sem dizer mais nada.

Abro a caixa, porque ela é minha mãe, eu a amo e, por algum motivo, embora eu tenha 23 anos, ainda faço o que ela manda.

Dou uma olhada no prólogo que li ano passado. Nada mudou. Abro no primeiro capítulo e começo pelo início.

Romance de Ben — CAPÍTULO UM

9 de novembro

Aos 16 Anos

"Rompa no sol até que o sol se ponha, e a morte perderá seu domínio."

— Dylan Thomas

A maioria das pessoas não sabe o som que a morte tem.

Eu sei.

O som da morte é o da ausência de passos no corredor. Tem o som de um banho matinal que não é tomado. O som da morte é como a falta da voz que deveria gritar meu nome da cozinha, me mandando sair da cama. O som da morte é a ausência da batida em minha porta que, em geral, ocorre minutos antes do meu despertador tocar.

Algumas pessoas dizem ter uma sensação na boca do estômago quando têm a premonição de que algo ruim está prestes a acontecer.

Não estou com essa sensação na boca do estômago agora.

Tenho essa sensação em todo o meu maldito corpo, dos pelos nos meus braços à minha pele, entrando nos ossos. E a cada segundo que passa sem um único som vindo do lado de fora da porta do meu quarto, a sensação fica ainda mais forte e aos poucos começa a penetrar minha alma.

Fico deitado na minha cama por mais alguns minutos, esperando ouvir algum armário na cozinha batendo ou a música que ela sempre ligava, vindo da televisão na sala de estar. Nada acontece, nem depois que o meu despertador toca.

Estendo o braço para desligá-lo, meus dedos tremem enquanto tento me lembrar de como silenciar a droga do despertador, sendo que fazia isso com facilidade desde que o ganhei de Natal dois anos atrás. Quando a estridência cessa, me obrigo a me vestir. Pego meu celular na cômoda, mas só tenho uma mensagem de texto de Abitha.

Treino da torcida depois da escola. Vejo você às cinco?

Enfio o telefone no bolso, mas volto a pegá-lo e o seguro nas mãos. Não me pergunte como eu sei, mas posso precisar dele. E o tempo que demora para tirar o celular do bolso pode ser um tempo precioso desperdiçado.

O quarto dela fica no andar de baixo. Vou até lá e paro diante da porta. Escuto com atenção, mas só ouço silêncio. O silêncio mais alto que se pode ouvir.

Engulo o medo alojado na minha garganta. Digo a mim mesmo que vou rir disso daqui a alguns minutos. Depois que eu abrir a porta do seu quarto e descobrir que ela já saiu para trabalhar. Ela pode ter sido convocada cedo e não quis me acordar.

Gotas de suor cobrem minha testa. Eu as enxugo com a manga da camisa.

Ergo a mão e bato à porta, mas minha mão já está na maçaneta antes que eu espere que ela responda.

Mas ela não pode me responder. Quando abro a porta, ela não está ali.

Ela se foi.

A única coisa que encontro é seu corpo sem vida deitado no chão do quarto, o sangue formando uma poça em torno da sua cabeça.

Mas ela não está ali.

Não. Minha mãe *se foi*.

* * *

Passaram-se três horas do momento em que a encontrei ao momento em que eles saíram da casa com o seu corpo. Eles tiveram que fazer muita coisa, de fotografar tudo no quarto dela, do lado de fora do quarto e na casa toda a me interrogar e procurar provas entre os pertences dela.

Pensando bem, três horas não é muito tempo. Se eles achassem que houve algum crime, teriam isolado a casa. Teriam me avisado que eu precisava encontrar outro lugar para ficar enquanto realizavam a investigação. Eles teriam tratado isto com uma seriedade muito maior.

Afinal de contas, quando uma mulher é encontrada morta no chão do seu quarto com uma arma na mão e uma carta de suicídio na cama, três horas são o tempo necessário para determinar que a responsável foi ela mesma.

Kyle leva três horas e meia para vir do seu alojamento, então ele só vai chegar daqui a trinta minutos.

Trinta minutos é muito tempo para ficar sentado encarando a mancha de sangue que continua no carpete. Se eu virar a cabeça para a esquerda, parece um hipopótamo com a boca escancarada, prestes a devorar a presa. Mas se eu virar para a direita, fica parecendo uma foto policial de Gary Busey.

Será que ela ainda teria passado por isso se soubesse que sua mancha de sangue ficaria parecida com Gary Busey?

Não me demorei muito no quarto com o corpo dela. Só o tempo de ligar para a emergência e de os primeiros a responder chegarem, o que, apesar de ter parecido uma eternidade, deve ter demorado apenas alguns minutos. Mas nestes poucos minutos aprendi mais sobre minha mãe do que achei que seria possível em um intervalo de tempo tão curto.

Ela estava deitada de bruços quando a encontrei e usava uma camiseta que revelava as últimas palavras de uma tatuagem feita vários meses atrás. Eu sabia que era uma citação sobre amor, mas isso era tudo o que eu sabia. Provavelmente de Dylan Thomas, mas nunca perguntei a ela.

Afasto a bainha da sua blusa para ler a frase inteira.

Mesmo que se percam que Amam, o amor continuará.

Eu me levanto e recuo alguns passos, na esperança de que os arrepios passem com a mesma rapidez com que surgiram. Até agora, a citação nunca tinha significado nada. Quando ela fez a tatuagem, supus que quisesse dizer que só porque duas pessoas deixaram de se amar, não significava que o amor delas nunca tenha existido. Eu não me identificava com isso antes, mas agora parece que a tatuagem foi uma premonição. Como se ela a tivesse feito porque queria que eu visse que seu amor não morreu, por mais que ela tenha morrido.

E fico irritado por só ter entendido como relacionar essas palavras ao seu corpo quando ele não era nada além de um simples corpo.

Depois noto a tatuagem em seu pulso esquerdo, que estava ali desde antes do meu nascimento. É a palavra *poética* escrita em uma pauta musical. Sei o significado por trás desta porque ela me explicou alguns anos atrás, quando estávamos juntos no carro. Conversávamos sobre amor e eu havia perguntado como é que se sabe quando se está realmente apaixonado por alguém. De início, ela deu a resposta vaga: *"você simplesmente sabe."* Mas quando olhou para mim e percebeu que a resposta não tinha me deixado satisfeito, sua expressão ficou séria.

"Ah", disse ela. *"Desta vez está me perguntando para valer? Não como uma criança curiosa, mas como alguém que precisa de conselhos? Então, vou lhe dar a resposta verdadeira."*

Senti meu rosto corar, porque eu não queria que ela soubesse que eu achava que podia estar apaixonado. Eu só tinha 13 anos e esses sentimentos eram novos para mim, mas eu tinha certeza de que Brynn Fellows seria minha primeira namorada de verdade.

Minha mãe voltou a olhar para a rua e reparei que ela abriu um sorriso. *"Quando digo que você simplesmente sabe, é porque você vai saber. Não vai questionar. Não vai se perguntar se o que está sentindo é realmente amor, porque, quando for, você vai morrer de medo de sentir isso. E, quando acontecer, suas prioridades vão mudar. Você não vai pensar em si mesmo e na própria felicidade. Só vai pensar nessa pessoa, que você faria tudo para ver feliz. Mesmo que isto significasse se afastar dela e sacrificar a própria felicidade pela dela."*

Ela me olhou de soslaio. *"Isto é amor, Ben. Amor é sacrifício."* Ela indicou com o dedo a tatuagem no seu pulso esquerdo, a que estava ali desde antes do meu nascimento. *"Fiz essa tatuagem no dia que senti esse tipo de amor por seu pai. E a escolhi porque se eu tivesse que descrever o amor naquele dia, diria que parecia minhas duas coisas preferidas ampliadas e unidas. Como meu verso poético preferido misturado com a letra da minha música preferida."* Ela me olhou outra vez, mais séria. *"Você vai saber, Ben. Quando estiver disposto a abrir mão das coisas que mais significam para você só para ver alguém feliz. Isto é amor de verdade."*

Fiquei um tempo olhando para a tatuagem, me perguntando se um dia eu poderia amar alguém assim. Eu não tinha certeza se queria abrir mão das coisas que mais amava, se isso significava que eu não receberia nada em troca. Eu achava Brynn Fellows bonita, mas nem sabia se daria a ela meu almoço, se eu estivesse com fome. Certamente não faria uma tatuagem por causa dela.

"Mas por que você fez a tatuagem?", perguntei. *"Para o meu pai saber que você o amava?"*

Ela balançou a cabeça. *"Não fiz pelo seu pai, nem por causa dele. Fiz principalmente por mim mesma, porque eu tinha certeza absoluta de que tinha aprendido a amar com altruísmo. Foi a primeira vez que desejei mais felicidade para a pessoa que estava comigo do que para mim. E uma mistura das minhas duas coisas preferidas foi o único jeito em que pensei para descrever como era aquele amor que eu sentia. Eu queria me lembrar dele para sempre, caso nunca mais voltasse a sentir."*

Não consegui ler a carta de suicídio que ela deixou, mas fiquei curioso se ela havia mudado de ideia sobre o amor altruísta. Ou se talvez ela só tivesse amado meu pai com altruísmo, mas nunca os próprios filhos. Porque suicídio é a coisa mais egoísta que uma pessoa pode fazer.

Depois de encontrá-la, verifiquei se ela estava realmente morta, depois liguei para a emergência. Tive de ficar ao telefone com o atendente até a polícia chegar, então não tive a chance de procurar um bilhete de suicídio em seu quarto. A polícia o encontrou e o pegou com uma pinça, colocando-o em um saco que depois foi vedado. Depois que o lacraram como prova, não tive coragem de perguntar a eles se podia ler.

Um dos meus vizinhos, o Sr. Mitchell, estava aqui quando eles saíram. Disse ao policial que cuidaria de mim até meus irmãos chegarem, então fiquei aos cuidados dele. Mas assim que os policiais foram embora, falei para ele que ficaria bem e que precisava ligar para alguns parentes. Ele me disse que, de qualquer modo, precisava ir correndo aos correios e que mais tarde voltaria para verificar como eu estava.

Parecia que meu cachorrinho tinha morrido e ele queria me dizer que ia ficar tudo bem, que eu arrumaria um novo.

Eu teria um Yorkie, porque é exatamente o que parece a mancha de sangue se eu tapo o olho direito e estreito o outro.

Será que estou em choque? É por isso que não estou chorando?

Minha mãe teria ficado irritada por eu não estar chorando. Tenho certeza de que a atenção pesou na decisão dela. Ela adorava atenção, mas não de um jeito ruim. Era só um fato. E não sei se estou dando atenção suficiente a sua morte, se nem estou chorando ainda.

Acho que estou principalmente confuso. Ela parecia feliz durante a maior parte da minha vida. É claro que havia dias em que estava triste. Relacionamentos que deram errado. Minha mãe amava amar e foi uma mulher atraente até estourar a própria cabeça. Muitos homens achavam.

Mas minha mãe também era inteligente. E embora um relacionamento que ela julgasse promissor tenha terminado alguns dias atrás, ela simplesmente não parecia ser do tipo que tiraria a própria vida para provar a um homem que ele devia ter ficado com ela. E ela jamais amou um homem a ponto de sentir que não podia viver sem ele. Esse tipo de amor não é real, aliás. Se pais conseguem sobreviver à perda dos filhos, então homens e mulheres podem muito bem conviver com o fim de um relacionamento.

Quinze minutos se passaram desde que comecei a refletir sobre o motivo que a levaria a fazer isto, e não estou mais perto de uma resposta do que antes.

Decido investigar. Eu me sinto um pouco culpado, porque ela é minha mãe e merece privacidade. Mas se uma pessoa tem tempo para escrever um bilhete de suicídio, certamente tem tempo para destruir coisas que nunca quis que os filhos encontrassem. Passo a meia hora seguinte (por que Kyle ainda não chegou aqui?) xeretando as coisas dela.

Vasculhei seu celular e o e-mail. Várias mensagens de texto e e-mails depois, estou convencido de que sei exatamente por que minha mãe se matou.

O nome dele é Donovan O'Neil.

Fallon

Largo o papel com o nome do meu pai. A folha flutua para o chão com algumas outras que acabei de ler.

Empurro o manuscrito para fora do meu colo e rapidamente me levanto. Corro até o meu quarto e escolho a porta número dois. Tomo um banho, na esperança de me acalmar o suficiente para continuar lendo, mas choro o tempo todo. Nenhum garoto de 16 anos devia ter de passar pelo que Ben passou, mas isso ainda não responde a todas as perguntas que tenho sobre a relação que isto tem comigo. Mas agora que sei que em algum momento meu pai se envolveu com a mãe de Ben, tenho a impressão de que estou chegando mais perto. Não tenho certeza se quero continuar lendo, mas agora que comecei, não posso parar. Apesar de estar me sentindo enjoada, de minhas mãos estarem tremendo há 15 minutos seguidos e do medo de ler qual é a ligação do meu pai com essa história, eu me obrigo a ir em frente.

Pelo menos uma hora depois, tomo coragem para voltar ao manuscrito. Eu me sento no sofá e retomo de onde parei.

Romance de Ben — CAPÍTULO DOIS

Aos 16 Anos

"Quando se queima as pontes de alguém, que lindo fogo produz."

— Dylan Thomas

Kyle finalmente chega em casa. E Ian também. Nós nos sentamos à mesa da cozinha e conversamos sobre tudo, menos por que nossa mãe detestava a vida mais do que nos amava. Kyle me diz que fui corajoso hoje. Ele me trata como se eu ainda tivesse 12 anos, por mais que eu tenha sido um grande homem nesta casa desde que ele foi embora, seis meses atrás.

Ian liga para uma daquelas empresas que fazem serviço de limpeza depois de uma morte. Um dos policiais deve ter deixado o cartão deles na bancada, sabendo que íamos precisar. Eu nem sabia que isso existia, mas Ian mencionou um filme que viu alguns anos atrás, chamado *Trabalho sujo,* sobre duas mulheres que ganhavam a vida fazendo isso.

A empresa manda dois homens. Um que não fala inglês e outro que não fala nada. Ele anota tudo em um bloco que deixa guardado no bolso da frente.

Quando eles terminam, me encontram na cozinha e me entregam um bilhete.

Fiquem longe do quarto por pelo menos quatro horas, para que o carpete possa secar. O total é de 200 dólares.

Vou atrás de Kyle na sala.

— Custa 200 dólares.

Nós dois procuramos Ian, mas não o encontramos. Seu carro sumiu e ele é o único que tem essa grana. Acho a bolsa da minha mãe na bancada da cozinha.

— Ela tem dinheiro suficiente na carteira. Você acha que tem problema a gente usar?

Kyle puxa o dinheiro da minha mão e sai da sala para pagar os caras.

Ian volta depois, naquela tarde. Ele e Kyle discutem se ele nos contou ou não que ia à delegacia, porque Kyle não se lembra de Ian ter saído, mas ele argumenta que Kyle simplesmente não estava prestando atenção.

Ninguém pergunta por que ele foi à delegacia, para início de conversa. Acho que talvez ele quisesse ver o bilhete de suicídio, mas não pergunto sobre isso. Depois de ler sobre como ela estava apaixonada por esse tal de Donovan, a última coisa que quero ler é que ela não conseguia viver sem ele. Fico irritado por saber que minha mãe tenha permitido que o término de um relacionamento com um homem a destruísse mais do que a ideia de nunca mais ver seus filhos. Isso não devia nem ser motivo de dúvida nenhuma.

Quase posso imaginar como sua decisão foi tomada. Eu a visualizo sentada na cama ontem à noite, chorando por aquele desgraçado ridículo. Eu a imagino segurando uma foto dele na mão direita e uma de Kyle, Ian e eu na esquerda. Ela olha de uma foto para outra, concentrando-se em Donovan. *Devo terminar isso agora para não ter de viver sem este homem nem por um dia a mais?* Depois olha a foto de nós três. *Ou engulo a mágoa para passar o resto da minha vida com três homens que são gratos por ter a mim como mãe?*

O que eu *não* consigo imaginar é o que a motivaria a escolher a foto da mão direita e não a da esquerda.

Se eu não vir com meus próprios olhos o que tinha de tão especial neste homem, sei que isso vai acabar comigo. Uma corrosão lenta e dolorosa que vai destruir meus ossos até que eu me sinta tão desprezível quanto ela ao enfiar o cano daquela arma na boca.

Espero algumas horas até que Kyle e Ian tenham ido para seus quartos e entro no dela. Vasculho todas as coisas que li mais cedo, os bilhetes de amor, as discussões, a prova de que o relacionamento deles era tumultuado como um furacão. Quando finalmente encontro algo com informação suficiente sobre ele para que eu consiga achar seu endereço no Google, saio de casa.

É estranho pegar o carro dela. Só faz quatro meses que tenho 16 anos. Ela estava economizando para me ajudar a comprar meu primeiro carro, mas ainda não tínhamos chegado lá, então eu só usava o dela quando estava disponível.

É um carro bonito. Um Cadillac. Às vezes eu me perguntava por que ela não o vendia para comprar dois carros mais baratos, mas me sentia culpado por pensar assim. Eu era um garoto de 16 anos e ela era uma mãe solteira que trabalhou muito para chegar tão longe na carreira. Não era justo da minha parte pensar, nem remotamente, que merecíamos coisas iguais.

Já passa das dez da noite quando chego no bairro de Donovan. É um bairro muito mais bonito do que aquele em que moramos. Não que nossa vizinhança não seja bonita, mas esta tem um portão privativo. Nem é tão privativo assim, porque está destrancado. Fico pensando se devo voltar para casa ou não, depois me lembro do que vim fazer aqui, e não é nada ilegal. Só vou dar uma olhada na casa do homem responsável pelo suicídio da minha mãe.

A princípio, é difícil enxergar as casas. Todas têm garagens compridas e há muito espaço entre os terrenos. Mas à medida que avanço, mais esparsas ficam as árvores. Quando chego ao endereço, meus batimentos cardíacos ecoam nos ouvidos. Eu me sinto ridículo por estar nervoso vendo a casa, mas minha mão escorrega no volante porque as palmas estão suadas.

Quando finalmente chego à casa, não fico impressionado de imediato. É igual a todas as outras. Telhados íngremes e pontudos. Duas vagas na garagem. Gramados bem cuidados e caixas de correio revestidas de pedra, combinando com as casas.

Eu esperava mais de Donovan.

Fico impressionado com minha coragem quando passo de carro diante da casa, dou a volta e depois paro o carro algumas casas adiante para que eu consiga observar bem. Desligo o motor e apago manualmente os faróis.

Será que ele sabe?

Não sei como saberia, a não ser que os dois tenham amigos em comum.

Ele deve saber. Tenho certeza de que minha mãe tinha uma multidão de amigos e colegas de trabalho, além de um lado de sua personalidade que nunca vi.

Fico me perguntando se ele chorou quando descobriu. Fico me perguntando se ele tem algum remorso. Será que se ele tivesse a opção de voltar atrás e não magoar minha mãe, faria isso?

E então começo a cantarolar Toni Braxton. Unbreak My Heart. Vá se foder, Donovan O'Neil.

Meu celular vibra no banco. É uma mensagem de texto de Kyle.

Kyle: Onde você está?

Eu: Tive de ir ao mercado.

Kyle: É tarde. Volte agora. Temos que estar na funerária às 9 da manhã.

Eu: E você por acaso é quem? Minha mãe?

Espero que ele responda com algo como *Cedo demais para brincadeiras, cara*. Mas ele não faz isso. Passo mais um tempo olhando para o celular, querendo que ele responda. Não sei por que mandei essa mensagem. Agora me sinto mal. Devia existir um botão de *Unsend*.

Que ótimo. Agora estou cantando *unsend my text* na mesma melodia de *Unbreak My Heart*.

Vá se foder, Toni Braxton.

Afundo no banco quando noto faróis vindo na minha direção. Afundo ainda mais quando noto que param na casa de Donovan.

Paro de cantar e mordo o interior da minha bochecha enquanto espero que ele saia do carro. Detesto que esteja tão escuro. Quero ver se, pelo menos, ele é bonito. Mas sua atratividade não deve ter feito diferença na decisão da minha mãe de deixar este mundo.

Uma das portas da garagem dele se abre. Enquanto estaciona, a outra porta da garagem também começa a se abrir. Luzes fluorescentes iluminam dois veículos estacionados ali. Ele desliga o motor do Audi e sai do carro.

Ele é alto.

Só isso. Esta é a única característica que consigo notar dessa distância. Talvez ele tenha cabelo castanho-escuro, mas não consigo ter certeza disso.

Ele tira o outro carro da garagem. O carro é um veículo clássico, mas não entendo nada de carros. É vermelho, brilhante e ele abre o capô.

Eu o observo brincar embaixo do capô por mais alguns minutos. Faço todo tipo de observação sobre ele. Sei que não gosto desse homem, isto é certo. Também sei que provavelmente ele não é casado. Os dois carros parecem pertencer a um homem e não há espaço para outro carro na garagem, então ele deve morar sozinho.

É mais provável que seja divorciado. Minha mãe deve ter gostado do apelo deste bairro e da perspectiva de se mudar conosco para a casa dele, assim eu poderia ter uma figura paterna na minha vida. Ela deve ter planejado a vida dos dois e esperava que ele a pedisse em casamento, mas, em vez disso, partiu seu coração.

Ele passa os vários minutos seguintes lavando e encerando o carro, o que acho estranho, porque já é muito tarde. Talvez ele passe o dia todo fora. Isso deve ser irritante para os vizinhos, embora as casas mais próximas sejam bem afastadas e ninguém note o que está acontecendo na casa ao lado, se não quiser.

Ele pega um galão de gasolina na garagem e abastece o carro. Eu me pergunto se é uma gasolina especial, porque ele não está abastecendo em um posto.

Ele coloca depressa o galão de gasolina ao lado do carro e pega o celular. Dá uma olhada na tela e depois leva o telefone ao ouvido.

Com quem será que ele está falando? Será que é outra mulher? Foi por isso que ele largou minha mãe?

Mas então percebo, pelo jeito que sua mão agarra a nuca. Pelo jeito que seus ombros murcham e sua cabeça se balança de um lado para outro. Ele anda por ali, preocupado, aborrecido.

Quem quer que esteja do outro lado da linha acabou de dizer a ele que minha mãe morreu.

Agarro o volante e me inclino para a frente, absorvendo cada movimento dele. Será que vai chorar? Ela era digna de fazê-lo cair de joelhos? Será que daqui vou conseguir ouvi-lo gritar de agonia?

Ele se recosta em seu precioso carro e encerra a ligação. Depois fica encarando o celular por 17 segundos. Sim, eu contei.

Ele enfia o telefone de volta no bolso e depois, em uma exibição magnífica de tristeza, dá um soco no ar.

Não dê um soco no ar, Donovan. Dê um soco no seu carro, vai ser muito melhor.

Ele pega o pano que usou para enxugar o carro e joga no chão.

Não, Donovan. O pano, não. Acerte seu carro. Mostre para mim que você a amava mais do que ama seu carro, então talvez eu não tenha que te odiar tanto.

Ele afasta o pé e chuta o galão de gasolina, fazendo-o voar alguns metros pelo gramado.

Acerte a porra do seu carro, Donovan. Ela pode estar observando você agora mesmo. Mostre a ela que você está sofrendo tanto que nem se importa mais com a própria vida.

Donovan decepciona a nós dois quando segue intempestivamente para dentro de casa, sem tocar nenhuma vez um dedo em seu carro. Eu me sinto mal por minha mãe, porque ele não deu um ataque. Nem sei se chorou, estou longe demais para ver.

As luzes fluorescentes se apagam na garagem.

As portas da garagem começam a baixar.

Pelo menos ele está chateado demais para colocar o carro para dentro.

Fico observando a casa por mais alguns minutos, me perguntando se ele vai voltar a sair em algum momento. Como isso não acontece, começo a ficar inquieto. Uma parte imensa de mim quer sair daqui e nunca mais pensar nesse homem, mas há uma pequena parte de mim cuja curiosidade aumenta a cada segundo que fico sentado aqui.

O que tem de tão especial naquele maldito carro?

Qualquer um que, como ele, tenha recebido notícias tão devastadoras quer descontar no que está mais próximo. Qualquer homem normal apaixonado teria dado um soco no capô do carro. Ou, dependendo do quanto amava a mulher, talvez até desse um soco no para-brisa. Mas esse babaca pega um pano e joga no chão. Ele escolheu descontar sua agressividade em um pano velho e sem importância.

Ele devia se envergonhar.

Eu deveria ajudá-lo a sofrer direito.

Eu deveria dar um soco no capô do carro *por* ele. E por mais que eu saiba que isso não vai trazer nada de bom, já saí do carro e estou a meio caminho antes de dizer a mim mesmo que não é uma boa ideia. Mas quando se trata de uma batalha entre sua adrenalina e sua consciência, a adrenalina sempre vence.

Chego ao carro e sequer me dou o trabalho de olhar em volta para saber se tem alguém ali fora. Sei que não tem. Já passa das onze da noite. Nem deve ter alguém acordado nessa rua e, mesmo que tenha, não me importo.

Pego o pano e o examino, na esperança de que tenha alguma coisa de especial. Não tem, mas decido usá-lo para abrir a porta do carro. Não quero deixar digitais, se por acidente eu arranhar o carro dele.

O veículo é ainda mais bonito por dentro do que por fora. Imaculado. Bancos de couro vermelho-cereja. Acabamento em madeira. Tem um maço de cigarros e alguns fósforos no painel e fico decepcionado por minha mãe ter amado um fumante.

Olho para a casa e de volta para os fósforos. Quem é que ainda usa fósforo? Juro continuar descobrindo cada vez mais motivos para odiá-lo.

Volte para o seu carro, Ben. Já foi emoção demais para um dia.

A adrenalina derrota minha consciência mais uma vez. Olho para o galão de gasolina.

Será que...

Será que Donovan ficaria mais chateado de ver seu precioso carrinho clássico pegando fogo do que com a morte da minha mãe?

Acho que vamos descobrir logo, porque minha adrenalina está pegando o galão de gasolina e despejando o líquido em um pneu e na lateral do carro. Pelo menos minha consciência ainda está atenta o bastante para saber que devo colocar o galão de volta aonde Donovan o chutou. Risco um, apenas um fósforo, e o jogo com um peteleco — exatamente como fazem nos filmes — enquanto volto para o meu carro.

O ar solta um breve sibilo às minhas costas. As lâmpadas de segurança se iluminam como se alguém tivesse acendido luzes de Natal.

Quando volto para o meu carro, estou sorrindo. É a primeira vez que sorrio hoje.

Ligo meu carro e pacientemente me afasto, me sentindo um tanto justificado pelo que ela fez consigo mesma. Pelo que ela fez comigo.

E, por fim, pela primeira vez desde que encontrei o corpo da minha mãe esta manhã, uma lágrima escorre do meu olho.

Depois outra.

E mais uma.

Começo a chorar tanto que fica difícil enxergar a rua. Paro em uma ladeira. Eu me apoio no volante e meu choro se transforma em soluços, porque sinto falta dela. Não se passou nem mesmo um dia e já sinto falta dela pra cacete e não sei por que ela faria isso comigo. Parece tão pessoal, e detesto ser tão egoísta a ponto de acreditar que teve alguma coisa a ver comigo, mas não teve? Eu morava com ela. Fui o único que continuou naquela casa. Ela sabia que eu é que a encontraria. Sabia o que isso faria comigo e ainda assim se matou. Nunca amei alguém que odeio tanto, e nunca odiei alguém que amo tanto.

Choro por tanto tempo que os músculos da minha barriga começam a doer. Meu maxilar dói por causa da tensão. Meus ouvidos doem por causa do som estridente das sirenes que passam.

Olho pelo retrovisor e me deparo com um caminhão dos bombeiros descendo a ladeira.

Vejo o brilho laranja contrastar com o céu escuro atrás de mim, e é um brilho muito mais forte do que eu esperava.

As chamas estão muito mais altas do que deveriam.

Os batimentos do meu coração martelam com muito mais força do que eu queria.

O que eu fiz?

O que foi que eu fiz?

Minhas mãos estão tremendo tanto que não consigo engrenar o carro. Não consigo respirar. Meus pés escorregam no freio.

O que foi que eu fiz?

Dirijo. Continuo dirigindo. Tento puxar o ar, mas meus pulmões parecem cheios de fumaça preta e espessa. Pego meu celular. Quero avisar a Kyle que talvez eu esteja tendo uma crise de pânico, mas não consigo acalmar minha mão por tempo suficiente para discar o número dele. O telefone escorrega das minhas mãos e cai no chão do carro.

Só faltam três quilômetros. Vou conseguir.

Conto até 17 exatamente 17 vezes e logo depois estou entrando na minha garagem.

Entro trôpego em casa. Felizmente Kyle ainda está acordado, na cozinha. Não preciso tentar subir até o quarto dele.

Ele põe as mãos em meus ombros e me conduz a uma cadeira. Espero que ele comece a entrar em pânico comigo quando vê minha expressão, meus olhos arregalados e cheios de lágrimas, mas em vez disso ele pega água para mim. Conversa comigo calmamente, mas não faço ideia do que esteja dizendo. Ele repete que eu devo me concentrar em seus olhos, me concentrar em seus olhos, em seus olhos.

— Concentre-se nos meus olhos — diz ele.

É o primeiro som que processo.

— Respire, Ben. — Ele ergue a voz: — Respire.

Minha pulsação aos poucos retorna ao ritmo.

— Respire.

Meus pulmões começam a puxar e soltar ar, como deveriam fazer.

Inspiro e expiro sem parar e tomo outro gole de água. Então, assim que consigo falar, tudo o que mais quero é tirar esse segredo de dentro de mim antes que eu exploda.

— Eu fodi tudo, Kyle.

Fico de pé e começo a andar de um lado para outro. Sinto as lágrimas tomarem minhas bochechas e ouço o tremor em minha voz. Aperto a cabeça com as mãos.

— Eu não queria fazer isso, juro, não sei por que eu fiz.

Kyle me interrompe a meio passo. Ele me segura pelos ombros e baixa a cabeça, me olhando intensamente nos olhos.

— O que você fez, Ben?

Respiro fundo outra vez e solto o ar ao me afastar dele. Então conto tudo. Conto da mancha de sangue que parecia a cabeça de Gary Busey, que li todas as cartas que Donovan escreveu para ela, que eu só queria descobrir por que ela gostava desse homem mais do que de nós, que ele não ficou zangado o suficiente quando soube que ela morreu, e que eu não pretendia incendiar a casa dele, nem mesmo queria que o *carro* dele pegasse fogo, porque não foi por isso que fui até lá.

Agora estamos sentados. À mesa da cozinha. Kyle não falou muito, mas o que ele diz em seguida me apavora mais do que qualquer coisa que já me assustou na vida.

— Alguém se machucou, Ben?

Quero negar com a cabeça, que não se mexe. Minha resposta não sai, porque eu não sei. É claro que ninguém se machucou. Donovan estava acordado, ele deve ter saído a tempo.

Não é?

Inspiro novamente quando vejo a preocupação nos olhos de Kyle. Ele se afasta depressa da mesa e vai à sala de estar. Ouço a TV sendo ligada e, por um segundo, penso que provavelmente esta é a última vez que a televisão será ligada no canal *Bravo*, agora que minha mãe não está mais aqui para assistir.

Depois ouço uma troca de canais, e de novo. Até que ouço as palavras "incêndio", "Hyacinth Court" e "um ferido".

Ferido. Ele deve ter tropeçado ao sair correndo da casa e cortou o dedo ou coisa assim. Não é tão ruim. Tenho certeza de que a casa dele tinha seguro.

— Ben.

Eu me levanto para me juntar a Kyle na sala. Tenho certeza de que ele está me chamando para dizer que não há problema, que está tudo bem e que eu deveria dormir.

Quando chego à entrada da sala, meus pés param de seguir em frente. Há uma foto sendo exibida na TV, no canto superior direito. Uma garota. Ela me parece conhecida e não consigo saber de onde, mas não preciso porque o repórter faz isso por mim.

"As últimas informações indicam que Fallon O'Neil, atriz de 16 anos e protagonista da série de sucesso *Gumshoe*, foi levada de helicóptero do local. Não há notícias sobre seu estado, mas continuaremos atualizando os espectadores à medida que recebermos novidades."

Kyle não me diz que vai ficar tudo bem.

Ele não diz nada.

Ficamos diante da TV, prestando atenção nos noticiários que aparecem entre os comerciais. Um pouco depois da uma da manhã, ficamos sabendo que a garota foi levada a um centro de queimados em South Bay. Dez minutos depois, descobrimos que o estado dela é crítico. A uma e meia da manhã, dizem que ela sofreu queimaduras de quarto grau em 30% do corpo. A uma e quarenta e cinco, anunciam que esperam que ela sobreviva, mas que vai passar por uma extensa cirurgia reconstitutiva e por reabilitação. A uma e cinquenta, os repórteres declaram que o dono da casa admitiu ter derramado combustível perto de um carro estacionado na garagem. Os investigadores afirmam que não têm motivos para acreditar que o incêndio foi intencional, mas haverá uma investigação completa para corroborar as alegações do proprietário.

Um repórter insinua que a carreira da vítima pode ser suspensa indefinidamente. Outro diz que os produtores terão de tomar uma decisão importante: se devem colocar outra atriz no papel ou suspender a produção enquanto a vítima se recupera. Os noticiários atualizam o estado da vítima e também citam as indicações ao Emmy que Donovan O'Neil teve no auge da carreira.

Kyle desliga a televisão aproximadamente às duas da manhã. Baixa o controle remoto com cuidado e em silêncio no braço do sofá.

— Alguém testemunhou o que aconteceu?

Seus olhos estão fixos nos meus e no mesmo instante nego com a cabeça.

— Você deixou alguma coisa para trás? Alguma possível evidência?

— Não — sussurro, depois pigarreio. — Ele está certo. Chutou o galão de gasolina, depois entrou na casa. Ninguém viu o que eu fiz depois disso.

Kyle assente e aperta a nuca para se livrar da tensão. Depois aproxima-se um passo.

— Então *ninguém* sabe que você esteve lá?

— Só você.

Ele diminui a distância entre nós. Acho que talvez queira me bater. Não tenho certeza, mas a raiva perceptível em seu maxilar indica que talvez queira. E eu não culparia ele.

— Quero que me escute, Ben. — A voz dele sai baixa e firme. Concordo com a cabeça. — Tire cada peça de roupa que está usando e coloque na máquina de lavar. Vá tomar um banho. Depois, você vai para a cama e vai esquecer que isso aconteceu, está bem?

Assinto de novo. Posso vomitar daqui a um segundo, não tenho certeza.

— Você nunca vai deixar que identifiquem a menor ligação possível com o que aconteceu esta noite. Nunca vai pesquisar sobre essas pessoas na internet. Nunca mais vai de carro à casa delas. Fique longe de qualquer coisa que possa relacionar você a essas pessoas. E nunca, jamais fale nem mais uma palavra sobre isso. Nem comigo... nem com Ian... nem com ninguém. Você me entendeu?

Sem dúvida, vou vomitar, mas ainda assim consigo assentir.

Kyle observa meu rosto por um minuto, para ter certeza de que pode confiar em mim. Não me atrevo a me mexer. Quero que ele saiba que pode confiar em mim.

— Temos muita coisa para fazer amanhã, os preparativos para o enterro dela. Tente dormir um pouco.

Não balanço a cabeça dessa vez, porque ele se afasta, apagando a luz.

Fico no escuro por vários minutos. Em silêncio... parado... sozinho.

Eu devia estar com medo de ser pego. Devia estar perturbado porque, daqui em diante, sentirei culpa sempre que Kyle olhar para mim. Eu devia estar preocupado que esta noite — combinada com esta manhã, quando encontrei minha mãe — vá me estragar de algum jeito. Talvez eu sofra de estresse pós-traumático ou depressão.

Mas nada disso importa.

Porque enquanto subo a escada correndo, abro a porta do banheiro e coloco para fora todo o conteúdo do estômago na privada, meus pensamentos só giram em torno daquela garota e como eu arruinei completamente a vida dela.

Apoio a testa no braço enquanto fico sentado ali apertando a porcelana do vaso com toda força.

Não mereço viver.

Não mereço viver.

Será que minha mancha de sangue vai ficar parecida com Gary Busey?

Fallon

Eu mal havia chegado à privada quando vomitei.

Gotas de suor escorrem da minha testa.

Não posso fazer isso.

Não posso ler mais.

É demais. É demais, muito difícil e estou enjoada demais para continuar lendo.

De algum modo, consigo me levantar do chão e ir à pia. Lavo as mãos. Coloco-as em concha sob o jato de água e levo à boca, bochechando com a água. Faço isso várias vezes, lavando o gosto da bile.

Olho no espelho as cicatrizes que percorrem da minha bochecha até o pescoço. Puxo a blusa e observo as cicatrizes no braço, no seio, na minha cintura. Passo os dedos da mão direita pelo braço e pelo pescoço, pela minha bochecha, descendo novamente. Percorro meu seio e abaixo até a cintura.

Eu me inclino para a frente até ficar na altura da bancada... O mais perto que posso do espelho. E dou uma boa olhada nas cicatrizes. Observo-as com mais concentração do que nunca, porque o que estou sentindo me confunde.

É a primeira vez que as olho sem pelo menos um vestígio de raiva junto.

Até ler as palavras de Ben, nunca tinha me dado conta de como culpava meu pai pelo que aconteceu comigo. Por muito tempo, eu o odiei. Dificultei as coisas para que ele sofresse comigo pelo que houve. Vi a culpa em tudo o que ele dizia. Toda conversa que tivemos se transformou em briga.

Não estou desculpando meu pai por ser um idiota insensível. Ele *sempre* foi um idiota insensível. Mas também sempre me amou e agora que sei melhor o que houve naquela noite, eu não deveria culpá-lo mais por se esquecer de mim.

Eu só ficava na sua casa uma vez por semana e ele tinha acabado de descobrir que alguém que amava morreu. Sua cabeça deve ter ficado em frangalhos. E eu esperando que ele reagisse com perfeita precisão quando viu a casa em chamas. Isso é mais do que eu devia esperar dele. Em questão de minutos, ele estava sofrendo, depois com raiva, então em pânico por causa do incêndio. Esperar que ele lembrasse no mesmo instante que eu tinha mandado uma mensagem de texto doze horas antes para avisar que iria dormir na sua casa naquela noite é completamente irreal. Eu não morava lá. Não era como morar na casa da minha mãe, pois assim eu seria a primeira coisa em que ela pensaria quando entrasse em pânico. A situação do meu pai era totalmente diferente e eu devia tratá-la como tal. E por mais que a gente tenha mantido contato nos últimos anos, nossa relação não é como antes. Assumo metade da culpa por isso. Nós não escolhemos nossos pais e os pais não escolhem os filhos. Mas escolhemos, sim, o quanto estamos dispostos a nos esforçar para fazer o melhor com o que temos.

Pego o celular no bolso e abro uma mensagem de texto para o meu pai.

Eu: Oi, pai. Quer tomar café da manhã amanhã? Saudade.

Depois que aperto "Enviar", visto a blusa e volto para a sala. Olho para o manuscrito, me perguntando o quanto mais vou conseguir suportar. É tão difícil ler, nem consigo imaginar Ben e os irmãos tendo que passar por tudo isso.

Faço uma rápida oração pelos meninos Kessler, como se o que estou lendo estivesse acontecendo agora e Kyle continuasse aqui para ser parte de uma oração.

Depois continuo de onde parei.

Romance de Ben — CAPÍTULO TRÊS
Aos 16 Anos

"Grande é a mão que a todos domina com um nome rabiscado às pressas."
— Dylan Thomas

Sabe o que é pior do que o dia em que sua mãe se mata?

O dia *seguinte* ao que sua mãe se mata.

Quando uma pessoa sente muita dor física — digamos que, por acaso, corte a mão —, o corpo humano produz endorfinas. As endorfinas agem de forma parecida com drogas como a morfina ou a codeína. Por isso, é normal não sentir muita dor logo depois de um acidente.

A dor emocional deve agir de maneira parecida, porque o dia de hoje está doendo muito mais do que o de ontem. Ontem eu estava numa espécie de estado onírico, como se minha consciência não me permitisse acreditar plenamente que ela de fato havia morrido. Em minha mente, eu me segurava naquele fio tênue de esperança de que o dia todo não estivesse acontecendo de verdade.

Esse fio sumiu, por mais que eu tente agarrá-lo.

Ela está morta.

E se eu tivesse dinheiro e relações pessoais, entorpeceria esta dor com qualquer droga que encontrasse.

Eu me recuso a sair da cama esta manhã. Ian e Kyle tentaram me obrigar a ir à funerária com eles, mas eu venci. Na verdade, estou vencendo o dia todo.

Coma alguma coisa, falou Kyle no almoço.

Não comi. Venci.

Tia Chele e tio Andrew estão aqui, disse Ian lá pelas duas da tarde.

Mas eles já foram embora e eu continuo na cama, então venci.

Ben, venha jantar. Tem muita coisa para comer, as pessoas trouxeram comida o dia todo, disse Kyle ao enfiar a cabeça pela porta do meu quarto lá pelas seis da tarde.

Mas decidi ficar na cama e não tocar naqueles ensopados feitos por compaixão, me fazendo vencedor mais uma vez.

Fale comigo, pediu Ian.

Eu gostaria de dizer que venci essa etapa, mas ele ainda está sentado na minha cama, se recusando a sair.

Tapo a cabeça com o cobertor. Ele puxa para baixo.

— Ben. Se você não sair da cama, vou exagerar. Você não quer me obrigar a procurar um psiquiatra, quer?

Meu Deus, mas que *merda*!

Eu me sento na cama e soco o travesseiro.

— Me deixe *dormir*, porra, Ian! *Que merda!*

Ele não reage a meus gritos. Apenas me olha com complacência.

— Eu *tenho* deixado você dormir. Há quase 24 horas. Você precisa sair da cama, escovar os dentes, ou tomar banho, comer, *qualquer coisa*.

Eu me deito de novo. Ian sai da cama e berra.

— Benton, olhe para mim!

Ian nunca grita comigo e este é o único motivo que me leva a tirar o cobertor da cabeça e olhar para ele.

— Você não é o único que está sofrendo, Ben! Temos merdas para resolver! Você tem 16 anos e não pode morar aqui sozinho, e se você não descer e provar para mim e para Kyle que você não está completamente fodido, é provável que a gente tome a decisão errada por você!

Seu maxilar se contorce, de tão zangado que está.

Penso nisso por um segundo. Que nenhum dos dois mora aqui. Ian está na escola de aviação. Kyle acabou de entrar na faculdade. Minha mãe morreu.

Um deles terá de se mudar de volta para cá porque eu sou menor de idade.

— Acha que mamãe pensou nisso? — pergunto, me sentando na cama de novo.

Ian balança a cabeça, frustrado. Suas mãos se apoiam no quadril.

— Pensou *no quê*?

— Que a decisão dela de se matar obrigaria um de vocês a abrir mão do seu sonho? Que vocês teriam de se mudar para cá para cuidar de um irmão?

Ian balança a cabeça, confuso.

— *É claro* que ela pensou nisso.

Eu rio.

— Não, ela não pensou. Ela é uma vadia egoísta de merda.

Seu maxilar enrijece.

— Pare com isso.

— Odeio ela, Ian. Estou *feliz* por ela ter morrido. E fico feliz por ter sido eu quem a encontrou, porque agora sempre terei a imagem do buraco preto no rosto dela combinando com o buraco preto em seu coração.

Ele diminui a distância entre nós e me agarra pela gola da camisa, me jogando na cama. Aproxima o rosto do meu e fala entre dentes:

— Cale a merda da sua boca, Ben. Ela amava você. Foi uma boa mãe para nós e você vai respeitá-la, está me ouvindo? Não me importo se ela está vendo você agora ou não, você vai respeitá-la nesta casa até o dia que morrer.

Meus olhos se enchem de lágrimas e estou sufocando de ódio. Como ele pode defendê-la?

Acho que é fácil quando a lembrança que ele tem dela não está maculada pela visão que tive quando entrei em seu quarto.

Uma lágrima cai do olho de Ian na minha bochecha.

Ele afrouxa o aperto em volta do meu pescoço e se vira, enfiando a cabeça nas mãos.

— Desculpe — diz ele, com a voz chorosa. — Sinto muito, Ben.

Eu não.

Ele se vira e olha para mim, sem sequer tentar esconder suas lágrimas.

— Eu só... Como você pode dizer isso? Sabendo pelo que ela estava passando...

Rio baixinho.

— Ela terminou com o namorado, Ian. Mal dá para considerar isso um sofrimento.

Ele se vira na cama até ficar de frente para mim. Depois inclina a cabeça.

— Ben... você não leu?

Dou de ombros.

— Não li o quê?

Ele suspira fundo e se levanta.

— O bilhete dela. Você não leu a carta que ela deixou antes de a polícia levar?

Engulo em seco. Eu sabia que foi lá que ele esteve ontem. Eu sabia.

Ele passa as mãos no cabelo.

— Ai, meu Deus. Achei que você tivesse lido. — Ele sai do meu quarto. — Volto em meia hora.

Ele não mentiu. Em exatos trinta minutos, ele entra novamente no meu quarto. Fico o tempo todo me perguntando o que poderia haver nesta carta que faria a diferença entre eu odiá-la e Ian sentir pena dela.

Meu irmão tira um papel do bolso.

— Eles ainda não podem liberar a carta verdadeira. Tiraram uma foto e imprimiram, mas ainda dá para ler.

Ele me entrega o papel. Então sai do meu quarto e fecha a porta.

Eu me recosto na cama e leio as últimas palavras que minha mãe jamais dirá a mim.

Aos meus meninos,

Passei a vida toda estudando a escrita. Nenhum curso de redação... nenhuma faculdade... nenhuma experiência de vida poderia preparar uma pessoa para escrever um bilhete de suicídio adequado para os filhos. Mas vou tentar mesmo assim.

Primeiro, quero explicar por que fiz isso. Sei que vocês não entendem. E, Ben, provavelmente você é o primeiro que está lendo isto, porque tenho certeza de que foi você o primeiro a me encontrar. Então, por favor, leia esta carta inteira antes de decidir me odiar.

Quatro meses atrás, descobri que tenho câncer de ovário. Brutal, intratável, um câncer silencioso que se espalhou antes mesmo que eu tenha desenvolvido sintomas. E antes que vocês fiquem zangados e digam que eu desisti, esta é a última coisa que eu faria. Se minha doença fosse algo que eu pudesse combater, vocês sabem que eu teria lutado com tudo o que tenho. Mas este é o problema do câncer. Chamam de luta, como se o mais forte vencesse e o mais fraco perdesse, mas não é assim.

O câncer não é um dos participantes do jogo. O câncer é o jogo.

Não importa quanta resistência você tenha. Não importa o quanto você tenha treinado. O câncer é a quintessência do esporte, e só o que dá para fazer é aparecer no jogo com sua camisa. Porque nunca se sabe... você pode ser obrigado a ficar no banco durante toda a partida. Talvez sequer tenha a oportunidade de competir.

Essa sou eu. Estou sendo obrigada a ficar no banco até que o jogo termine, porque não há mais nada que possa ser feito por mim. Eu poderia citar todos os detalhes, mas a realidade é que descobriram a doença tarde demais.

Então, agora vem a parte complicada.

Espero o câncer passar? Devo permitir que a doença lentamente roube de mim tudo que tenho? Meninos, vocês se lembram do vovô Dwight, de como o câncer o engoliu inteiro e por meses se recusou a cuspi-lo. A vovó teve de alterar toda sua vida para cuidar dele. Perdeu o emprego, as contas de home care *se acumulavam e eles acabaram perdendo a casa. Ela foi despejada duas semanas depois de ele, enfim, morrer. Tudo porque o câncer levou o tempo precioso junto.*

Não quero isso. Não suporto imaginar vocês tendo que cuidar de mim. Sei que se eu não der um fim a minha vida, talvez tenha a sorte de viver mais seis meses nesta terra. Talvez nove. Mas esses meses vão roubar de vocês a mãe que conheceram. Depois, quando minha dignidade e minhas células não bastarem para satisfazer a doença, o câncer vai levar todo o resto que puder. A casa. As economias. A poupança para a faculdade de vocês. Todas as lembranças felizes que compartilhamos juntos.

Sei que por mais que eu tente justificar minha decisão, ainda assim vai magoar vocês três mais do que nunca na vida. Mas sei que se eu conversasse com vocês sobre isto antes de agir, vocês me convenceriam a desistir.

Sinto muito especialmente por você, Ben. Meu menino, meu amor de menino. Sinto muito. Sei que eu podia ter feito isso de um jeito melhor, porque nenhuma criança deveria ter que ver a mãe nessa condição. Mas sei que se eu não fizer isto esta noite, antes de você voltar para casa, talvez nunca faça. E, para mim, esta seria uma decisão ainda mais egoísta do que a que tomei. Sei que você vai me encontrar de manhã e sei que isto vai destruí-lo, porque acaba comigo só de pensar. De qualquer modo, estarei morta antes de você completar 17 anos. Pelo menos assim, vai ser rápido e fácil. Você pode ligar para a emergência, eles vão retirar meu corpo e estará acabado em algumas horas. Algumas horas para morrer e ser retirada de casa é muito melhor do que os vários meses que o câncer pode levar para fazer seu trabalho.

Sei que lidar com isso vai ser difícil para vocês, então tentei facilitar ao máximo. Alguém vai ter que limpar tudo depois de retirarem meu corpo, por isso deixei um cartão na bancada da cozinha para um de vocês telefonar. Tem bastante dinheiro na minha bolsa. Deixei na cozinha, em cima da bancada.

Se procurarem no meu escritório, na terceira gaveta à direita, vocês vão descobrir que preparei toda a papelada necessária para dar entrada no seguro da previdência. Tratem de fazer isto logo. Depois de darem entrada na papelada, vocês receberão um cheque em algumas semanas. Ainda tem a hipoteca da casa, mas vai sobrar o suficiente para pagar a faculdade de cada um de vocês. Organizei tudo isso por meio do nosso advogado.

Por favor, fiquem com a casa até que todos se tornem adultos e estejam com a vida ajeitada. É uma boa casa e, apesar deste detalhe, temos muitas lembranças boas aqui.

Saibam, por favor, que vocês três fizeram valer cada segundo da minha vida. E se pudesse me livrar deste câncer, faria isso. Eu seria muito egoísta e provavelmente o daria a alguém, para sofrer por mim, para que então eu pudesse ficar mais tempo com cada um de vocês. Amo vocês a esse ponto.

Por favor, me perdoem. Tenho duas alternativas ruins e não quero nenhuma delas. Escolhi fazer o que traria mais benefícios para todos nós no fim. Espero que um dia vocês consigam entender. E espero que, ao escolher fazer isto, eu não estrague esta data para vocês. Dia 9 de novembro é importante para mim, pois foi neste mesmo dia que Dylan Thomas morreu. E vocês, meninos, sabem o quanto a poesia dele significa para mim. Me ajudou a passar por muita coisa na vida, em especial a morte de seu pai. Mas minha esperança é que esta data se torne para vocês apenas um dia com pouco significado e poucos motivos para lamentar no futuro.

E, por favor, não se preocupem comigo. Meu sofrimento acabou. Nas sábias palavras de Dylan Thomas... Depois da primeira morte, não existe outra.

Com todo o meu amor,

Mamãe

Mal consigo ler a assinatura da minha mãe através das lágrimas. Ian volta para o meu quarto vários minutos depois e se senta ao meu lado.

Quero agradecer a ele por ter me obrigado a ler isto, mas estou tão zangado que nem consigo falar. Se eu tivesse lido a carta antes de a polícia levar, descobriria tudo naquela hora. Os últimos dois dias teriam sido muito diferentes. Talvez eu não tivesse ficado em tamanho estado de choque se tivesse conseguido ler a carta na hora. Também não teria entendido tudo errado e suposto que a decisão dela tinha relação com um homem.

E eu teria ficado em casa na noite passada, em vez de ter tomado a decisão de entrar no carro dela, dirigir até a casa de um estranho e começar um incêndio que saiu de controle.

Quando me inclino com o choro, Ian passa o braço por mim e me puxa para um abraço. Sei que ele acha que estou chorando por causa de tudo o que li e em parte ele tem razão. Provavelmente ele também deve achar que estou chorando por ter dito aquelas coisas abomináveis sobre minha mãe e em parte ele tem razão nisso também.

Mas o que ele não sabe é que a maior parte dessas lágrimas não é de tristeza.

São lágrimas de culpa por ter arruinado a vida de uma garota inocente.

Fallon

Baixo o papel e pego outro lenço. Acho que não parei de chorar desde que comecei a ler.

Confiro meu celular e tem uma resposta do meu pai.

Pai: Oi! Eu adoraria, também estou com saudade. Me diga quando e onde e estarei lá.

Tento não chorar quando leio a mensagem dele, mas não consigo deixar de sentir uma amargura por ter jogado fora tantas boas lembranças que eu poderia ter com ele. Teremos que compensar nos próximos anos.

Fiz intervalos para comer. Para pensar. Para respirar. São quase sete da noite e só li metade do manuscrito. Normalmente acabo os livros em algumas horas, mas esta foi a coisa mais difícil que já tive de ler na vida. Não consigo imaginar como deve ter sido difícil para Ben escrever.

Dou uma olhada na página seguinte, tentando decidir se preciso de outro intervalo antes de começar. Quando percebo que o capítulo seguinte é sobre o dia em que nos conhecemos no restaurante, decido continuar lendo. Preciso saber o que o motivou a aparecer naquele dia. E, mais do que isso, por que ele tomou a decisão de entrar na minha vida.

Eu me sento de volta no sofá e respiro fundo. Então começo a ler o capítulo quatro do manuscrito de Ben.

Romance de Ben — CAPÍTULO QUATRO
Aos 18 Anos

"Alguém me entedia. Acho que sou eu."

— Dylan Thomas

Meu braço está pendurado na lateral da cama e sei, pelo jeito que a mão está apoiada no carpete, que não tem estrutura, nem box. É só um colchão no chão.

Estou de bruços. Um lençol cobre metade do meu corpo e estou com o rosto virado para o travesseiro.

Detesto esses momentos. Quando acordo desconcertado demais para saber onde estou ou quem pode estar na cama ao meu lado. Normalmente fico deitado por tempo o bastante para assimilar o ambiente ao meu redor antes de me mexer, na esperança de não acordar quem estiver no quarto comigo. Mas esta manhã é diferente, porque quem quer que estivesse na cama comigo já acordou. Ouço o chuveiro ligado.

Tento contar quantas vezes isto aconteceu, quando foi que fiquei tão bêbado que nem consegui me lembrar de nada no dia seguinte. Eu chutaria pelo menos cinco vezes este ano, mas esta ocasião é de longe a pior. Em geral, consigo pelo menos lembrar em que festa eu estava. Com que amigo eu estava. Com que garota eu estava flertando antes de tudo escurecer. Mas, neste momento, não sei nada.

Meu coração começa a bater tão forte quanto minha cabeça lateja. Sei que daqui a pouco tenho que me levantar e encontrar minhas roupas. Terei de olhar em volta e tentar descobrir onde estou. Terei de deduzir onde posso ter deixado o carro. Talvez eu seja obrigado a ligar para Kyle de novo. Mas ele vai ser meu último recurso, porque hoje não estou a fim de ouvir outro sermão.

Dizer que ele anda decepcionado com o que me tornei é pouco. As coisas não têm sido as mesmas em casa desde o dia em que nossa mãe morreu, dois anos atrás.

Bom... *eu* não tenho sido o mesmo. Kyle e Ian estão torcendo para que minha espiral descendente comece logo a sua curva ascendente. Estavam esperando que depois que eu me formasse no ensino médio, levasse a faculdade a sério, mas isto não tem acontecido do jeito que eles talvez acham que deveria. Na realidade, minhas notas são muito ruins por causa das faltas e nem mesmo sei se vou conseguir terminar este semestre.

E eu tento. *Meu Deus*, eu tento. Todo dia acordo e digo a mim mesmo que hoje vai ser melhor. Hoje vai ser o dia em que vou solucionar minha culpa. Mas então acontece alguma coisa que desperta aquele sentimento do qual quero me livrar com ainda mais rapidez do que ele surge. E é exatamente o que faço. Afogo tudo com álcool, amigos e garotas. E, ao menos pelo resto da noite, não preciso pensar nos erros que cometi. Na vida que arruinei.

Este pensamento obriga meus olhos a se abrirem e encararem a luz do sol que entra no quarto. Estreito os olhos e os cubro com a mão. Espero um minuto para tentar me levantar e procurar minhas roupas. Quando finalmente fico de pé, encontro a calça. Acho a camiseta que me lembro de ter vestido antes de ir para as aulas de ontem.

Mas depois disso? Nada. Não me lembro de absolutamente nada.

Encontro meus sapatos e os calço. Quando estou todo vestido, paro um segundo para olhar o quarto. Não me parece nada familiar. Vou à janela e olho para fora, notando que estou em um prédio. Mas nada me parece conhecido, talvez seja porque não consigo abrir os olhos o bastante para ver mais longe. Tudo dói.

Estou prestes a descobrir onde estou, porque a porta do banheiro se abre às minhas costas. Fecho os olhos com força, porque não faço ideia de quem ela é ou do que espera.

— Bom dia, flor do dia!

Sua voz familiar percorre o quarto na velocidade de um torpedo e vai direto para o meu coração. Meus joelhos parecem prestes a ceder. Na realidade, acho que estão cedendo. Procuro uma cadeira por perto e me sento rapidamente, baixando a cabeça nas mãos. Nem consigo olhar para ela.

Como ela pôde fazer isso com Kyle?

Como pôde me *deixar* fazer isso com Kyle?

Jordyn se aproxima de mim, mas ainda me recuso a olhar para ela.

— Se está com vontade de vomitar, é melhor fazer isso no banheiro.

Balanço a cabeça, querendo que a voz dela desapareça, querendo que o apartamento dela desapareça, querendo que a segunda pior coisa que fiz na vida desapareça.

— Jordyn. — Quando ouço como minha voz está fraca, sei por que ela acha que estou prestes a vomitar. — Como foi que isso aconteceu?

Ouço o colchão afundar quando ela se joga na cama a uma pequena distância à minha frente.

— Bom... — começa ela. — Sei que começou com um ou dois shots. Algumas cervejas. Algumas meninas bonitas. Depois terminou com você ligando para mim aos prantos à meia-noite, tagarelando sobre a data, que você precisava ir para casa, mas estava bêbado demais e não queria ligar para Kyle porque ele ia ficar bravo com você. — Ela se levanta e anda até o closet. — E, pode acreditar em mim, ele teria ficado puto. E se você contar a Kyle que eu deixei que dormisse aqui, para que ele não soubesse, ele vai ficar puto *comigo*. Então, é melhor você não me dedurar, Ben.

Minha mente tenta acompanhar, mas ela fala rápido demais. Então eu liguei para ela? Pedindo ajuda?

Nós não...

Meu Deus, não. Ela não faria isso. Eu, por outro lado, não pareço ter controle nenhum sobre o que faço quando fico nesse estado. Mas pelo menos liguei para ela antes de fazer alguma idiotice. Ela e Kyle estão juntos há tempo suficiente para que ela seja uma irmã para mim e eu confio que Jordyn não vai contar a Kyle. Mas ainda resta uma pergunta... *Por que eu estava nu? Na cama dela?*

Ela sai do closet e é a primeira vez que a olho hoje. Ela parece normal. Sem culpa nenhuma. Um pouco cansada, talvez, mas sorridente, como sempre.

— Vi sua bunda hoje de manhã — diz ela, rindo. — Mas o que foi que você fez? Eu disse para usar meu chuveiro, mas você podia ter se vestido depois disso. — Ela faz uma careta. — Agora vou ter que lavar meus lençóis.

Ela começa a tirar os lençóis do colchão.

— Espero que quando eu for morar com Kyle, você comece a usar cueca ou algo assim. E nem acredito que fui obrigada a dormir no meu próprio sofá enquanto sua bunda bêbada roubava minha cama. — Quero pedir para ela ir mais devagar, mas, sempre que fala, me sinto ainda mais aliviado. — Você me deve uma.

Seu sorriso some quando ela se senta mais uma vez no colchão, de frente para mim. Inclina-se para a frente e me olha com sinceridade.

— Não quero me meter na sua vida. Mas amo seu irmão e assim que meu contrato de aluguel vencer, vamos todos morar juntos. Então, só vou dizer isto uma vez. Está prestando atenção?

Concordo com a cabeça.

— Nós só recebemos uma mente e um corpo quando nascemos. E são os únicos que ganhamos, então cabe a nós cuidar de nós mesmos. Detesto dizer isso, Ben, mas neste exato momento você é a *pior* versão de si mesmo que poderia existir. Está deprimido. Está triste. Você só tem 18 anos e nem sei onde arranja álcool, mas você bebe demais. E por mais que seus irmãos tenham tentado ajudá-lo, ninguém pode obrigá-lo a querer ser uma pessoa melhor. Só você pode fazer isso, Ben. Então, se ainda resta alguma esperança em você, sugiro que cave bem fundo e procure por ela, porque, se não a encontrar, nunca será a melhor versão de si mesmo. E vai derrubar seus irmãos junto, porque eles amam você demais.

Ela fica me olhando fixamente durante o tempo que suas palavras levam para fazer sentido em minha cabeça. Ela parece minha mãe e essa ideia me abala muito.

Eu me levanto.

— Terminou? Porque agora eu gostaria de encontrar meu carro.

Ela suspira, decepcionada, e isso me deixa mal, mas me recuso a permitir que ela perceba que só consigo pensar em minha mãe e, se ela me visse hoje, o que acharia de mim?

* * *

Depois de mandar algumas mensagens de texto para os meus amigos, descubro onde meu carro estava. Enquanto Jordyn me leva até lá, considero pedir desculpas a ela. Empaco no carro com a porta meio fechada, me perguntando o que dizer. Por fim, me curvo para baixo e olho para ela.

— Desculpe pelo meu jeito mais cedo. Agradeço a você por ter me ajudado na noite passada e por ter me dado carona agora.

Estou prestes a fechar a porta, mas ela me chama e sai do carro. Olha para mim por cima do capô.

— Sabe ontem à noite... quando você ligou? Você ficou dizendo alguma coisa sobre a data de hoje e... não quero me meter, mas sei que é o aniversário do que aconteceu com sua mãe. Acho que talvez seria bom se você fosse vê-la. — Ela baixa os olhos e tamborila os dedos no capô. — Pense nisso, está bem?

Fico um tempo olhando para ela e concordo rapidamente com a cabeça antes de entrar no meu carro.

Sei que já faz dois anos. Não preciso de um lembrete. Toda manhã que acordo e respiro pela primeira vez, me lembro desse dia.

* * *

Seguro firme o volante, sem saber se vou sair do carro. Já é bem ruim que eu tenha ido ao cemitério, para início de conversa. Eu nunca havia visitado o túmulo da minha mãe. Simplesmente não sinto necessidade porque não acho que ela esteja mesmo ali. Às vezes, converso com ela. É claro que as conversas são unilaterais, mas ainda assim falo com ela. Não acho necessário ter que olhar para uma lápide para fazer isso.

Então, por que estou aqui?

Talvez eu tivesse esperanças de que fosse ajudar. Mas a realidade é que aceitei a morte da minha mãe. Entendo por que ela fez isso. E sei que se ela não tivesse tomado a decisão de tirar a própria vida, o câncer a teria levado pouco tempo depois. Mas pelo visto todo mundo na minha família acha que não consigo superar. Que sinto tanto a falta dela que chega a afetar minha vida.

Sinto falta dela, mas segui em frente. O que não superei foi o que fiz naquela noite.

Obedeci a Kyle quando ele me disse para nunca mais falar sobre Fallon ou o pai dela. Não procurei por eles na internet.

Não andei de carro pelas casas em que talvez eles morem agora. Ora essa, nem sei onde eles moram. E não pretendo descobrir. Kyle tinha razão: preciso manter distância disso. Determinaram que foi acidental e a última coisa de que preciso é alguém criando suspeitas sobre aquela noite.

Mas ainda penso naquela garota todo dia. Ela perdeu a carreira por minha causa. Uma *boa* carreira. Uma com a qual muitas pessoas sonham. E meus atos daquela noite vão persegui-la pelo resto da vida.

Às vezes me pergunto como ela está. Já quis pesquisar sobre ela várias vezes — talvez até vê-la de perto — só para saber o quanto ficou ferida no incêndio. Não sei por quê. Talvez eu ache que descobrir que ela leva uma vida boa me ajude a superar de algum jeito. Mas a única coisa que me impede de procurar por ela é a possibilidade de que não seja assim. A vida dela pode ser muito pior do que eu esperava e tenho medo de como vou reagir, se esta for a verdade.

Quando estou prestes a ligar o carro, um veículo para na vaga ao meu lado. A porta do motorista se abre e antes mesmo que ele saia, sinto minha boca secar.

O que ele está fazendo aqui?

Sei que é ele, pela nuca, pela altura, pelo modo como se porta. Donovan O'Neil tem uma presença reconhecível e, considerando que eu o vi aparecendo na televisão na noite do incêndio, seu rosto nunca vai sair da minha mente.

Olho em volta, me perguntando se devo ligar o carro e ir embora antes que ele note minha presença. Mas o homem nem presta atenção ao seu redor. Na sua mão direita, há um buquê de hortênsias. Ele está indo para o túmulo dela.

Ele veio aqui ver minha mãe.

De repente, sou levado de volta à noite em que estava sentado neste mesmo carro, olhando para o outro lado da rua. Parece a mesma situação, só que agora estou observando por curiosidade e não por ódio. Ele não fica muito tempo na sepultura dela. Troca as flores murchas por novas. Olha a lápide por um instante e depois volta para o carro.

Ele está familiarizado com esta rotina, como se fizesse isso o tempo todo. E, por um momento, me sinto culpado por pensar que ele nunca gostou da minha mãe. Porque é evidente que gostou, se continua visitando o túmulo dela dois anos depois.

Ele consulta o relógio de pulso ao voltar para o carro e apressa o passo. Está atrasado para alguma coisa. E me pergunto se, por algum milagre, tem alguma relação com a filha. Digo a mim mesmo para parar quando estendo a mão para a ignição. Falo: "Não faça isso, Ben", em voz alta, na esperança de dar ouvidos a mim mesmo.

Mas hoje a curiosidade vence e vou atrás do carro dele ao sair do cemitério, sem ter a menor ideia de por que estou fazendo isto.

* * *

Estaciono no restaurante a alguns carros de distância do dele. Eu o observo entrar no local. Vejo alguém se levantar para abraçá-lo — *uma garota* — e cerro tanto o maxilar que meu queixo dói.

Só pode ser ela.

As palmas de minhas mãos começam a transpirar. Não sei se realmente quero vê-la. Mas sei que de jeito nenhum vou sair daqui, tendo ela tão perto, sem pelo menos entrar e passar pela mesa deles. Preciso saber. Preciso saber o que fiz com ela.

Pego meu laptop antes de entrar, assim posso ter no que me concentrar enquanto fico sentado sozinho. Ou pelo menos posso fingir que estou concentrado em algo. Quando entro, não consigo ver o rosto dela para saber se é mesmo Fallon. Ela está de costas para mim. Tento não encarar, porque não quero que o pai dela me veja prestando atenção neles.

— Mesa no meio ou no canto? — pergunta a garçonete.

Indico com a cabeça a mesa atrás da deles.

— Posso ficar com aquela?

A mulher sorri e pega um cardápio.

— Hoje é só para uma pessoa?

Assinto e ela me leva para a mesa. Meu coração está batendo tão acelerado que nem mesmo encontro coragem para olhar para ela quando passo por ali. Eu me sento de modo a ficar de frente para o lado contrário. Vou criar coragem daqui a alguns minutos. Não há nada de errado em estar neste restaurante. Não sei por que sinto como se estivesse infringindo a lei, sendo que só o que faço é me sentar para comer.

Minhas mãos estão entrelaçadas à minha frente na mesa. Tento pensar numa multiplicidade de motivos para me virar e olhar por cima do ombro, mas tenho medo de não conseguir parar de olhar. Não sei que tipo de danos causei a ela e tenho medo de ver que ela está triste, se eu olhar em seus olhos.

Mas tenho medo de não saber se ela pode ser feliz se eu *não* olhar em seus olhos.

— Só estou meia hora atrasado, Fallon. Dê um desconto — diz o pai.

Ele disse o nome dela. Sem dúvida nenhuma é ela. Nos próximos minutos, talvez eu fique cara a cara com a garota de quem eu quase tirei a vida.

Felizmente, um garçom aparece e anota meu pedido, me distraindo de mim mesmo. Não estou com nenhuma fome, mas faço um pedido de qualquer maneira, porque, que tipo de gente entra em um restaurante e não pede comida? Não quero chamar atenção para mim.

O garçom tenta puxar conversa comigo sobre o fato de que o cara atrás de nós é igualzinho a Donovan O'Neil, o ator que fez Max Epcott. Finjo que não sei de quem ele está falando, e o garçom não fica nada impressionado. Só quero que ele saia daqui. Finalmente, quando ele vai embora, eu me recosto para ouvir mais da conversa deles.

— Então, é isso. Estou um pouco chocado, mas está acontecendo — diz o pai dela.

Espero pela resposta dela. Perdi o que ele acabou de dizer à filha, graças ao garçom xereta, mas o silêncio da garota prova que não é algo que ela quisesse ouvir.

— Fallon? Vai dizer alguma coisa?

— O que quer que eu diga? — *Ela não parece feliz.* — Quer que eu te *dê os parabéns*?

Sinto o pai dela se jogar no encosto do assento.

— Bom, achei que você ficaria feliz por mim — diz ele.

— *Feliz* por você?

Tudo bem. O que quer que ele tenha dito a ela a deixou irritada Ela tem coragem, isso tenho de reconhecer.

— Eu não sabia que podia ser pai de novo.

Não sei como me sinto com relação a isso. Por um segundo, lembro que este homem era apaixonado por minha mãe e esta talvez fosse uma situação em que ela se envolveria, se o câncer não a tivesse levado primeiro.

Quer dizer... Sei que não foi o câncer que a levou. Foi a arma. Mas, de qualquer modo, a culpa foi do câncer.

— Ejacular na vagina de uma mulher de vinte e quatro anos não torna ninguém um pai — diz Fallon.

Rio em silêncio. Não sei por que, mas minha culpa é aliviada só de ouvir o jeito com que ela fala. Talvez porque eu sempre a tenha imaginado como uma garota calada e dócil, cheia de autopiedade. Mas ela parece prestes a explodir.

Ainda assim... isso é loucura. Eu não devia estar aqui. Kyle me mataria se descobrisse o que estou fazendo.

— Não acha que tenho o direito de me considerar um pai? O que isso me torna para você, então?

Eu não devia estar ouvindo a conversa particular deles. Passo os minutos seguintes tentando me concentrar no laptop que trouxe, mas só fico rolando pelas telas, fingindo trabalhar, enquanto passo o tempo todo ouvindo que o pai dela é um imbecil sem consideração.

De onde estou, ouço-a suspirar.

— Você é impossível. Agora entendo por que mamãe te largou.

— Sua mãe me deixou porque eu dormi com a melhor amiga dela. Minha personalidade não teve nada a ver com isso.

Como é possível que minha mãe tenha amado este homem?

Agora que penso nisso, não tenho tanta certeza assim se ela amou. Ele é que parecia ter mandado todas as cartas e mensagens de texto. Nunca encontrei nada que ela tenha mandado a ele, então talvez tenha sido um breve relacionamento unilateral que ele não conseguiu esquecer.

De qualquer modo, me sinto melhor com isso. Estremeço ao pensar que minha mãe era só uma mulher comum que às vezes escolhia mal seus relacionamentos, e não a heroína onisciente em quem eu provavelmente a transformei em minha memória.

O garçom interrompe a conversa dos dois para entregar o almoço. Reviro os olhos quando ele finge só ter notado agora que Donovan O'Neil está sentado ali. Ouço o garçom perguntar a Fallon se ela pode tirar uma foto dos dois. Enrijeço na cadeira, me perguntando se ela vai se levantar e entrar no meu campo de visão. Não tenho tanta certeza de que estou pronto para ver a aparência dela.

Mas não importa se estou preparado ou não, porque ela acabou de dizer para eles tirarem um selfie e está indo ao banheiro. Ela passa por mim e, no segundo em que a vejo, fico sem fôlego.

Ela segue na direção contrária, então não vejo seu rosto. O que vejo é o cabelo. Muito cabelo, comprido, grosso, liso, que cai por suas costas, e castanho, do mesmo tom dos sapatos dela.

E a calça jeans. Serve nela com tanta perfeição que parece feita sob medida, moldando-se a cada curva, do quadril até os tornozelos. A calça se move tão bem com ela que me flagro imaginando que tipo de calcinha ela está usando. Porque não consigo ver marca nenhuma. Deve ser um fio dental, mas ela também pode estar... *Mas o que é isso, Ben? Como foi que seus pensamentos seguiram essa direção?*

Minha pulsação acelera porque sei que preciso ir embora. Preciso me levantar, sair e aceitar que ela parece estar bem. O pai pode ser um babaca, mas ela é capaz de se virar muito bem sozinha, então minha presença assim tão próxima dos dois não faz bem a ninguém.

Mas, droga, o garçom está aproveitando o fato de que Donovan O'Neil está lhe dando atenção. Sequer me importo com a minha comida, se ele pudesse apenas trazer a conta, eu poderia pagar e dar o fora daqui.

Começo a balançar o joelho de nervosismo. Ela já foi para lá há um bom tempo. Sei que vai sair a qualquer segundo e não sei se devo olhar para ela, virar a cara, sorrir, fugir ou *que merda, o que é que eu faço?* Ela está saindo.

Ela está cabisbaixa e ainda não consigo ver seu rosto, mas o corpo é ainda mais perfeito de frente do que de costas.

Quando ela ergue os olhos para mim, sinto um frio na barriga. Meu coração parece derreter nos confins de sua masmorra. Pela primeira vez em dois anos, estou vendo exatamente o que fiz com ela.

Do alto da sua bochecha esquerda, perto do olho, descendo pelo pescoço, existem cicatrizes. Cicatrizes que estão ali por minha causa. Algumas mais fracas do que outras, mas se destacam muito porque sua pele tem um tom rosado, mais brilhante, e parece bem mais frágil do que as partes dela que não foram feridas. Mas não são as cicatrizes o que mais se destaca. São seus olhos verdes, que estão fixos em mim. A falta de confiança por trás deles comprova o quanto prejudiquei sua vida.

Ela ergue a mão e puxa uma mecha de cabelo para a boca, cobrindo parte das cicatrizes. Ao mesmo tempo, seus olhos se voltam para o chão, fazendo seu cabelo cair no rosto e esconder a maior parte das cicatrizes. Continuo olhando para ela, porque dói não olhar. Imagino o que aquela noite deve ter sido para ela. O medo que ela deve ter sentido. A agonia que ela deve ter passado nos meses seguintes.

Fecho as mãos em punhos, porque nunca senti uma necessidade tão grande de consertar as coisas. Quero cair de joelhos bem aqui diante dela e dizer que sinto muito por ter lhe causado tanta dor. Por ter arruinado sua carreira. Por fazê-la achar que é necessário ter de esconder seu rosto com o cabelo, sendo que ela é bonita pra cacete.

Ela não faz ideia. Ela não faz ideia de que está erguendo a cabeça e olhando nos olhos do cara que acabou com sua vida. Ela não sabe que eu daria qualquer coisa para tocar os lábios no seu rosto, beijar as marcas que lhe causei, dizer a ela que sinto muito mesmo.

Ela não sabe que estou quase chorando só de ver seu rosto, porque é ao mesmo tempo primoroso e torturante. Tenho medo de se eu não sorrir para ela agora, acabar chorando por ela.

E então acontece uma coisa quando ela passa por mim: tudo dentro meu peito se aperta e contrai. Porque tenho medo de que o que se passou entre nós — aquele sorriso mínimo — seja tudo o que vai acontecer. E não sei por que isso me preocupa, considerando que antes de hoje eu nem sabia se queria vê-la.

Mas agora que a vi, não sei se quero parar. E o fato de que o pai dela está neste momento atrás de mim, diminuindo-a, dizendo que ela não tem mais beleza suficiente para atuar, me dá vontade de subir na mesa e estrangular o homem. Ou pelo menos subir na mesa ao lado dela e defendê-la.

Neste exato momento o garçom decide trazer minha comida. Tento comer. Tento mesmo, mas titubeio ao ouvir como o pai fala com ela. Lentamente baixo a batata frita enquanto escuto o pai ficar cada vez mais hipócrita. A princípio, fico aliviado quando ouço que ela tem planos de se mudar.

Bom para você, penso.

Saber que ela tem coragem suficiente para se mudar para o outro lado do país e tentar atuar novamente me faz ter mais respeito por ela do que jamais tive por alguém. Mas ouvir o pai continuamente tentar lhe dizer que ela não é boa o bastante, me faz sentir mais desprezo por alguém do que nunca.

Escuto o pai pigarrear.

— Você sabe que não foi isso que quis dizer. Não estou dizendo que você se reduziu a audiobooks. O que estou dizendo é que você pode encontrar uma profissão melhor, agora que não pode mais atuar. Não dá muito dinheiro esse negócio de narração. Nem na Broadway, aliás.

Não ouço o que ela diz em seguida, porque estou morrendo de raiva. Não consigo acreditar que este homem — um pai que devia defender e apoiar a filha diante de um desafio — está dizendo essas coisas a ela. Talvez ele esteja apenas sendo rigoroso, mas a garota já sofreu o bastante.

A conversa cessa por um momento. Tempo suficiente para o pai pedir um refil. Tempo suficiente para o garçom trazer o meu refil e tempo suficiente para eu me levantar e ir ao banheiro, para tentar me acalmar e voltar ao meu lugar sem estrangular o homem atrás de mim.

— Você me dá vontade de dispensar os homens para sempre — diz ela.

Bem, o pai dela *me* dá vontade de dispensar os homens para sempre. Se os homens são mesmo tão superficiais como este, *todas* as mulheres deveriam dispensar os homens para sempre.

— Isso não deveria ser um problema — diz o pai. — Sei que você só saiu com um garoto e isso já faz mais de dois anos.

E nesse instante toda a razão sai pela janela.

Ele não sabe que dia é hoje? Ele não tem a menor porra de ideia do que a filha sofreu emocionalmente nos últimos dois anos? Tenho certeza de que ela passou um ano inteiro se recuperando e sei, pelos poucos segundos em que olhei em seus olhos, que ela não tem um pingo de autoconfiança. E ali está ele comentando que ela não namora desde o acidente?

Minhas mãos tremem, porque estou muito irritado. Acho que eu talvez esteja com mais raiva do que na noite em que ateei fogo no carro dele.

— Bom, pai — diz ela com a voz tensa. — Não recebo a mesma atenção dos homens como antes.

Deslizo para sair do meu lugar, incapaz de me conter. Mas de jeito nenhum vou deixar que essa garota passe um segundo a mais sem alguém que a defenda do jeito certo.

Estou me sentando ao lado dela.

— Desculpe pelo atraso, amor — digo, passando o braço por seus ombros.

Ela enrijece sob meu braço, mas o mantenho ali. Pressiono os lábios na lateral de sua cabeça, sem querer sentindo o aroma floral do xampu.

— Essa porcaria de trânsito de Los Angeles — murmuro.

Estendo a mão para o pai dela e antes de dizer meu nome, me pergunto se de algum modo ele vai reconhecê-lo, pois sabia quem era minha mãe. Ela voltou a usar o nome de solteira alguns anos depois da morte do meu pai, então talvez ele não saiba quem eu sou. Assim espero.

— Meu nome é Ben. Benton James Kessler. Namorado da sua filha.

Sua expressão não registra um lampejo sequer de reconhecimento. Ele não sabe quem eu sou.

A mão do pai dela toca a minha e quero puxá-lo pela mesa e esmurrar seus dentes. Provavelmente eu faria isso, se não sentisse que ela fica cada vez mais tensa ao meu lado. Eu me recosto e a puxo para mim, sussurrando em seu ouvido:

— Siga minhas deixas.

É como se uma lâmpada se apagasse em sua cabeça neste exato segundo, porque a confusão em seu rosto se transforma em prazer. Ela sorri carinhosamente para mim, se encostando no meu corpo, e fala:

— Não achei que você fosse conseguir chegar.

É, eu queria dizer, *também não achei que estaria sentado aqui. Mas como não posso piorar sua vida nesta data, o mínimo que posso fazer é tentar tornar um pouco melhor.*

Fallon

Formo uma nova pilha com as páginas que já li. Fico observando o manuscrito, sem acreditar. Sei que devia ficar zangada por ele ter mentido para mim por tanto tempo, mas estar na cabeça dele de algum modo justifica seu comportamento. Não só isso: também justifica o comportamento do meu pai.

Ben tem razão. Ao relembrar agora aquele dia, percebo que meu pai não devia ser totalmente culpado. Ele estava expressando sua opinião sobre minha carreira, o que todo pai ou mãe tem o direito de fazer. E por mais eu tenha discordado dele e de como se expressou, meu pai nunca foi muito bom em se comunicar. Além disso, é óbvio que eu dificultei as coisas para ele assim que se sentou à mesa. Ele ficou na defensiva, eu estava em modo de ataque, então tudo só piorou a partir daí.

Preciso me lembrar de que existe mais de um jeito de as pessoas demonstrarem amor. E apesar de o jeito dele e o meu serem contrários, ainda é amor.

Estou prestes a virar para o capítulo seguinte, mas algumas folhas de caderno caem da parte entre os capítulos cinco e seis. Largo as páginas do manuscrito e pego a carta. É outro bilhete escrito por Ben.

Fallon,

Você sabe de tudo o que acontece depois deste ponto da história. Está tudo aqui. Cada dia que passamos e até alguns dias que não estávamos juntos. Cada pensamento que tive em sua presença... ou perto disso.

Como você deve saber pelo capítulo que terminou de ler agora, eu não estava muito bem quando nos conhecemos. Os dois anos da minha vida desde o incêndio tinham sido um inferno e eu fazia de tudo para afogar a culpa que sentia. Mas aquele primeiro dia que passei com você foi o primeiro em muito tempo em que me senti feliz. E percebi que fazia você feliz, e isso é algo que nunca achei que fosse possível. E embora você estivesse de mudança, eu sabia que se houvesse um jeito de cada um de nós poder aguardar ansiosamente pelo dia 9 de novembro, isso faria uma enorme diferença na vida de nós dois. Então, jurei a mim mesmo que nos dias que eu passasse com você, eu me permitiria aproveitar. Eu não pensaria no incêndio... não pensaria no que fiz a você. Por um dia a cada ano, eu queria ser o cara que se apaixona pela garota, porque tudo em você me cativava. E eu sabia que se deixasse que o passado me devorasse em sua presença, de algum modo cometeria um deslize. Que você descobriria o que fiz com você. Eu sabia que se algum dia você descobrisse a verdade, de jeito nenhum conseguiria me perdoar por tudo que tirei de você.

Por mais que eu devesse sentir uma culpa imensurável, não me arrependo nem de um só minuto que passei com você. É claro que eu queria ter lidado com as coisas de outro jeito. Talvez, se eu tivesse me aproximado de você e de seu pai naquele dia e explicado a verdade, teria lhe poupado de muito sofrimento. Mas não posso remoer todas as coisas que eu devia ter feito de forma diferente, pois para mim esse era nosso destino. Fomos atraídos um ao outro. Fizemos um ao outro feliz. E sei, sem sombra de dúvida, que houve várias ocasiões nos últimos anos que estivemos loucamente apaixonados um pelo outro ao mesmo tempo. Nem todo mundo tem essa experiência, Fallon, e eu estaria mentindo se dissesse que me arrependo disso.

Este é um dos meus maiores medos: que você tenha passado o último ano supondo que te contei mais de uma mentira, mas não fiz isso. A única mentira que contei a você foi a que omiti: a parte em que fui responsável pelo incêndio. Toda palavra que saiu da minha boca em sua presença foi a mais absoluta verdade. Quando eu disse que você era bonita, fui sincero.

Se você for absorver uma única coisa deste manuscrito, que seja este simples parágrafo. Absorva estas palavras. Quero que elas marquem a sua alma, porque estas palavras são as mais importantes. Estou morrendo de medo de que minhas mentiras tenham causado a perda da confiança que você conquistou nas ocasiões em que ficamos juntos. Porque embora eu tenha escondido uma verdade enorme de você, a única coisa em que não poderia ter sido mais sincero foi sobre sua beleza. E, sim, você tem cicatrizes. Mas quem vê suas cicatrizes antes de ver você, não a merece. Espero que você se lembre disso e acredite. Um corpo é simplesmente uma embalagem que guarda os verdadeiros dons que contém. E você é cheia de dons. Altruísmo, gentileza, compaixão. Todas as coisas que importam.

A juventude e a beleza passam. A decência humana, não.

Sei que eu disse em minha carta anterior que não escrevi isto para ter seu perdão. Apesar de ser verdade, não vou fingir que não estou rezando de joelhos por seu perdão, esperando um milagre. Não vou agir como se não estivesse sentado no restaurante por horas sem fim, torcendo para você entrar pela porta. Porque é exatamente onde estarei.

Se você não aparecer hoje, estarei lá no ano que vem. E no ano seguinte. Todo 9 de novembro, esperarei por você, torcendo para que um dia você consiga me perdoar a ponto de voltar a me amar. Mas, se isto não acontecer, e você nunca aparecer, ainda assim eu ficaria grato a você até o dia da minha morte.

Você me salvou no dia em que nos conhecemos, Fallon. Sei que eu só tinha 18 anos, mas minha vida teria sido muito diferente se não tivéssemos passado aquele tempo juntos. Na primeira noite em que tivemos de nos despedir, fui direto para casa e comecei a escrever este livro. O que se tornou meu novo objetivo de vida. Minha nova paixão. Passei a levar a faculdade mais a sério. Levei a vida mais a sério. E graças a você e ao impacto que você teve em minha vida, os últimos dois anos que passei com Kyle foram ótimos. Quando ele morreu, tinha orgulho de mim. E isso significa mais para mim do que você jamais saberá.

Portanto, quer você consiga ou não encontrar em seu coração motivo para me amar de novo, eu precisava agradecer a você por ter me salvado. E se houver alguma parte de você capaz de me perdoar, sabe onde estarei. Esta noite, ano que vem, no ano seguinte, pela eternidade.

A decisão é sua. Pode continuar lendo este manuscrito e espero que isto a ajude a encontrar um desfecho. Ou pode parar de ler agora e vir me perdoar.

Ben

Último
9 de novembro

Se as mentiras fossem escritas, eu as apagaria
Mas são faladas; gravadas por dentro
Com uma verdade convalescida, grito minha
penitência
Que eu possa me arrepender em sua pele.

— Benton James Kessler

Ben

Eram 83.456 palavras no manuscrito que deixei na porta da casa dela na noite passada. Eram aproximadamente 23 mil palavras nos cinco primeiros capítulos, antes de ela chegar ao bilhete. Ela pode tranquilamente ter lido 23 mil palavras em três horas. Se ela começasse a leitura logo depois que deixei o manuscrito, teria terminado a primeira parte às três da manhã.

Mas é quase meia-noite. Faz quase 24 horas que a vi pegar o manuscrito e fechar a porta. O que significa que ela teve 21 horas de sobra e ainda não está aqui.

O que significa, evidentemente, que ela não vem.

A maior parte de mim acreditava que ela não apareceria hoje, mas uma pequena parte ainda tinha esperanças. Não posso dizer que a decisão dela partiu meu coração, porque isto significaria que meu coração ainda estaria inteiro para ser partido.

Faz um ano inteiro que estou com o coração partido, então o fato de ela não vir é tão debilitante quanto os últimos 365 dias que passaram.

Estou surpreso que o restaurante tenha me deixado esperar aqui, a esta mesa, por tanto tempo. Estou aqui desde o amanhecer, na esperança de que ela tenha ficado acordada lendo o manuscrito na noite passada. Agora é quase meia-noite, já passei umas boas dezoito horas ocupando esta mesa. Esta será uma gorjeta das grandes.

Às 11h55h da noite, deixo a gorjeta. Não quero estar aqui quando o relógio indicar que é dia 10 de novembro. Prefiro esperar os últimos cinco minutos em meu carro.

Quando abro a porta para sair do restaurante, a garçonete me olha com pena. Tenho certeza de que ela nunca viu ninguém esperar por tanto tempo e levar bolo, mas pelo menos isso vai dar a ela uma boa história para contar.

São 11h56h quando chego ao estacionamento.

São 11h56h quando a vejo abrir a porta e sair do carro.

Ainda são 11h56h quando entrelaço as mãos na nuca e inspiro o ar frio de novembro só para conferir se meus pulmões estão funcionando.

Ela está parada perto do carro, o vento soprando mechas do seu cabelo pelo rosto enquanto ela olha para mim do outro lado do estacionamento. Fico com a impressão de que se eu der um passo na direção dela, a terra vai esfarelar sob meus pés com o peso do meu coração. Nós dois ficamos imóveis por vários segundos demorados.

Ela olha para o celular nas suas mãos, depois de volta para mim.

— São 11h57, Ben. Só temos três minutos para fazer isso.

Eu a encaro, me perguntando o que ela quer dizer com isso. Ela vai embora daqui a três minutos? Só está me dando três minutos para argumentar a meu favor? As perguntas ficam rodando em minha cabeça quando vejo o canto de sua boca se erguer em um sorriso.

Ela está sorrindo.

Assim que percebo isso, saio correndo. Atravesso o estacionamento em questão de segundos. Passo os braços em volta dela e a puxo para mim. Quando sinto seus braços me envolverem, faço a coisa mais antialfa que poderia.

Choro feito um bebê, porra.

Meus braços a apertam com força, minhas mãos envolvem sua nuca, meu rosto está em seu cabelo. Eu a abraço por tanto tempo que não sei se ainda é 9 de novembro ou se já é dia 10. Mas a data não importa, porque vou amá-la cada dia.

Ela afrouxa o abraço e se afasta do meu ombro para me olhar. Agora nós dois estamos sorrindo e nem acredito que esta garota encontrou em seu coração motivo para me perdoar. Mas foi o que aconteceu, posso ver em todo seu rosto. Vejo em seus olhos, no sorriso, no jeito que se comporta. E sinto em seus dedos tocando meu rosto, enxugando minhas lágrimas.

— Namorados fictícios choram tanto quanto eu? — pergunto a ela, que ri.

— Só os realmente bons.

Encosto a testa na dela e fecho os olhos com força. Quero absorver este momento pelo máximo de tempo que conseguir. Só porque ela está aqui e só porque me perdoou, não significa que esteja aqui para me amar para sempre. E preciso estar preparado para aceitar isso.

— Ben, tem uma coisa que quero dizer.

Eu me afasto e olho para ela. Agora há lágrimas nos olhos *dela*, então não me sinto tão ridículo. Ela estica as mãos e toca meu rosto, acariciando gentilmente minha bochecha.

— Não vim aqui para te perdoar.

Sinto meu queixo endurecer, mas tento relaxar. Eu sabia que esta possibilidade existia. E preciso respeitar sua decisão, por mais difícil que seja para mim.

— Você tinha 16 anos — diz ela. — Tinha passado por uma das piores coisas que uma criança poderia enfrentar. Seus atos naquela noite não aconteceram porque você era má pessoa, Ben. Foi porque você era um adolescente assustado e às vezes as pessoas cometem erros. Você carregou culpa demais pelo que fez, e por tempo demais. Não pode pedir meu perdão, porque não há o que perdoar. Na verdade, estou aqui para ter o *seu* perdão. Porque conheço seu coração, Ben, e seu coração só é capaz de amar. Eu devia ter reconhecido isso ano passado, quando duvidei de você. Eu devia ter te dado a chance de se explicar. Se tivesse simplesmente escutado você, talvez evitássemos um ano inteiro de sofrimento. Então, por isso... me desculpe. Sinto *muito*. E espero que você possa me perdoar.

Ela me olha com uma esperança verdadeira, como se sinceramente acreditasse que tem parte da culpa por qualquer coisa que tenhamos passado.

— Você não tem o direito de pedir desculpa para mim, Fallon.

Ela solta o ar e assente.

— Então você não tem o direito de pedir desculpa para mim.

— Ótimo — digo. — Eu perdoo a mim mesmo.

Ela ri.

— E eu perdoo *a mim mesma*.

Ela leva as mãos ao meu cabelo e passa os dedos, sorrindo para mim. Meus olhos se fixam em um curativo em seu pulso esquerdo e ela percebe.

— Ah. Quase me esqueci da parte mais importante. Por isso cheguei tão atrasada. — Ela começa a retirar o curativo do pulso. — Fiz uma tatuagem. — Ela ergue o pulso e vejo a pequena tatuagem de um livro aberto. Cada uma das duas páginas traz a máscara da comédia e da tragédia. — Livros e teatro — diz ela, explicando o desenho da tatuagem. — Minhas duas coisas preferidas. Fiz duas horas atrás, quando percebi como estou altruisticamente apaixonada por você.

Ela volta a meu encarar, com brilho nos olhos.

Solto o ar rapidamente, segurando seu pulso. Levanto-o e o beijo.

— Fallon. Venha para casa comigo. Quero fazer amor com você e dormir ao seu lado. Depois, de manhã, quero preparar para você o café da manhã que prometi no ano passado. Bacon bem-passado e ovo estrelado.

Ela sorri, mas não concorda com o café da manhã.

— Na verdade, vou tomar café com meu pai amanhã.

Ouvi-la dizer que vai tomar café da manhã com o pai me deixa ainda mais feliz do que se ela tivesse concordado em tomar comigo. Sei que o pai dela não é o ideal, mas ainda é o pai dela. E senti tanta culpa por ter sido responsável por grande parte da tensão no relacionamento deles.

— Mas vou para casa com você — diz ela.

— Ótimo — respondo. — Esta noite, você é minha. Vou esperar para preparar seu café da manhã *depois* de amanhã. E todo dia depois disso, até o próximo 9 de novembro, quando vou me ajoelhar e fazer a proposta de casamento mais digna de livro na história da humanidade.

Ela dá um tapa no meu peito.

— Esse foi um *tremendo* spoiler, Ben! Você não aprendeu sobre alertas de spoiler durante seu acesso de leitura?

Sorrio enquanto aproximo minha boca da dela.

— Alerta de spoiler. Eles viveram felizes para sempre.

Depois eu a beijo.

E este vale um 12.

• • •

Não é o fim.

Longe disso.

Agradecimentos

Primeiro, quero agradecer a todos que participaram deste livro. Meus leitores beta e melhores amigos. Sem nenhuma ordem específica: Tarryn Fisher, Mollie Kay Harper (minha guru de cenas de sexo), Kay Miles, Vannoy Fite, Misha Robinson, Marion Archer, Kathryn Perez, Karen Lawson, Vilma Gonzalez, Kaci Blue-Buckley, Stephanie Cohen, Chelle Lagoski Northcutt, Jennifer Stiltner, Natasha Tomic, Aestas e Kristin Delcambre.

Às mulheres que ajudam a cuidar da minha vida caótica, que garantem que minhas contas sejam pagas ou ajudam em meus grupos de leitores on-line: Stephanie Cohen, Brenda Perez, Murphy Hopkins, Chelle Lagoski Northcutt, Pamela Carrion e Kristin Delcambre.

E embora The Bookworm Box não tenha relação com este livro, os voluntários certamente cuidaram para que este livro fosse concluído. Assim, a todos que ajudaram preparando caixas, imprimindo etiquetas e a quem doou livros, muito obrigada! Mas principalmente a Lin Reynolds, que quase sozinha manteve esta organização filantrópica a todo vapor, apesar dos nossos diversos obstáculos.

A meus pais, minhas irmãs, Heath e os meninos. A todos vocês. Sei que nossa vida mudou drasticamente nos últimos anos. Significa muito para mim que cada um de vocês tenha sido aberto e receptivo a essas mudanças. Vocês não brigam quando me esqueço de retornar seus telefonemas, não ficam bravos quando viajo demais e não queimam minhas roupas quando de vez em quando deixo de tirá-las das malas durante semanas. Agradeço por sua paciência e compreensão. Vocês são minha base, minha espinha dorsal, meu coração. Todos vocês.

A Johanna Castillo, minha maravilhosa e linda editora de texto, que tem pernas de matar. Minha felicidade vem em primeiro lugar para você, e isto é mais do que poderia pedir.

A MINHA RELAÇÕES PÚBLICAS, ARIELE STEWART FREDMAN! ESTOU COLOCANDO EM MAIÚSCULAS PORQUE AINDA ESTOU ANIMADA DEMAIS POR FINALMENTE TER VOCÊ! NÃO SÓ COMO MINHA RELAÇÕES PÚBLICAS, MAS COMO UMA AMIGA INCRÍVEL E SENSACIONAL!

A minha editora, Judith Curr, e a toda a equipe da Atria Books, não consigo agradecer o suficiente pelo apoio que vocês me deram. Do fechamento da capa na primeira tentativa a me convidar a participar daquela ideia maluca do aplicativo. Mal posso esperar para ver qual será meu futuro com vocês.

A minha agente, Jane Dystel, e a toda a Dystel & Goderich Literary Team. Não consigo agradecer o suficiente por serem uma parte tão importante da minha carreira. Meu sonho. Meu objetivo de vida. Isto não seria possível sem a ajuda de vocês.

À X Ambassadors, uma das maiores bandas de nossos tempos. Obrigada por inspirar tanto deste livro. Obrigada por criar música que alimenta nossa alma.

E, por fim, mas não menos importante, agradeço a Cynthia Capshaw, por dar à luz minha alma gêmea.

Se me esqueci de alguém, é tudo culpa de Murphy. Por mais que ela tenha progredido para uma carreira na editoração e não seja mais minha assistente, ainda vou culpá-la por tudo que dá errado. Porque ela vai ser sempre minha irmã.

Este livro foi composto na tipologia ITC New Baskerville Std,
em corpo 11/14,7, e impresso em papel off-white
no Sistema Cameron da Divisão Gráfica
da Distribuidora Record.